CONTRE MARCION

SOURCES CHRÉTIENNES

N° 368

TERTULLIEN

CONTRE MARCION

TOME II
(LIVRE II)

TEXTE CRITIQUE, TRADUCTION ET NOTES

PAR

René BRAUN

Professeur émérite à l'Université de Nice

*Ouvrage publié avec le concours
du Centre National de la Recherche Scientifique
et de la Délégation Générale à la Langue Française*

LES ÉDITIONS DU CERF, 29, Bd DE LATOUR-MAUBOURG, PARIS
1991

*La publication de cet ouvrage a été préparée avec le concours
de l'Institut des « Sources Chrétiennes »
(U.R.A. 993 du Centre National de la Recherche Scientifique)*

ABRÉVIATIONS ET SIGLES

Œuvres de Tertullien

An.	De anima
Ap.	Apologeticum
Bapt.	De baptismo
Carn.	De carne Christi
Cor.	De corona
Cult.	De cultu feminarum
Exh.	De exhortatione castitatis
Fug.	De fuga in persecutione
Herm.	Aduersus Hermogenem
Id.	De idololatria
Iei.	De ieiunio
Iud.	Aduersus Iudaeos
Marc.	Aduersus Marcionem
Mart.	Ad martyras
Mon.	De monogamia
Nat.	Ad nationes
Or.	De oratione
Paen.	De paenitentia
Pal.	De pallio
Pat.	De patientia
Praes.	De praescriptionibus haereticorum
Prax.	Aduersus Praxean
Pud.	De pudicitia
Res.	De resurrectione mortuorum
Scap.	Ad Scapulam
Scor.	Scorpiace
Spec.	De spectaculis

Test.	De testimonio animae
Val.	Aduersus Valentinianos
Virg.	De uirginibus uelandis
Vx.	Ad uxorem

Divers

AFLNice	*Annales de la Faculté des Lettres et Sciences humaines de Nice*, Nice.
ASNP	*Annali della Scuola Normale Superiore di Pisa, Cl. di Lettere e filosofia*, Pise.
BA	*Bibliothèque Augustinienne*, Paris.
BAGB	*Bulletin de L'Association G. Budé*, Paris.
BJ	*La Bible de Jérusalem*, Paris 1973.
CCL	*Corpus Christianorum, Series Latina*, Turnhout.
CSEL	*Corpus Scriptorum Ecclesiasticorum Latinorum*, Vienne.
DAGR	Dictionnaire des antiquités grecques et romaines, Paris.
Dhorme	*La Bible (Bibliothèque de la Pléiade)*, t. 1-2, Paris 1956-1959.
FVS	DIELS H., *Die Fragmente der Vorsokratiker*, t. 1-3, Berlin 1954.
JThS	*Journal of Theological Studies*, Oxford.
PW	Realencyclopädie der classischen Altertumswissenschaft, Stuttgart.
RAC	Reallexicon für Antike und Christentum, Stuttgart.
REAug	*Revue des Études Augustiniennes*, Paris.
REL	*Revue des Études latines*, Paris.
RSLR	*Rivista di Storia e letteratura religiosa*, Florence.
RSR	*Revue des Sciences Religieuses*, Strasbourg.
SAWW	*Sitzungsberichte der Österreichischen Akademie der Wissenschaft in Wien, Philos.-Hist. Klasse*, Munich.
SC	*Sources Chrétiennes*, Paris.
SVF	ARNIM J. VON, *Stoicorum Veterum Fragmenta*, t. 1-4, Stuttgart 1964.
TLL	Thesaurus Linguae Latinae, Munich.

TOB	*Traduction Œcuménique de la Bible, Ancien Testament,* Paris 1975.
TU	*Texte und Untersuchungen zur Geschichte der altchristlichen Literatur,* Leipzig.
TWNT	Theologisches Wörterbuch zum Neuen Testament, Stuttgart.
VChr	*Vigiliae Christianae,* Amsterdam.
VetChr	*Vetera Christianorum,* Bari.
WS	*Wiener Studien,* Vienne.
ZKG	*Zeitschrift für Kirchengeschichte,* Stuttgart.
ZPE	*Zeitschrift für Papyrologie und Epigraphik,* Bonn.
ZRGG	*Zeitschrift für Religions- und Geistesgeschichte,* Cologne.

BIBLIOGRAPHIE

Éditions et traductions

Q.S.F. Tertulliani Opera. Ex recensione A. KROYMANN. Pars 3 (*CSEL* 47), Vienne 1906, p. 290 s. Repris dans *CCL* 1, 1954, p. 437 s.

Tertulliani Aduersus Marcionem. Edidit C. MORESCHINI (*Testi e documenti per lo studio dell'antichità* 35), Milan 1971 (= MORESCHINI).

Opere scelte di Quinto Settimo Florente Tertulliano. A cura di C. MORESCHINI (*Classici UTET*), Turin 1974, p. 291 s. (= MORESCHINI, *Trad.*).

TERTULLIAN, *Aduersus Marcionem.* Edited and translated by E. EVANS. Books 1 to 3 (*Oxford Early Christian Texts*), Oxford 1972 (= EVANS).

Traductions anciennes

Œuvres de Tertullien traduites en français par M. DE GENOUDE, t. 1, Paris 1852, p. 1-100.

The five books of Quintus Septimius Florens Tertullianus against Marcion translated by P. HOLMES (*Ante-Nicene Christian Library* 7), Edimburg 1868.

Commentaires

BILL A., *Zur Erklärung und Textkritik des 1. Buches Tertullians Aduersus Marcionem* (*TU* 38, 2), Leipzig 1911 (= BILL).

MEIJERING E.P., *Tertullian Contra Marcion. Gotteslehre in der Polemik. Aduersus Marcionem I-II* (*Philosophia Patrum* 3), Leiden 1977 (= MEIJERING).

Critique textuelle

BRAUN R., «De quelques corrections au texte d'*Aduersus Marcionem* I-III», *RSLR* 21, 1985, p. 49-55.

KROYMANN E., *Kritische Vorarbeiten für den III und IV Band der neuen Tertullian-Ausgabe*, *SAWW* 143, 1900, 6. heft.

–, *Die Tertullian-Ueberlieferung in Italien*, *SAWW* 138, 1898, 3. heft.

LUISELLI B., Compte rendu de l'édition MORESCHINI, *VetChr* 11, 1974, p. 405-408 (= LUISELLI).

MORESCHINI C., «Prolegomena ad una nuova edizione dell'*Aduersus Marcionem* di Tertulliano», *ASNP* 35, 1966, p. 293-308; 36, 1967, p. 93-102 et p. 236-244 (= MORESCHINI, «Prolegomena»).

–, «Osservazioni sul testo dell'*Aduersus Marcionem* di Tertulliano», *ASNP* 39, 1970, p. 1-25 (= MORESCHINI, «Osservazioni»).

–, «Per una nuova lettura dell'*Aduersus Marcionem* di Tertulliano», *Studi Classici e Orientali* 23, 1974, p. 60-69.

QUISPEL G., «Ad Tertulliani Aduersus Marcionem librum observatio», *VChr* 1, 1947, p. 42 (= QUISPEL, *«Observatio»*).

TRÄNKLE H., Compte rendu des éditions MORESCHINI et EVANS, *Gnomon* 46, 1974, p. 166-174 (= TRÄNKLE).

Travaux sur Marcion et sur le *Contre Marcion* de Tertullien

BLACKMAN E.C., *Marcion and his influence*, Londres 1948 (= BLACKMAN).

BOSSHARDT E., *Essai sur l'originalité et la probité de Tertullien dans son traité contre Marcion* (Thèse de Lettres de l'Université de Fribourg en Suisse), Florence 1921 (= BOSSHARDT, *Essai*).

FREDOUILLE J.-C., «*Aduersus Marcionem* I, 29. Deux états de la rédaction du traité», *REAug* 13, 1967, p. 1-13.

GRANT R.M., «Two Notes on Tertullian», *VChr* 5, 1951, p. 113-115.

HARNACK A. VON, *Marcion. Das Evangelium vom fremden Gott* (*TU* 45), Leipzig 1924², réimpr. Darmstadt 1960 (= HARNACK, *Marcion*).

MORESCHINI C., «Temi e motivi della polemica antimarcionita di Tertulliano», *Studi classici e orientali* 17, 1968, p. 149-186 (= MORESCHINI, «Temi e motivi»).

NAUMANN V., «Das Problem des Bösen in Tertullians zweiten Buch gegen Marcion», *Zeitschrift für Katholische Theologie* 58, 1934, p. 311-363 et 533-551.

QUISPEL G., *De Bronnen van Tertullianus' Aduersus Marcionem*, Leiden 1943 (= QUISPEL, *Bronnen*).

Autres travaux

Nous donnons ici la liste des travaux les plus souvent cités dans l'Introduction et le Commentaire.

ALÈS A. D', *La théologie de Tertullien*, Paris 1905.

BARNES T.D., *Tertullian. A Historical and Literary Study*, Oxford 1985² (= BARNES, *Tertullian*).

BRAUN R., *Deus Christianorum. Recherches sur le vocabulaire doctrinal de Tertullien*, Paris 1977² (= *Deus Christ.*).

–, «*Chronologica Tertullianea*. Le *De carne Christi* et le *De idololatria*», *AFLNice* 21, 1974, p. 271-281.

–, «Le témoignage des Psaumes dans la polémique antimarcionite de Tertullien», *Augustinianum* 22, 1982, p. 149-163.

BUONAIUTI E., *Il Cristianesimo nell'Africa Romana*, Bari 1928.

DANIÉLOU J., *Histoire des origines chrétiennes avant Nicée. III. Les origines du christianisme latin*, Paris 1978 (= DANIÉLOU, *Origines du christianisme latin*)

DEKKERS E., *Tertullianus en de Geschiedenis der Liturgie*, Bruxelles-Amsterdam 1947 (= DEKKERS, *Tertullianus*).

DREYER O., *Untersuchungen zum Begriff des Gottgeziemenden in der Antike (Spudasmata* 24), Hildesheim-New York 1970.

EDMONDS H., *Zweite Auflage im Altertum (Klass. Phil. Studien* 14), Leipzig 1941.

FREDOUILLE J.-C., *Tertullien et la conversion de la culture antique*, Paris 1972 (= FREDOUILLE, *Conversion*).

–, Édition de TERTULLIEN, *Contre les Valentiniens (SC* 280-281), Paris 1980.

GEEST J.E.L. VAN DER, *Le Christ et l'Ancien Testament chez Tertullien* (*Latinitas Christianorum Primaeva 22*), Nimègue 1972 (= GEEST, *Le Christ et l'A.T. chez Tertullien*).

HOPPE H., *Beiträge zur Sprache und Kritik Tertullians*, Lund 1932 (= HOPPE, *Beiträge*).

–, *Syntax und Stil des Tertullian*, Leipzig 1903 (= HOPPE, *SuS*); cité aussi dans la traduction italienne de G. ALLEGRI, Brescia 1985 (= *trad. it.*).

LEUMANN M., HOFMANN J.B. et SZANTYR A., *Lateinische Grammatik, 2. Band, Syntax und Stilistik*, Munich 1965 (= *LHS*).

MAHÉ J.P., Édition de TERTULLIEN, *La chair du Christ* (*SC 216-217*), Paris 1975.

MOINGT J., *Théologie trinitaire de Tertullien*, t. 1-4, Paris 1966-1969 (= MOINGT, *TTT*).

MONCEAUX P., *Histoire littéraire de l'Afrique chrétienne*, t. 1. *Tertullien et les origines*, Paris 1901 (= MONCEAUX, *HLAC* 1).

O'MALLEY T.P., *Tertullian and the Bible* (*Latinitas Christianorum Primaeva 21*), Nimègue 1967.

POHLENZ M., *Vom Zorne Gottes. Eine Studie über den Einfluss der griechischen Philosophie auf das alte Christentum* (*Forschungen zur Religion und Literatur des Alten und Neuen Testaments 12*), Göttingen 1909.

PRIGENT P., *Justin et l'Ancien Testament*, Paris 1964.

RAMBAUX C., *Tertullien face aux morales des trois premiers siècles*, Paris 1979 (= RAMBAUX, *Tertullien face aux morales*).

RÖNSCH H., *Das Neue Testament Tertullians*, Leipzig 1871.

SIDER R.D., *Ancient Rhetoric and the Art of Tertullian*, Oxford 1971 (= SIDER, *Ancient Rhetoric*).

SPANNEUT M., *Le stoïcisme des Pères de l'Église*, Paris 1967 (= SPANNEUT, *Stoïcisme*).

WASZINK J.H., Édition de TERTULLIEN, *De anima*, Amsterdam 1947 (= WASZINK, *Comm. An.*).

SOMMAIRE DU LIVRE II

DEUXIÈME PARTIE : **Défense de la justice du Créateur** (XI-XIX)

1) Sa bonté est première, sa sévérité occasionnelle (XI, 1-2)

2) Justice et bonté vont de pair en général (XI, 3-4), et il en a été ainsi dans la création (XII)

3) Sa justice, s'exerçant contre le mal, est plénitude de la divinité (XIII)

4) Le mal du péché et le mal du châtiment (XIV)

5) Sa sévérité est justifiée (XV)

6) Les sentiments auxiliaires de la justice sont exempts de mal en Dieu (XVI)

7) Patience et miséricorde du Créateur (XVII)

8) Justification des «duretés de la Loi» (XVIII)

   a) Talion (XVIII, 1)
   b) Interdits alimentaires (XVIII, 2)
   c) Sacrifices (XVIII, 3)

9) Bonté de la Loi et de son prolongement dans les prophètes (XIX)

TROISIÈME PARTIE : **Défense du Créateur contre les blasphèmes marcionites** (XX-XXVII)

1) Le vol de la vaisselle des Égyptiens (XX)

2) Les contradictions du Créateur avec sa loi (XXI-XXII)

   a) Sabbat (XXI)
   b) Représentations figurées (XXII, 1-2a)
   c) Sacrifices (XXII, 2b-4)

3) Sa versatilité à l'égard des personnes (XXIII-XXIV)

   a) Choix et rejets (XXIII)
   b) Repentirs (XXIV)
      ● Saül (XXIV, 1-2a)
      ● Les Ninivites (XXIV, 2b-6a)
      ● Ce qu'est le repentir de Dieu (XXIV, 6b-8)

TEXTE

ET

TRADUCTION

CONSPECTVS SIGLORVM

M	*Codex Montepessulanus H 54*, saec. XI.
F	*Codex Florentinus Magliabechianus, conv. soppr. I, VI, 10*, saec. XV
X	*Codex Luxemburgensis 75*, saec. XV
R_1	Beati Rhenani editio princeps, Basileae anno 1521.
R_2	Beati Rhenani editio secunda, Basileae anno 1528.
R_3	Beati Rhenani editio tertia, Basileae anno 1539.
R	consensus $R_1R_2R_3$.
θ	consensus codicum *M F X* et trium editionum B. Rhenani (R).
β	consensus *F X* et trium editionum B. Rhenani (R).
γ	consensus *F X*.
G	*Codex Gorziensis deperditus* (quem adhibuit B. Rhenanus in tertia editione sua).
N	*Codex Florentinus Magliabechianus, conv. soppr. I, VI, 9*, saec. XV.
L	*Codex Leidensis latinus 2*, saec. XV
V	*Codex Vindobonensis 4194* (nunc *Neapolitanus 55*), saec. XV.
D	*Codex Diuionensis* (ex collatione P. Pithou).
B	Martini Mesnartii editio, Parisiis anno 1545.
Gel.	Sigismundi Gelenii editio prior, Basileae anno 1550.
Pam.	Iacobi Pamelii editio, Antuerpiae anno 1579.
Iun.	Pamelii editio cum Francisci Iunii notis, Franekerae anno 1597.
Scal.	notae Iosephi Iusti Scaligeri in margine exemplaris editionis Pamelianae iteratae (1597) quod in bibliotheca Leidensis adseruatur.
Lat.	notae Latini Latinii (Romae 1584).

Vrs.   coniecturae Fuluii Vrsini ab Ioanne a Wouwero editae, Francofurti anno 1612.

Rig.   Nicolai Rigaltii editio, Parisiis anno 1634.

Oehler   Francisci Oehler editio, Lipsiae anno 1853-1854.

Kr.   Aemilii Kroymann editio, Vindobonae anno 1906 (*CSEL* 47).

Eng.   coniecturae Augusti Engelbrecht in editione Vindobonensi.

Van der Vliet   coniecturae J.Van der Vliet in eadem editione Vindobonensi.

Mor.   Claudii Moreschini editio, Mediolani anno 1971.

Ev.   Ernesti Evans editio, Oxonii anno 1972.

ac	ante correctionem
pc	post correctionem
codd.	codicum consensus
edd.	editorum consensus *uel* editorum post Beatum Rhenanum consensus
cett.	ceteri

add.	addidit *uel* addiderunt
coni.	coniecit *uel* coniecerunt *uel* coniectura
corr.	correxit *uel* correxerunt
dist.	distinxit *uel* distinxerunt
interp.	interpunxit *uel* interpunxerunt
inu.	inuertit *uel* inuerterunt
om.	omisit *uel* omiserunt
pos.	posuit *uel* posuerunt
prob.	probauit *uel* probauerunt
secl.	seclusit *uel* secluserunt
sign.	signauit *uel* signauerunt
traiec.	traiecit *uel* traiecerunt
transt.	transtulit *uel* transtulerunt

Dans l'apparat critique, l'astérisque sert à renvoyer à une «Note critique» sur le texte et l'interprétation.

ADVERSVS MARCIONEM

LIBRI QVINQVE

LIBER SECVNDVS

I. 1. Occasio reformandi opusculi huius, cui quid acciderit primo libellulo praefati sumus, hoc quoque contulit nobis, uti duobus diis aduersus Marcionem retractandis suum cuique titulum et uolumen distingueremus pro
5 materiae diuisione, alterum deum definientes omnino non esse, alterum defendentes digne deum esse, quatenus ita Pontico placuit alterum inducere alterum excludere. Non enim poterat aedificare mendacium sine demolitione ueritatis. Aliud subruere necesse habuit, ut quod uellet exs-
10 trueret. Sic aedificat qui propria paratura caret.

Tit. INCIPIT LIB̃ II *M* Incipit liber secundus aduersus Marcionẽ *FX*
I, 2 libellulo *M Kr. Mor. Ev.* : libello β ‖ 4 suum *R edd.* : sui *M* γ

---

1. Cf. I, 1, 1 et Introduction, t. 1, p. 12.
2. Reprise de I, 29, 9.
3. Sur le caractère de «défense» du Créateur, donné au Livre II, voir Introduction, t. 1, p. 36.

CONTRE MARCION

EN CINQ LIVRES

LIVRE II

**Prologue :
a) Rappel
du remaniement**

I. 1. L'occasion de refondre le présent ouvrage – ce qui lui était arrivé, nous l'avons dit dans la préface du livre premier[1] – nous a valu un autre avantage, celui de pouvoir, en discutant du dithéisme contre Marcion, assigner à chaque dieu un titre et un volume distincts, selon la division du sujet : de ces dieux, nous établissons que l'un n'a pas d'existence du tout[2], nous soutenons que l'autre existe, et mérite d'être Dieu[3], car tel a été le bon plaisir de l'homme du Pont d'introduire l'un et de supprimer l'autre[4]. Il ne pouvait édifier son mensonge sans détruire la vérité. Il lui a donc fallu renverser celle-ci pour construire ce qu'il voulait. Ainsi édifie-t-on lorsqu'on n'a pas de matériaux à soi.

---

4. Exagération rhétorique (le Créateur est maintenu comme dieu dans le système de Marcion); mais *excludere* (sur le sens de «supprimer», voir note complémentaire 1, t. 1, p. 285.) se prolonge dans les images des phrases suivantes (*demolitio, subruere*).

2. Oportuerat autem in hoc solum disceptasse, quod nemo sit deus ille, qui Creatori superducitur, ut falso deo depulso regulis certis et unicam et perfectam praescribentibus diuinitatem nihil iam quaereretur in Deum uerum,
15 quem quanto constaret esse, – sic quoque, dum alium esse non constat – tanto qualemcumque sine controuersia haberi deceret, adorandum potius quam iudicandum et demerendum magis quam retractandum, uel quia timendum ob seueritatem. **3.** Quid enim amplius homini
20 necessarium quam cura in Deum uerum, in quem, ut ita dixerim, inciderat, quia alius deus non erat?

II. 1. At nunc negotium patitur Deus omnipotens, dominus et conditor uniuersitatis, ideo tantum, opinor, quia a primordio notus est, quia numquam latuit, quia semper inluxit, etiam ante Romulum ipsum, nedum ante
5 Tiberium; nisi quod solis haereticis cognitus non est, qui ei negotium faciunt, propterea alium deum existimantes praesumendum, quia quem constat esse reprehendere magis

---

I, 18 quia *scripsi* : quam *codd.* (uel quam timendum ob seueritatem *secl. van der Vliet Kr. Mor.*) *
II, 7 reprehendere R_2R_3 *Kr.Mor.Ev.* : reprehendendum (-hendum *F*) $M\gamma\ R_1$

---

1. Argument «prescriptif», dans les habitudes de l'auteur : l'examen de la critique marcionite du Créateur est donné pour pure concession à l'adversaire, le livre I ayant établi l'inexistence d'un prétendu dieu supérieur et ayant, de ce fait, mis fin à toute discussion.
2. Cf. I, 3-7 (monothéisme) et I, 24 (imperfection de la bonté du dieu supérieur).
3. Primat du culte sur la recherche spéculative chère aux hérétiques (cf. *Praes.* 7, 12). Le raisonnement s'en tient à la thèse de l'adversaire sur la «sévérité» du Créateur. Pour le texte, voir Notes critiques, p. 179.
4. Poursuite ironique du raisonnement, dans la même perspective : n'ayant rien à attendre d'un dieu inexistant, l'homme en est réduit au Créateur, «dieu vrai» (sur cette désignation, cf. *Deus Christ.*, p. 74-76).

**b) Après le livre I,
une nouvelle
discussion pourrait
paraître inutile**

2. D'ailleurs la discussion n'aurait dû porter que sur le point de l'inexistence de ce dieu qui est superposé au Créateur[1] : ainsi, le faux dieu chassé en vertu des règles certaines qui établissent comme préalables l'unicité et la perfection de la divinité[2], il n'y aurait plus lieu de mettre en question le vrai Dieu ; car, plus serait établie son existence, dans la mesure même où n'est pas établie celle de l'autre dieu, plus il conviendrait de s'en tenir à lui, quel qu'il fût, sans controverse : il faudrait l'adorer, plutôt que le juger, gagner sa faveur plutôt que le mettre en discussion, quand ce ne serait que parce qu'il serait à craindre à cause de sa sévérité[3]. **3.** Qu'est-ce qui serait en effet, pour l'homme, plus nécessaire que le service du vrai Dieu sous l'empire duquel, si j'ose dire, il serait tombé puisqu'il n'y aurait pas d'autre dieu[4] ?

**c) Contestation
du Créateur
par les hérétiques**

II. 1. Mais pour l'instant, est en difficulté le Dieu tout-puissant, seigneur et créateur de l'univers, pour l'unique raison, je pense, qu'il est connu depuis l'origine, qu'il n'a jamais été caché, qu'il a toujours éclaté au grand jour, même avant Romulus lui-même, à plus forte raison avant Tibère[5] ; une exception toutefois : seuls, les hérétiques[6] ne le connaissent pas, eux qui lui font des difficultés ; ils estiment qu'il faut présumer un autre dieu, et cela parce qu'il leur est plus loisible de

Même acception fâcheuse de *incidere* en *Scor.* 5, 11. Un jeu avec *superducitur* du § 2 n'est pas exclu.

5. Rappel de l'argument de I, 10. Sur Tibère, dont le règne a vu la révélation du dieu de Marcion, cf. I, 19, 2 et 23, 1.

6. Généralisation à l'ensemble des hérétiques : la plupart des gnostiques étaient antinomistes.

possunt quam negare, de arbitrio sensus sui pensitantes
deum, aliqui proinde atque si caecus uel fluitantibus oculis
10 ideo alium solem praesumere uelit mitiorem et salubriorem, quia quem uideat non uidet. **2.** Vnicus sol est,
o homo, qui mundum hunc temperat : et quando non
putas, optimus et utilis, et cum tibi acrior et infestior uel
etiam sordidior atque corruptior, rationi tamen suae par
15 est. Eam si tu perspicere non uales, iam nec illius alterius
solis, si qui fuisset, radios sustinere potuisses, utique
maioris. **3.** Nam qui < in > inferiorem deum caecutis,
quid in sublimiorem? Quin potius infirmitati tuae parcis
nec in periculum extenderis, habens deum certum et
20 indubitatum et hoc ipso satis uisum, cum id primum
conspexeris, eum esse, quem non scias nisi ex parte, qua
uoluit ipse? Sed deum quidem ut sciens non negas, ut
nesciens retractas, immo et accusas quasi sciens, quem si
scires, non accusares, immo nec retractares. Reddens

II, 9 aliqui : *post* caecus *transt.* Kr. ‖ 15 si tu *M Kr. Mor.* : tu si *X R*
Ev.   tu *F* ‖ illius *M*γ *R₁R₂* : ullius *R₃ Kr. Mor. Ev.* * ‖ 17 in inferiorem
R Kr. Mor. Ev. : inferiorem *M*γ ‖ 20 hoc ipso β *Kr. Mor. Ev.* : ipso *M*

---

1. Retour aux marcionites et à l'argument de I, 2, 1 (Maricion n'a pas
pu nier la divinité du Créateur).
2. Cf. *Ap.* 5, 1 : *apud uos (= Romanos) de humano arbitratu diuinitas*
pensitatur (nouvelle convergence entre marcionisme et paganisme). Sur
la «présomption», cf. *An.* 1, 6 (la révélation divine est opposée à la
présomption humaine).
3. Variante de la comparaison de I, 2, 3. Pour le maintien de *aliqui*
(déplacé par Kroymann après *caecus*) voir I, 22, 10 et Notes critiques, t.1,
p. 275. Pour *fluitantibus*, on peut hésiter entre le sens propre de
«dégoutter» (des yeux chassieux; cf. *TLL* VI, 1, c.955, l. 50) et le
sens dérivé de «flotter», «être vacillant», «incertain» (*ibid.* c. 956,
l. 33; cf. *Pal.* 2, 3; *An.* 48, 2). Les comparatifs *mitior* et *salubrior* renvoient plaisamment aux qualificatifs que Marcion décerne à son dieu :
cf. I, 6, 1; 19, 2; II, 29, 1.

critiquer que de nier celui dont l'existence est établie[1]; ils évaluent la divinité d'après la fantaisie de leur pensée personnelle[2]; c'est tout comme si un aveugle ou un homme à la vue chancelante voulait présumer un autre soleil, plus doux et plus salubre, parce qu'il ne voit pas celui qu'il devrait voir[3]. **2.** Unique est le soleil, ô homme[4], et il gouverne ce monde, et même si ce n'est pas ton avis, il est tout bon et utile, et, lors même que tu le trouves trop énergique et trop violent ou encore trop sombre, trop couvert[5], il est toujours égal à la loi de son être. Si tu n'es pas capable de distinguer celle-ci, tu ne pourrais pas non plus soutenir les rayons de cet autre soleil, s'il existait, puisqu'il serait plus grand[6]. **3.** Car toi qui perds la vue devant un dieu inférieur, que ferais-tu devant un dieu supérieur? Que n'épargnes-tu pas plutôt ta faiblesse pour ne pas aggraver ton péril? Tu as un dieu certain, indubitable, et que tu as suffisamment vu dès lors que tu t'es rendu compte de l'existence de cet être que tu ne peux connaître que dans la mesure qu'il a lui-même voulue[7]. Mais ce dieu, que sans doute tu ne nies pas parce que tu le connais, tu le soumets à examen parce que tu ne le connais pas; bien plus, tu le mets en accusation comme si tu le connaissais; et pourtant, si tu le connaissais, tu ne l'accuserais pas; bien plus, tu ne l'examinerais même pas[8]!

4. Cette longue apostrophe à l'homme (marcionite), qui se développe jusqu'à la fin du § 3, est destinée à rehausser le ton du prologue.

5. Allusion aux deux principales critiques de Marcion : *acrior, infestior* visent la «cruauté» du Créateur; *sordidior, corruptior* ses prétendues «faiblesses» (cf. II, 25, 1).

6. Nouvel argument *a minore ad maius*. Sur la leçon *illius*, voir Notes critiques, p. 179.

7. Cf. I, 3, 2 et surtout *Ap.* 17, 2-3.

8. Retour au reproche formulé au § 1, sous une forme paradoxale qui met en relief l'inconséquence marcionite.

25 nomen illi negas substantiam nominis, id est magnitudinem, quae Deus dicitur, non tantam eam agnoscens,
quantam si homo omnifariam nosse potuisset, magnitudo
non esset.   4. Ipse iam [apostolus] tunc prospiciens hae-
retica corda : *Quis,* inquit, *cognouit sensum Domini, aut quis illi*
30 *consiliarius fuit ? Aut ad quem consultauit, aut uiam intellectus et
scientiae quis demonstrauit ei*[a]*?* Cui et apostolus condicet : *O
profundum diuitiarum et sophiae Dei, ut <in> inuestigabilia
iudicia eius,* utique Dei iudicis, *et <in> inuestigabiles uiae
eius*[b], utique intellectus et scientiae, quas ei nemo mons-
35 trauit[c], nisi forte isti censores diuinitatis, dicentes : 'Sic
non debuit Deus', et : 'Sic magis debuit', quasi cognoscat
aliquis, quae sint in Deo, nisi Spiritus Dei[d].   5. Mundi
autem habentes spiritum, non agnoscentes in sapientia Dei
per sapientiam Deum[e], consultiores sibimet uidentur Deo,
40 quoniam sicut sapientia mundi stultitia est penes Deum, ita
et sapientia Dei stultitia penes mundum. Sed nos scimus
stultum Dei sapientius hominibus et inualidum Dei ualidius

II, 25 magnitudinem *Lat. Kr. Mor.* : -tudinis θ   *Ev.* ‖ 28 Ipse θ :
Esaias *Lat. Ev.*   Ipse < Esaias > *Kr. Mor.* * ‖ apostolus *secl. Kr. Mor.*
(iam tum apostolus *Lat. Rig. Ev.*) * ‖ tunc : *om.* β ‖ 29-30 illi consiliarius
M Kr. Mor. : consiliarius eius β   *Ev.* (= Vulg.) * ‖ 32-33 ininuestiga-
bilia ... ininuestigabilis *B Kr. Mor. Ev.* : inuestigabilia ... inuestigabiles θ
‖ 38 in sapientia *Pam. Kr. Mor. Ev.* : insipientiam (-tia *M*[pc]   in sip- *F*) θ
‖ 41 stultitia *M* : stultitia est β *Kr. Mor. Ev.*

II. a. Is. 40, 13-14 (cf. Rom. 11, 34-35 ‖ b. Rom. 11, 33 ‖ c. Cf. Is.
40, 14 ‖ d. Cf. I Cor. 2, 11 ‖ e. Cf. I Cor. 1, 21

---

1. Cf. I, 7, 3-4; ici *magnitudo* est substitué à *summum magnum* : cf. *Deus
Christ.*, p. 40-42.
2. L'idée que le Dieu de l'A. T. a prévu les hérésies et, plus
spécialement, le marcionisme revient plus bas : II, 26, 2. Pour le
problème textuel, voir Notes critiques, p. 180.

Tu lui rends son nom, mais tu lui refuses la réalité attachée
à ce nom, c'est-à-dire la grandeur que l'on appelle Dieu,
puisque tu ne lui reconnais pas toute son étendue qui fait
que, si elle pouvait être, dans sa totalité, connue par
l'homme, il n'y aurait plus grandeur[1]. **4.** Lui-même,
prévoyant déjà alors les cœurs hérétiques, a dit[2] : «Qui a
connu les pensées du Seigneur ou qui a été son conseiller[3]?
Ou qui a-t-il consulté? Ou qui lui a montré la voie de
l'intelligence et de la science[a]?» En accord avec lui,
l'Apôtre dira[4] : «Ô profondeur des richesses et de la
sagesse de Dieu! Comme impénétrables sont ses jugements
– c'est donc que Dieu est juge – et impénétrables ses
voies[b]» – c'est évidemment celles de «l'intelligence et de la
science», que personne ne lui a montrées[c], sauf peut-être
ces censeurs de la divinité qui disent : «Dieu n'aurait pas
dû agir ainsi», et : «Il aurait dû plutôt agir ainsi»; comme
si quelqu'un connaissait ce qu'il y a en Dieu, sauf l'Esprit
de Dieu[d]! **5.** Mais possédant l'esprit du monde, ne
reconnaissant pas, par le moyen de la sagesse, Dieu dans la
sagesse de Dieu[e], ils se croient eux-mêmes plus avisés que
Dieu. Car, de même que la sagesse du monde est folie au
regard de Dieu, la sagesse de Dieu est folie au regard du
monde. Nous autres, nous le savons, «la folie de Dieu est
plus sage que les hommes et la faiblesse de Dieu plus forte

---

3. Voir Notes critiques, p. 181.

4. L'accord du Dieu de l'A. T. (*Cui* renvoie à *Ipse*; voir le même
emploi du datif en *Herm.* 11, 3) avec Paul, apôtre de Marcion, est
indiqué sans autre insistance. Il était pourtant d'autant plus notable que
ce passage de *Rom.* 11, 33 précède une reprise de *Is.* 40, 13 et que
Marcion n'avait pas éliminé de son *apostolicon* cette parole d'Isaïe.
Cf. *Marc.* V, 14, 9-10 et HARNACK, *Marcion*, p. 109*. Mais à l'époque où
il écrit *Marc.* II, Tert. n'avait pas encore examiné de près l'appareil
scripturaire de son adversaire. Pour *Rom.* 11, 33 (cité ensuite sous
sa forme «catholique»; cf. *Herm.* 45, 5), Marcion avait retranché *ut
< in > inuestigabilia iudicia eius.*

hominibus[f]. **6.** Et ita Deus tunc maxime magnus, cum
homini pusillus, et tunc maxime optimus, cum homini non
45 bonus, et tunc maxime unus, cum homini duo aut plures.
Quodsi a primordio homo animalis, non recipiens quae
sunt Spiritus[g], stultitiam existimauit Dei legem, ut quam
obseruare neglexit, ideoque non habendo fidem etiam
quod uidebatur habere ademptum est illi[h], paradisi gratia
50 et familiaritas Dei, per quam omnia Dei cognouisset si
oboedisset, quid mirum, si redhibitus materiae suae et in
ergastulum terrae laborandae relegatus, in ipso opere
prono et deuexo ad terram, usurpatum ex illa spiritum
mundi uniuerso generi suo tradidit, dumtaxat animali et
55 haeretico, non recipienti quae sunt Dei? **7.** Aut quis
dubitabit ipsum illud Adae delictum haeresin pronuntiare,
quod per electionem suae potius quam diuinae sententiae
admisit? Nisi quod Adam numquam figulo suo dixit:
'Non prudenter definxisti me[i].' Confessus est seductionem,
60 non occultauit seductricem[j]. Rudis admodum haereticus

II, 44-45 non bonus β *edd.* : bonus *M* ‖ 57 electionem R₂R₃ *Kr. Mor.*
Ev. : lectionem *M*γ R₁ ‖ 60 admodum *MG*γ R₃ *Kr. Mor. Ev.* :
adhuc R₁R₂

II. f. I Cor. 1, 25 ‖ g. Cf. I Cor. 2, 14 ‖ h. Cf. Matth. 13, 12; Lc 8, 18
‖ i. Cf. Is. 45, 9 ‖ j. Cf. Gen. 3, 12

---

1. Sur ce paradoxe, inspiré par *I Cor.* 1, 25, et qui a été préparé au § 2,
voir FREDOUILLE, *Conversion*, p. 330 s.
2. Par cette explication de l'esprit hérétique, l'auteur attire l'attention, dès le prologue, sur le péché d'Adam et la responsabilité entière de
celui-ci : il annonce ainsi les ch. 5-10 et notamment le ch. 9 (distinction
de l'*anima* humaine et du *spiritus* divin). Sur l'intérêt de ce passage dans
la problématique anthropologique de Tert., voir P. MATTÉI, «Adam
posséda-t-il l'Esprit?», *REAug* 29, 1983, p. 27-38 (notamment p. 34).
L'évocation du châtiment de l'homme s'inspire de *Gen.* 3, 17.19 et 23;
cf. I, 24, 5 et *Pal.* 3, 4 (*orbi ut metallo datur*). Le thème de la courbure vers

que les hommes[f]».   **6.** Et ainsi, c'est lorsque Dieu est tout petit au regard de l'homme, qu'il est, au plus haut degré, grand, c'est lorsqu'il n'est pas bon au regard de l'homme, qu'il est, au plus haut degré, tout bon, c'est lorsqu'il est deux ou plusieurs au regard de l'homme, qu'il est, au plus haut degré, unique[1]. S'il est vrai qu'à l'origine, l'homme psychique et n'accueillant pas ce qui est de l'Esprit[g], a regardé comme folie la loi de Dieu à laquelle il a négligé d'obéir, et qu'ainsi son manque de foi lui a fait perdre même ce qu'il croyait avoir[h], la grâce du paradis et l'amitié de Dieu, qui lui auraient permis de connaître toutes les choses de Dieu s'il avait obéi, faut-il s'étonner si cet homme, rendu à la matière qui le constitue et exilé dans l'ergastule d'une terre à travailler, dans cette besogne même, qu'il effectue penché et courbé vers la terre, ait retiré de cette terre l'esprit du monde et l'ait transmis à toute sa race, du moins à la race psychique et hérétique qui n'accueille pas ce qui est de Dieu[2]?   **7.** Ou hésitera-t-on à qualifier d'hérésie précisément ce crime d'Adam, qu'il a commis en choisissant son opinion de préférence à celle de Dieu[3]? Une différence pourtant : Adam n'a jamais dit à celui qui l'avait façonné : «Tu ne m'as pas sagement modelé[i].» Il a confessé son égarement[4], il n'a pas dissimulé celle qui l'avait égaré[j]. Il a été tout à fait novice dans

la terre après le péché (qui s'oppose au *status rectus* du paradis) reviendra chez NOVATIEN, *Cib. iud.* 2, 6; cf. J. DANIÉLOU, *Origines du christianisme latin*, p. 203.

3. Pour cette interprétation qui revient au sens étymologique de «choix», cf. I, 1, 6; II, 20, 3; *Praes.* 6, 2-3. Voir en dernier lieu C. MUNIER, «Les conceptions hérésiologiques de Tertullien», *Augustinianum* 20, 1980, p. 257-266 (en particulier p. 260). Même assimilation d'Adam à un «hérétique» dans un texte rabbinique, *Sanhedrin* 38 b, signalé par G. QUISPEL, «African Christianity before Minucius Felix and Tertullian», *Actus : Studies in honour of H.L.W. Nelson*, Utrecht 1982, p. 267.

4. Cf. *infra* II, 25, 5 (*confessione releuatos*).

fuit. Non obaudiit, non tamen blasphemauit Creatorem
nec reprehendit auctorem, quem a primordio sui et bonum
et optimum inuenerat et ipse, si forte, iudicem fecerat.

III. 1. A primordio igitur oportebit ineuntes examina-
tionem in Deum notum, si quaeritur in qua condicione
sit notus, ab operibus eius incipere, quae priora sunt
homine, ut statim cum ipso comperta bonitas eius et
5 exinde constituta atque praescripta aliquem sensum sug-
gerat nobis intellegendi, qualiter sequens rerum ordinatio
euaserit.   **2.** Possunt autem discipuli Marcionis recognos-
centes bonitatem dei nostri dignam quoque Deo agnoscere
per eosdem titulos, per quos indignam ostendimus in deo
10 illorum. Iam hoc ipsum, quod materia est agnitionis suae,
non apud alium inuenit, sed de suo sibi fecit. Prima
denique bonitas Creatoris, qua se Deus noluit in aeternum
latere, id est non esse aliquid, cui Deus cognosceretur.
3. Quid enim tam bonum quam notitia et fructus Dei?
15 Nam etsi nondum apparebat hoc bonum esse, quia
nondum erat quicquam, cui appareret, sed Deus prae-
sciebat, quid boni appariturum esset, et ideo in suam

II, 62 et bonum θ *Kr. Mor.* : bonum *Pam. Ev.*
III, 1 A primordio *Iun.* : a primordio *cum praecedentibus coniungunt* θ
Mor.   secl. Kr. Ev. * ‖ 10 ipsum R*₃* *Kr. Mor. Ev.* : ipso Mγ R*₁*R*₂*

---

1. Sur le «blasphème» des hérétiques antinomistes, cf. *Praes.* 32, 4;
IRÉNÉE, *Haer.* 5, 26, 2 (*SC* 153, p. 332).
2. Cf. *infra* II, 11, 1-2 (c'est le péché de l'homme qui a donné à Dieu
l'*occasion* de manifester sa justice).
3. Reprise de l'expression de II, 2, 1. Sur le problème textuel, voir
Notes critiques, p. 181.
4. Renvoi à la démonstration de I, 22-24. Mais en fait, des trois
critères qui y étaient utilisés (éternité, rationalité, perfection), seul le
premier va être retenu ici. Sur le concept de θεοπρεπές, cf. I, 5, 1 et
Introduction, t. 1, p. 46.

l'hérésie! Il n'a pas obéi, mais sans blasphémer le Créateur[1]
ni critiquer son auteur que, dès l'origine de son être, il
avait trouvé bon et tout bon et dont lui-même, à l'occasion, il avait fait un juge[2].

Bonté établie **par la création** **a) Bonté éternelle**	**III. 1.** Abordant donc, dès l'ori- gine, l'examen du Dieu connu[3], il faudra, si l'on se demande dans quelle condition il s'est fait connaître, com-

mencer par ses œuvres, qui sont antérieures à l'homme,
pour que la bonté de Dieu, s'étant découverte à nous en
même temps que lui-même, et étant dès lors établie et
posée en principe, nous fournisse quelque moyen de
comprendre comment a tourné la suite des événements
dans leur ordre. **2.** Reconnaissant la bonté de notre dieu,
les disciples de Marcion peuvent aussi la reconnaître digne
de Dieu aux mêmes titres que ceux qui nous ont servi à
montrer que celle de leur dieu était indigne de Dieu[4]. Et
d'abord, cette réalité même qui est le moyen matériel par
lequel il se fait connaître, il ne l'a pas trouvée chez un
autre, c'est de son propre fonds qu'il se l'est créée[5]? Car la
première marque de la bonté du Créateur a été de ne
pas vouloir, étant Dieu, demeurer éternellement caché,
c'est-à-dire sans l'existence de quelque chose de qui Dieu
fût connu[6]. **3.** Est-il rien en effet d'aussi bon que la
connaissance et la fruition de Dieu? Sans doute n'appa-
raissait-il pas encore que c'était bon, parce qu'il n'y avait
rien encore pour s'en apercevoir; mais Dieu avait la
prescience du bien qui apparaîtrait, et c'est pourquoi il s'en

5. Reprise de l'argument utilisé contre le dieu de Marcion en I, 11, 5.
L'expression *totum hoc* (= *uniuersum* = τὸ πᾶν) est déjà en I, 10, 4; 11, 6
et 7; cf. *infra* II, 4, 3.
6. Même argument qu'en I, 10, 4; mais il sert ici à prouver la bonté
du Créateur.

summam commisit bonitatem, apparituri boni negotiatri-
cem, non utique repentinam, nec obuenticiae [bonitatis]
20 nec prouocaticiae animationis, quasi exinde censendam,
quo coepit operari.   4. Si enim ipsa constituit initium
exinde, quo coepit operari, non habuit initium ipsa, cum
fecit. Initio autem facto ab ea, etiam ratio temporum nata
est, utpote quibus distinguendis et notandis sidera et
25 luminaria caelestia disposita sunt. *Erunt* enim, inquit,
in tempora et menses et annos[a]. Ergo nec tempus habuit
ante tempus quae fecit tempus, sicut nec initium ante
initium quae constituit initium.   5. Atque ita carens et
ordine initii et modo temporis de inmensa et interminabili
30 aet < ernit > ate censebitur nec poterit repentina uel obuenticia et prouocaticia reputari, non habens unde reputetur,
id est aliquam temporis speciem, sed aeterna et Deo
ingenita et perpetua praesumenda ac per hoc Deo digna,
suffundens iam hinc bonitatem dei Marcionis, non dico
35 initiis et temporibus, sed ipsa malitia Creatoris poste-

III, 19 bonitatis *secl. Kr. Mor.* * ‖ 21 ipsa *M   Kr. Mor. Ev.* : ipse β ‖
30 aeternitate *scripsi* (cf. *Apol.* 48, 11-12; *Herm.* 4, 1) : aetate *codd. edd.* *
‖ 32 sed *M*γ *R₁R₂ Mor.* : sed et *R₃ Ev.*   sed est *Kr.*

III. a. Gen. 1, 14

---

1. Voir note complémentaire 22 (p. 213) et, pour le problème textuel,
Notes critiques, p. 182.
2. S'appuyant sur le début de *Gen.*, Tert. distingue soigneusement le
«commencement» (cf. *Gen.*1, 1 : *In principio fecit deus caelum et terram*; sur
principium = initium, cf. *Herm.* 19, 2) et la création des luminaires
(cf. *Gen.* 1, 14, cité inexactement et sans doute, comme l'a bien vu
MEIJERING, p. 92, avec interférence de PLATON, *Tim.* 39 B-C, qui
explique la substitution des «mois» aux «jours»). L'antériorité de la
cause efficiente sur l'effet reflète l'opposition stoïcienne ποιεῖν /πάσχειν
(cf. DIOGÈNE LAËRCE 7, 134) et s'apparente aux schémas de I, 9, 5 et
I, 13, 2.

remit à sa bonté suprême, comme à la réalisatrice du bien à apparaître : bonté qui, évidemment, n'est pas soudaine, n'est pas le fait d'une stimulation accidentelle et provoquée de l'extérieur, comme si l'on devait en rapporter l'origine au moment où elle se mit à créer[1]. 4. Si en effet c'est elle qui a établi le commencement à partir duquel elle se mit à créer, elle n'a pas eu elle-même de commencement, puisqu'elle l'a produit. Une fois produit par elle le commencement, est née aussi la chronologie, car c'est pour la distinction et la notation des temps qu'ont été disposés les étoiles et les luminaires célestes. «Ils seront là, dit Dieu, pour les temps, les mois et les années[a].» Ainsi donc sa bonté n'a pas été soumise au temps, étant antérieure au temps, elle qui a créé le temps, non plus qu'au commencement, étant antérieure au commencement, elle qui a établi le commencement[2]. 5. Et ainsi, elle qui est exempte de l'ordre du commencement comme de la limitation du temps, on la tiendra coextensive à l'éternité sans mesure et sans fin, et on ne pourra pas l'estimer soudaine, accidentelle et provoquée de l'extérieur, puisqu'elle ne comporte pas en elle de quoi être estimée telle, je veux dire une catégorie temporelle[3]; on devra la concevoir éternelle, innée en Dieu, perpétuelle, et par là digne de Dieu, et dès lors, faisant rougir la bonté du dieu de Marcion, qui est postérieure, je ne dis pas aux commencements et aux temps, mais à la méchanceté même du Créateur[4] – si

---

3. Cf. I, 8, 3. MEIJERING (p. 97) rapproche à bon droit de CICÉRON, *Nat. deor.* I, 9, 21 (*quaedam ab infinito tempore aeternitas quam nulla circumscriptio temporum metiebatur*). Sur notre correction du texte transmis, voir Notes critiques, p. 182.

4. Renvoi à I, 22, 3.

riorem, si tamen malitiam potuit a bonitate committere.

IV. 1. Igitur cum cognoscendo Deo hominem pros-
pexisset bonitas Dei ipsius, etiam hoc praeconio suo
addidit, quod prius domicilium homini commentata est
aliquam [postmodum] molem maximam, postmodum et
5 maiorem[a], ut in magna tamquam in minore proluderet
atque proficeret et ita de bono Dei, id est de magno, ad
optimum quoque eius, id est ad maius habitaculum,
promoueretur. Adhibet operi bono optimum etiam minis-
trum, Sermonem suum : *Eructauit,* inquit, *cor meum Ser-*
10 *monem optimum*[b]. **2.** Agnoscat hinc primum fructum optimum, utique optimae arboris[c], Marcion. Imperitissimus
rusticus quidem in malam bonam inseruit. Sed non ualebit
blasphemiae surculus; arescet cum suo artifice et ita se
bonae arboris natura testabitur. Aspice ad summam, qualia
15 Sermo fructificauerit : *Et dixit Deus : fiat, et factum est, et*
uidit Deus quia bonum[d], non quasi nesciens bonum nisi

III, 36 malitiam *scripsi* : -tia *codd. edd.* * ‖ committere *M*γ *R*₁ :
committi *R*₂*R*ⱼ *Kr. Mor. Ev.*
    IV, 4 postmodum *secl. Kr. Mor.* ‖ 12 in malam bonam θ *Ev.* : malam
in bonam *Kr.*   in bonam malam *Mor.* *

IV. a. Cf. Gen. 1, 1 ; 2, 8 ‖ b. Ps. 44, 2 ‖ c. Cf. Lc 6, 43 ‖ d. Gen.
1, 3-4 ; cf. v. 8.10.12.18.21.22.25.31

---

1. Cette dernière remarque vise à souligner ironiquement l'absurdité
de la thèse marcionite (le Créateur dieu «méchant») après ce qui vient
d'être démontré (éternité de sa bonté). Sur le texte, voir Notes critiques,
p. 183.
    2. Voir note complémentaire 23 (p. 214).
    3. Le rappel de l'action du Verbe dans l'œuvre créatrice (conformé-
ment à la doctrine du IIe siècle : cf. *Ap.* 21, 11 s. ; *Herm.* 18 s. ; THÉO-
PHILE, *Autol.* 2, 10 et 13 ; IRÉNÉE, *Démonst.* 10) est destiné ici à souligner la *bonté* de ce «ministre» de Dieu : d'où la citation de *Ps.* 44, 2, dont

toutefois il a pu, à partir de sa bonté, commettre une méchanceté[1] !

**b) Création
– du monde
et du paradis**

IV. 1. Donc, ayant voulu l'homme pour connaître Dieu, la bonté de ce Dieu a encore ajouté un trait à inscrire à sa louange : elle a conçu pour lui comme premier domicile une sorte d'immense édifice, et ensuite un plus grand encore[a], afin de lui permettre, dans le grand édifice, senti comme inférieur à l'autre, de s'entraîner et de progresser, pour pouvoir ainsi être promu du bien de Dieu, c'est-à-dire le grand habitacle, jusqu'au meilleur de Dieu, c'est-à-dire le plus grand habitacle[2]. Il emploie même à cette œuvre bonne le meilleur serviteur, son Verbe : « Mon cœur, dit-il, a fait jaillir le meilleur Verbe[b3]. » **2.** Que Marcion reconnaisse ici pour la première fois le fruit le meilleur, celui de l'arbre le meilleur évidemment[c] ! Notre cultivateur ignorant, lui, a greffé le mauvais arbre sur le bon. Mais la greffe du blasphème ne prendra pas ; elle séchera avec son opérateur et ainsi se manifestera la nature du bon arbre[4]. Regarde, au total, quels ont été les fruits du Verbe : « Et Dieu dit : 'Que cela soit !' ; et cela fut. Et Dieu vit que c'était bien[d]. » Ce n'est pas qu'il eût besoin de voir pour savoir que c'était bien ;

l'application au Logos est déjà dans JUSTIN, *Dial.* 38, 3 (cf. *Herm.* 18, 6 et *Marc.* IV, 14, 1-2). Ce verset sera allégué en *Prax.* 7, 1 et 11, 2 pour la distinction personnelle du Père et du Fils. Partout où il cite ce verset, Tert. rend ἀγαθὸν par *optimum*, ce qui semble bien être une traduction personnelle : Cyprien, Novatien, la Vulgate ont *bonum*. Sur l'emploi de *sermo* pour le Verbe, cf. *Deus Christ.*, p. 264 s.

4. La production du Verbe (sur le sens large de *eructare* = « produire », voir *TLL* V, 2, c. 826-827) ayant appelé l'image du « fruit », le développement s'interrompt pour une attaque contre Marcion et son exégèse de *Lc* 6, 43 (cf. I, 2, 2) : cette espèce de parenthèse est peut-être un ajout de l'édition définitive. Pour le problème textuel, voir Notes critiques, p. 183.

uideret, sed quia bonum, ideo uidens, honorans et consignans et dispungens bonitatem operum dignatione conspectus.   **3.** Sic et benedicebat quae benefaciebat, ut tibi
20 totus Deus commendaretur, bonus et dicere et facere.
Maledicere adhuc Sermo non norat, quia nec malefacere.
Videbimus causas, quae hoc quoque a Deo exegerunt.
Interim mundus ex bonis omnibus constitit, satis praemonstrans, quantum boni pararetur illi, cui praeparabatur
25 hoc totum. Quis denique dignus incolere Dei opera quam
ipsius imago et similitudo?

4. Eam quoque bonitas et quidem operantior operata
est, non imperiali uerbo, sed familiari manu, etiam uerbo
blandiente praemisso : *Faciamus hominem ad imaginem et*
30 *similitudinem nostram*[e]. Bonitas dixit; bonitas finxit de limo
in tantam substantiam carnis, ex una materia tot qualitatibus exstructam; bonitas inflauit in animam, non mortuam, sed uiuam[f]; bonitas praefecit uniuersis fruendis

---

IV, 25 dignus β *Kr. Mor. Ev.* : dignius *M* ‖ 32 in animam θ *Kr. Mor.*
(*cf. II, 16, 5, l. 43-44* : *inflatum in animam uiuam*) : animam *Pam. Ev.*   in
eum animam *Iun.*

IV. e. Gen. 1, 26 ‖ f. Cf. Gen. 2, 7

---

1. Ce commentaire des bénédictions de *Gen.* 1, 3-31 veut se prémunir
contre une objection marcionite sur l'«ignorance» du Créateur (voir
infra II, 25, 1-3 celle dont faisait l'objet *Gen.* 3, 9) qui pouvait être tirée
de l'expression biblique «Dieu vit que cela était bon». Réponse
plus précise en *Fug.* 4, 1 (*ut hoc sono portenderet bonum esse quod Deo
uisum est*) : Dieu veut ainsi *annoncer* le bien de sa création. Ce sera
aussi l'interprétation d'Augustin : *docet (Deus) bonum esse, non discit*
(*Ciu.* 11, 21 = *BA* 35, p. 90 s.).
2. Cf. *infra* II, 11.
3. Cf. I, 13, 2 et t. 1, p. 158, n. 2.
4. Cf. *infra* II, 9.
5. Commençant le deuxième volet du *praeconium* de la bonté divine

c'est parce que c'était bien qu'il vit : il honora, scella et accomplit la bonté de ses œuvres par la faveur qu'il leur fit de son regard[1]. **3.** Ainsi des bénédictions également répondaient à ses bienfaisances, pour te recommander Dieu en totalité, comme bon dans ses paroles aussi bien que dans ses actes. Son Verbe ignorait encore la malédiction parce qu'il ignorait aussi la malfaisance. Nous verrons quelles raisons ont exigé de Dieu qu'il y recourût[2]. En attendant, le monde se composait de toutes sortes de biens et faisait assez savoir par là quel bien était réservé à celui pour qui était préparé tout cet univers[3]. Car qui était digne d'habiter les œuvres de Dieu plus que l'image et la ressemblance de Dieu[4]?

– **de l'homme**   **4.** Cette image aussi, c'est la bonté, et même en une élaboration plus efficace, qui l'a élaborée non d'un mot impérieux, mais d'une main amicale[5], qu'avait précédée même ce mot caressant : «Faisons l'homme à notre image et à notre ressemblance[e].» C'est la bonté qui a parlé; c'est la bonté qui l'a modelé dans le limon pour lui donner cette substance de la chair, d'une telle ampleur et pourvue, à partir d'une matière unique, de tant de qualités; c'est la bonté qui lui a insufflé l'âme[6], non pas morte, mais vivante[f]; c'est la bonté qui l'a préposé à toutes choses pour

---

– création de l'homme –, Tert. souligne une progression : de l'action «autoritaire» du *fiat* (production de l'univers), Dieu passe, pour l'homme, à une œuvre de sa main; *familiaris* reprend le *familiaritas Dei* de II, 2, 6. A l'exégèse théologique d'IRÉNÉE, *Haer.* 4, 34, 1 (mains de Dieu = Verbe et Esprit) est substituée une interprétation morale.

6. Il faut sous-entendre *hominem* après *inflauit*, comme après *finxit* et après *praefecit* : ce qui donne plus de force à ce groupement ternaire. Pour le tour, cf. *infra* II, 16, 5 (*hominem a Deo inflatum* in *animam uiuam*). La correction de Pamelius, adoptée par Evans (suppression de *in*), est donc inutile.

atque regnandis, etiam cognominandis[g]; bonitas amplius
35 delicias adiecit homini, ut, quamquam totius orbis possidens, in amoenioribus moraretur, translatus in paradisum[h]
– iam tunc de mundo in ecclesiam –; eadem bonitas et
adiutorium prospexit, ne quid non boni. 5. *Non est* enim,
inquit, *bonum solum esse hominem*[i]. Sciebat illi sexum Mariae
40 et deinceps ecclesiae profuturum. Sed et quam arguis
legem, quam in controuersias torques, bonitas erogauit,
consulens homini, quo Deo adhaereret, ne non tam liber
quam abiectus uideretur, aequandus famulis suis, ceteris
animalibus, solutis a Deo et ex fastidio liberis, sed ut solus
45 homo gloriaretur, quod solus dignus fuisset, qui legem a
Deo sumeret, utque animal rationale, intellectus et scientiae capax, ipsa quoque libertate rationali contineretur, ei

---

IV, 46 rationale, intellectus R_3 *Kr. Mor. Ev.* : *inu.* $M\gamma$ R_1R_2

IV. g. Cf. Gen. 1, 26-28; 2, 19 ‖ h. Cf. Gen. 2, 8 ‖ i. Gen. 2, 18

---

1. Sur le paradis séjour de «délices», d'après la traduction grecque
(τρυφή) de l'hébreu Éden, cf. THÉOPHILE, *Autol.* 2, 24; IRÉNÉE,
Démonst. 12; *Haer.* 5, 36, 1 (cf. A. ORBE, *Antropología de San Ireneo*,
Madrid 1969, p. 204-205); TERT., *Marc.* II, 10, 3. L'assimilation
Église = paradis se rencontre chez IRÉNÉE, *Haer.* 5, 20, 2; mais
l'exégèse figurative de *Gen.* 2, 8 donnée ici, si elle est tout à fait en
accord avec l'interprétation de l'A. T. comme anticipation et annonce
du N.T., ne paraît pas avoir été formulée aussi nettement avant Tert.

2. La création de la femme n'est pas référée au mariage – ce qui peut
être une concession à l'ascétisme marcionite, partagé par l'auteur sauf en
ses excès –, mais au rôle de Marie dans l'Incarnation (et donc la
Rédemption) et à celui de l'Église dans la vie du croyant. Sur Marie
nouvelle Ève, cf. *Carn.* 17, 3-5 et IRÉNÉE, *Haer.* 5, 19, 1. Sur le mariage
des protoplastes comme figure de l'alliance du Christ et de l'Église selon
Éphés. 5, 30-32, voir *Marc.* III, 5, 4; V, 18, 9; *Exh.*5, 3; *An.* 11, 4;
21, 2; *Iei.* 3, 2.

3. L'interdiction de manger du fruit de l'arbre (cf. *Gen.* 2, 17) est le

en jouir, régner sur elles et même leur donner des noms[g];
c'est la bonté qui fit plus en ajoutant pour l'homme un
séjour de délices : bien que possédant toute la terre, il
séjournerait dans des lieux plus suaves, par son transfert au
paradis[h], qui symbolisait déjà le passage du monde à
l'Église[1]; c'est cette même bonté qui a pourvu à lui donner
un soutien, pour lui éviter la moindre chose qui ne fût pas
bonne. **5.** Car «il n'est pas bon, dit Dieu, que l'homme
soit seul[1]». C'est qu'il savait que le sexe de Marie et,
ensuite, de l'Église ferait son bien[2]. Mais même cette loi
que tu accuses, que tu mets à la question dans tes
controverses[3], c'est la bonté qui en a fait don[4] dans
l'intérêt de l'homme dont elle voulait l'adhésion à Dieu,
par crainte qu'il ne se sentît moins libre que rejeté s'il était
mis à égalité avec ses serviteurs, les autres êtres vivants, qui
sont détachés de Dieu et libres du fait de son dédain même;
l'homme, au contraire, devait être seul à se glorifier d'avoir
été, seul, digne de prendre sa loi de Dieu; être vivant
raisonnable, doué d'intelligence et de science, il devait se
contenir dans sa liberté, elle-même raisonnable aussi, en

point de départ des attaques marcionites contre le Créateur à propos de
la chute de l'homme (cf. *infra* II, 5-10).

4. Le verbe *erogare* chez notre auteur, contrairement à ce qu'affirme
HOPPE, *SuS*, p. 131 et n. 1 (*Trad. it.*, p. 238 et n. 7), suivi par WASZINK
(*Comm. An.*, p. 377), ne se limite pas au sens particulier de *delere*,
consumere. On le rencontre, en *Mart.* 4, 9 et en *Id.* 8, 5, avec son sens
habituel de «payer», «dépenser». On peut donc parfaitement entendre
le présent passage en donnant au verbe cette acception courante
(cf. *TLL* 5, 2, c. 801-802 = *distribuere*, *dare*, *offerre*), en une image qui
souligne la générosité divine. Il est inutile de corriger en *irrogauit*
(Kroymann), en *rogauit* (Oehler, suivi par Evans dans son apparat), en
eructauit (Hoppe).

subiectus, qui subiecerat illi omnia.   **6.** Cuius legis obseruandae consilium bonitas pariter adscripsit : *Qua die autem*
50 *ederitis, morte moriemini*[j]. Benignissime enim demonstrauit
exitum transgressionis, ne ignorantia periculi neglegentiam
iuuaret obsequii. Porro si legis imponendae ratio prae-
cessit, sequebatur etiam obseruandae, ut poena transgres-
sioni adscriberetur, quam tamen euenire noluit qui ante
55 praedixit. Agnosce igitur bonitatem dei nostri interim uel
hucusque ex operibus bonis, ex benedictionibus bonis, ex
indulgentiis, ex prouidentiis, ex legibus et praemonitionibus bonis et benignis.

V. 1. Iam hinc ad quaestiones omnes. O canes, quos
foras apostolus expellit[a], latrantes in Deum ueritatis, haec

---

IV, 57 praemonitionibus *Gel. Kr. Mor. Ev.* : praemuni- θ

V, 1 omnes θ *Mor. Ev.* : hominis *coni. Kr. (in apparatu)   Hic grauius
interpunxi* * || O canes M R₃ *Kr. Mor. Ev.* : canes γ R₁R₂ || 2 ueritatis
leuius distinxi

IV. j. Gen. 2, 17
V. a. Cf. Apoc. 22, 15

---

1. S'écartant des explications proposées par Théophile, *Autol.* 2, 25
(Dieu voulait éprouver l'obéissance de l'homme, il voulait aussi
maintenir Adam dans un état d'enfance et de simplicité), Tert. marque
un étroit rapport entre la soumission à une loi et le statut de créature
privilégiée, douée d'intelligence et de raison : par ce moyen, l'homme
devrait échapper à un sentiment d'abandon (*abiectus*) et d'assimilation
aux créatures non raisonnables, il devrait sentir mieux, par le libre
arbitre que suppose la soumission à une loi (cf. *infra* II, 5, 5-7), sa
proximité avec son Créateur. Meijering (p. 99) rapproche d'Irénée,
Haer. 4, 14, 1 et 16, 4 (mais ces passages sur la gloire de l'homme qui est
de servir Dieu ne concernent pas *Gen.* 2, 17).
2. Paradoxalement, l'énoncé de la punition est rapporté à la bonté
(*consilium* sera repris par *praemonitio* dans la phrase finale) : Dieu n'édicte
une peine que pour mettre en garde et détourner l'homme de la
transgression.

restant soumis à celui qui lui avait soumis toutes choses[1].
6. L'avis d'avoir à observer cette loi, c'est pareillement la
bonté qui l'a ajouté : «Le jour où vous en mangerez, vous
mourrez de mort[j].» Dans son extrême bienveillance, Dieu
a fait voir quel serait le résultat de la transgression, par
crainte que l'ignorance du péril n'aidât à négliger d'obéir[2].
De plus, si la raison d'imposer la loi a précédé, celle de son
observance venait ensuite, en assignant un châtiment à la
transgression : châtiment toutefois dont il n'a pas voulu
l'accomplissement, puisque, d'avance, il avait prévenu[3].
Reconnais donc la bonté de notre dieu qui, pour le
moment ou plutôt jusqu'à présent, se manifeste par ses
œuvres bonnes, ses bénédictions bonnes, ses faveurs, ses
prévoyances, ses lois et ses avertissements bons et bienveil-
lants[4].

PREMIÈRE PARTIE :
INNOCENCE DU CRÉATEUR DANS LA CHUTE D'ADAM

**Bonté, prescience,
puissance**

V. 1. Et maintenant, passons à
tous vos problèmes. Ô chiens que
l'apôtre chasse dehors[a], vous qui
aboyez contre le Dieu de vérité, voici vos argumentations,

3. Peut-être ajout de la troisième édition, destiné à souligner le lien
avec le § 5 (*ratio legis imponendae*) et à préciser un point : Dieu n'a pas
voulu ce qu'il a annoncé pour prévenir. *Quam* renvoie-t-il à *transgressionem* (Moreschini)? Nous préférons, avec Evans, le rapporter à *poena*.
4. Conclusion récapitulative, avec apostrophe au lecteur ou à Marcion (cf. *aspice* au § 2) et des pluriels de généralisations oratoires.

sunt argumentationum ossa, quae obroditis : 'Si Deus
bonus et praescius futuri et auertendi mali potens, cur
5 hominem, et quidem imaginem et similitudem suam, immo
et substantiam suam, per animae scilicet censum, passus est
labi de obsequio legis in mortem, circumuentum a diabolo? **2.** Si enim et bonus, qui euenire tale quid nollet, et
praescius, qui euenturum non ignoraret, et potens, qui
10 depellere ualeret, nullo modo euenisset quod sub his tribus
condicionibus diuinae maiestatis euenire non posset. Quod
si euenit, absolutum est e contrario Deum neque bonum
credendum neque praescium neque potentem; siquidem in
quantum nihil tale euenisset, si talis Deus, id est bonus et
15 praescius et potens, in tantum ideo euenit, quia non talis
Deus.' **3.** Ad haec prius est istas species in Creatore
defendere, quae in dubium uocantur, bonitatem dico et
praescientiam et potentiam. Nec immorabor huic articulo,
praeeunte definitione etiam ipsius Christi ex operibus

V, 19 Christi ex *Kr. Mor.* : Christi. Ex *cett.*

---

1. Sur cette transition qui introduit la première *quaestio* marcionite,
sur l'image qu'elle contient, sur la ponctuation que nous avons adoptée,
voir Notes critiques, p. 184.

2. Cette argumentation a été rapprochée de LACTANCE, *Ira* 13, 20-21,
qui reproduit un raisonnement d'Épicure sur Dieu et l'existence du
mal : cf. J.G. GAGER, « Marcion and Philosophy », *VChr* 26, 1972,
p. 53-59, qui conclut à une influence de l'épicurisme sur Marcion
(cf. *supra* I, 25, 3). Mais l'argument d'Épicure ne met en œuvre que deux
oppositions : vouloir/ne pas vouloir, pouvoir/ne pas pouvoir. Marcion
(ou un disciple) l'a au moins élargi en introduisant un troisième terme
(prescience). En *Marc.* IV, 41, 1, le même raisonnement sera utilisé, par
rétorsion, contre le dieu suprême de Marcion (à propos de Judas).
Quant à la définition de l'homme comme substance même de Dieu,

les os qu'en tous sens vous rongez[1] : «Si Dieu possède la
bonté, la prescience de l'avenir et la puissance d'écarter le
mal, pourquoi a-t-il souffert que l'homme, son image et sa
ressemblance, bien mieux même sa substance par l'origine
de l'âme, tombe de la désobéissance à sa loi dans la mort en
se laissant circonvenir par le diable? **2.** Car, s'il avait été
bon, donc incapable de vouloir une telle éventualité, s'il
avait été prescient, donc n'ignorant pas ce qui allait arriver,
s'il avait été puissant, donc en mesure de le repousser, en
aucune façon ne serait arrivé ce qui, sous ces trois
conditions de la majesté divine, ne pouvait pas arriver.
Mais si la chose est bien arrivée, il est manifeste qu'au
contraire on ne saurait croire ni à la bonté ni à la prescience
ni à la puissance de Dieu. Car, dans la mesure où rien de
semblable ne serait arrivé si Dieu avait été tel, c'est-à-dire
bon, prescient et puissant, dans cette même mesure c'est
parce que Dieu n'est pas tel que l'événement s'est produit[2].» **3.** Contre ces arguments, il faut commencer par
défendre[3] dans le Créateur les attributs qui sont mis en
doute, sa bonté, sa prescience, sa puissance[4]. Je ne m'attar-
derai pas sur ce point, me laissant guider par la définition
du Christ même, selon qui la preuve commence par les

dont se prévalent ici les marcionites, elle sera examinée et réfutée plus
bas (II, 9).

3. Sur cet aspect fondamental du livre II, voir Introduction, t. 1,
p. 36.

4. Ordre d'énumération conforme à l'objection marcionite, mais qui
n'est pas celui où les trois attributs vont être «défendus» : la bonté et la
puissance sont prouvées conjointement (par la Création), la prescience
vient ensuite. QUISPEL (*Bronnen*, p. 47 s.), suivi de MEIJERING (p. 101),
rapproche d'IRÉNÉE, *Haer*. 4, 38, 3, qui met bonté, puissance et sagesse
en rapport avec la Création. Mais il paraît douteux que Tert. s'en inspire
ici où il traite de la prescience, non de la sagesse et où l'on ne retrouve
aucun des arguments de son prédécesseur («Dieu a créé volontairement»; «Dieu a tout créé avec proportion, mesure et harmonie»).

20 ineundae probationis[b]. Opera Creatoris utrumque testan-
tur, et bonitatem eius, qua bona, sicut ostendimus, et
potentiam, qua tanta, et quidem ex nihilo. Nam et si ex
aliqua materia, ut quidam uolunt, hoc ipso tamen ex nihilo,
dum non id fuerunt, quod sunt. 4. Postremo uel sic
25 magna, dum bona, uel sic Deus potens, dum omnia ipsius,
unde et omnipotens. De praescientia uero quid dicam,
quae tantos habet testes, quantos fecit prophetas? Quamquam quis praescientiae titulus in omnium auctore, qua
uniuersa utique disponendo praesciit et praesciendo dis-
30 posuit! Certe ipsam transgressionem, quam nisi praescisset, nec cautionem eius delegasset sub metu mortis[c].
5. Igitur si et fuerunt in Deo istae facultates, prae quibus
nihil mali euenire homini aut potuisset aut debuisset, et
nihilominus euenit, uideamus et hominis condicionem, ne
35 per illam potius euenerit quod per Deum euenire non
potuit. Liberum et sui arbitrii et suae potestatis inuenio
hominem a Deo institutum, nullam magis imaginem et
similitudinem Dei[d] in illo animaduertens quam eiusmodi

V, 20 probationis *M*γ *R₁ Kr. Mor.* : -tiones *R₂R₃ Ev.* ‖ 28 qua : qui
corr. Kr. (*qui* et *post* utique *add.*)

V. b. Cf. Jn 10, 25.38 ‖ c. Cf. Gen. 2, 17 ‖ d. Cf. Gen. 1, 26

---

1. Cf. *supra* II, 4.
2. Quatre arguments établissent la puissance du Créateur : 1) la
grandeur de la création (cf. *supra* II, 4, 1); 2) la création *ex nihilo*
(démonstration faite dans *Herm.*), avec un «argument de repli», caractéristique de la façon de raisonner de Tert., qui vise Hermogène ou les
platoniciens, et qui sera développé en *Res.* 11, 6-9; 3) la bonté de la
Création (avec une curieuse équivalence bon = grand, qui s'inspire
peut-être des idées de Marcion sur le dieu suprême); 4) la souveraineté
du Créateur, attestée par le titre de «Tout-Puissant» (cf. *Deus Christ.*,
p. 97-102).

œuvres[b]. Les œuvres du Créateur attestent tout ensemble
et sa bonté, puisqu'elles sont bonnes comme nous l'avons
montré[1], et sa puissance, puisqu'elles sont si grandes, étant
même produites de rien. Car, même si, comme certains le
veulent, il les a produites d'une matière existante, c'est
encore, par là même, les avoir produites de rien puisqu'elles n'étaient pas ce qu'elles sont. **4.** Et enfin aussi,
elles sont grandes en ce sens qu'elles sont bonnes, et Dieu
est puissant en ce sens que tout lui appartient, d'où son
nom de Tout-Puissant[2]. Quant à la prescience, que puis-je
en dire, quand elle possède autant de témoins qu'elle a fait
de prophètes? Et, du reste, quelle preuve de prescience,
chez l'auteur de toutes choses, que d'avoir assurément
connu d'avance l'univers en l'organisant et de l'avoir
organisé en le connaissant d'avance! Pour sûr, la transgression elle-même, s'il ne l'avait pas connue d'avance, il
n'aurait pas pris soin de mettre en garde contre elle en
brandissant la crainte de la mort[c][3]. **5.** Eh bien donc, s'il
y avait en Dieu ces propriétés qui auraient pu ou dû
empêcher qu'aucun mal n'arrivât à l'homme, et si ce mal
néanmoins est arrivé, regardons aussi du côté de la
condition humaine : n'est-ce pas plutôt par elle que s'est
produit ce qui n'a pu se produire par Dieu? Je trouve
l'homme créé par Dieu libre, ayant toute autonomie et
disposition de lui-même, et rien plus que la présentation
d'un tel statut ne me fait voir en lui l'image et la

---

3. Trois arguments établissent la prescience : 1) le nombre des
prophètes (cf. *Ap.* 18, 1-3); 2) l'organisation de l'univers (à rapprocher
de *Prax.* 6, 3, sur le Verbe-Sagesse ayant *pensé* et *organisé* toutes choses à
l'intérieur de Dieu avant de les produire); 3) la mise en garde contre la
transgression (cf. *Gen.* 2, 7, et *supra* II, 4, 6).

status formam. **6.** Neque enim facie et corporalibus
40 lineis, tam uariis in genere humano, ad uniformem Deum
expressus est, sed in ea substantia, quam ab ipso Deo traxit,
id est anima, ad formam Dei spondentis et arbitrii sui
libertate et potestate, signatus est. Hunc statum eius
confirmauit etiam ipsa lex tunc a Deo posita. **7.** Non
45 enim poneretur lex ei, qui non haberet obsequium debitum
legi in sua potestate, nec rursus comminatio mortis trans-
gressioni adscriberetur, si non et contemptus legis in
arbitrii libertatem homini deputaretur. Sic et in posteris
legibus Creatoris inuenias, proponentis ante hominem
50 bonum et malum, uitam et mortem[e], sed nec alias totum
ordinem disciplinae per praecepta dispositum auocante
Deo, et minante, exhortante, nisi et ad obsequium et ad
contemptum libero et uoluntario homini.

V, 42 anima *M Kr.* : animam γ *R₁R₂* animae *R₃ Mor. Ev.* * ‖
spondentis θ *Kr. Mor.* : respondentis *Lat. Ev.* * ‖ 43 libertate et
potestate : -tem et -tem *corr. Kr.* * ‖ 46 legi : *om. M* ‖ 51 auocante *MF R
Mor. Ev.* : a uocante *X Kr.*   aduocante *N* * ‖ 52 exhortante θ *Mor.* : et
hortante *Iun. Kr.*   et exhortante *Gel. Ev.* ‖ 53 homini *Mγ R₁ Kr. Mor.* :
homine *R₂R₃ Ev.*

V. e. Cf. Deut. 30, 15

---

1. A la thèse marcionite d'un Créateur n'ayant ni prévu la chute de
l'homme ni voulu ou pu l'empêcher se substitue l'explication «catholique» : la responsabilité incombe à l'homme seul et au mauvais usage
qu'il a fait de sa liberté. Sur cette doctrine de la «liberté» de l'homme,
courante dans l'Église depuis Justin, voir A. ORBE, *Antropología de San
Ireneo*, Madrid 1969, p. 167. Le rapport établi ici entre ce libre arbitre et
l'exégèse de *Gen.* 1, 26 a pu être suggéré par plusieurs textes d'IRÉNÉE
(*Haer.* 4, 4, 3 ; 37, 4 ; 38, 4) ; cf. A. ORBE, *o.c.*, p. 174. En tout cas, Tert.
renonce à la distinction entre *imago* (nature) et *similitudo* (grâce), venue
d'Irénée, qu'il faisait encore en *Bapt.* 5, 7 : cf. S. OTTO, «Der Mensch
als Bild Gottes bei Tertullian», *Münchener Theologische Zeitschrift* 10,
1959, p. 276-282 ; P. MATTÉI, *art. cit.* (*supra, p. 28, n. 2*).

ressemblance divines[d][1]. **6.** Car ce n'est pas par le visage
et les traits corporels, si variés dans le genre humain, qu'il
est la reproduction du Dieu unique[2]; c'est dans la substance tirée de Dieu même, c'est-à-dire l'âme, qu'il a reçu, à
l'effigie du Dieu qui en est le répondant, la marque du libre
arbitre et de l'autonomie[3]. Qu'il ait ce statut, l'établissement même de la loi[4] par Dieu à ce moment-là l'a confirmé.
7. Car on ne poserait pas de loi pour celui qui n'aurait pas
en son pouvoir de faire preuve de l'obéissance requise
envers la loi, on ne publierait pas une menace de mort pour
la transgression si on ne supposait pas à l'homme toute
liberté de braver la loi. On pourrait faire les mêmes
observations à propos des lois postérieures du Créateur,
quand il place devant le choix de l'homme le bien et le mal,
la vie et la mort[e]; mais encore, tout l'ensemble de la
discipline n'a été établi sur des préceptes où Dieu détourne,
menace, exhorte, que pour un homme qui dispose d'une
volonté libre d'obéir ou de braver[5].

2. Le mot *uniformis* (littéralement «d'un seul aspect», cf. MOINGT,
TTT 4, p. 246) se réfère au sens concret de *forma* (apparence, effigie)
qu'on trouve ensuite, dans une image «monétaire». Il désigne l'unicité
divine, qui se marque par l'absence d'une multiplicité de *formae*. Des
emplois scripturaires recommandaient cette valeur concrète de *forma dei*
(cf. MOINGT, *ibid.,* p. 93). Dans l'adaptation du vocabulaire au dogme
trinitaire, *forma*, opposé à *substantia*, servira pour les individualités
subsistantes des Trois divins : cf. *Prax.* 2, 4; 8, 6; 27, 7, (voir MOINGT,
ibid., p. 96). Quant à l'idée que l'homme n'exprime pas dans son corps,
mais dans son âme l'«image et ressemblance» divine, elle remonte à
PHILON (*Opif.* 69) et elle est devenue bien commun de la tradition
patristique; cf. MEIJERING, p. 102.

3. Sur le problème textuel et l'interprétation, voir Notes critiques,
p. 184.

4. Celle de *Gen.* 2, 17; cf. *supra* II, 4, 6.

5. Large évocation de l'aspect disciplinaire de l'A. T. Le décalogue
(*posteris legibus*) paraît distingué de l'ensemble des dispositions morales
(*disciplina*) parce qu'il en constitue la clef de voûte. Sur le problème
textuel, voir Notes critiques, p. 185.

VI. 1. Sed quoniam ex hoc iam intellegimur eo
struentes liberam hominis potestatem arbitrii sui, ut quod
ei euenit non Deo, sed ipsi debeat exprobrari, ne et tu hinc
iam opponas non ita illum institui debuisse, si libertas et
5 potestas arbitrii exitiosa futura esset, hoc quoque prius
defendam ita institui debuisse, quo fortius commendem et
ita institutum et digne Deo institutum, potiore ostensa ea
causa, quae ita fecit institui. Bonitas Dei et ratio eius huic
quoque instituto patrocinabuntur, in omnibus conspi-
10 rantes apud deum nostrum.   **2.** Nec ratio enim sine bonitate ratio est nec bonitas sine ratione bonitas, nisi forte
penes deum Marcionis inrationaliter bonum, sicut ostendimus. Oportebat Deum cognosci. Bonum hoc utique et
rationale. Oportebat dignum aliquid esse, quod Deum
15 cognosceret. Quid tam dignum prospici posset quam
imago Dei et similitudo[a]?   **3.** Et hoc bonum sine dubio
et rationale. Oportebat igitur imaginem et similitudinem
Dei liberi arbitrii et suae potestatis institui, in qua hoc
ipsum imago et similitudo Dei deputaretur, arbitrii scilicet
20 libertas et potestas; in quam rem ea substantia homini

VI, 1 intellegimur eo *Rig. Kr. Mor. Ev.* : -gimus eos θ ‖ 18 in *secl.
Mor.* *

VI. a. Cf. Gen. 1, 26

---

1. Après un clair résumé de la démarche précédente, énoncé d'une
nouvelle objection marcionite, qu'on rapprochera, avec QUISPEL
(*Bronnen*, p. 49), d'IRÉNÉE, *Haer.* 4, 37, 6 (SC 100, p. 934, l. 113 s.).
MEIJERING (p. 103) y voit avec raison l'adaptation d'un vieil argument
antiprovidentialiste (cf. CICÉRON, *Nat. deor.* 3, 31, 78, sur le don de la
raison aux hommes).
2. La dialectique va consister ici à retourner complètement l'argument adverse en montrant que Dieu, être bon et rationnel, *devait* créer
l'homme libre, ce qui confirmera l'acquis de la démarche précédente sur

Libre arbitre
de l'homme

VI. 1. De ce qui précède, on comprend désormais que, si nous posons pour base de notre argumentation le libre pouvoir de choix chez l'homme, c'est pour qu'on n'aille pas reprocher à Dieu, mais à lui-même ce qui lui est arrivé. Mais, afin que tu ne nous opposes pas maintenant qu'il n'aurait pas dû être créé de la sorte si le pouvoir de choisir librement devait lui être funeste[1], je commencerai par défendre ma thèse qu'il devait être créé de la sorte : ainsi je prouverai avec plus de force qu'il a été créé de la sorte et que cette création était digne de Dieu, puisque j'aurai montré la principale raison qui l'a fait créer de la sorte[2]. La bonté et la raison de Dieu, ici encore, patronneront cette œuvre de lui, elles qui, chez notre dieu, sont d'accord en tout. **2.** Car la raison sans la bonté n'est pas raison et la bonté sans la raison n'est pas bonté, sauf peut-être chez le dieu de Marcion, dont la bonté est déraisonnable comme nous l'avons montré[3]. Il fallait que Dieu fût connu[4] : chose évidemment bonne et raisonnable. Il fallait qu'un être fût digne de connaître Dieu. Était-il possible d'en prévoir un aussi digne que l'image et ressemblance de Dieu[a][5] ? **3.** Voilà aussi, sans aucun doute, qui est bon et raisonnable. Il fallait donc que l'image et la ressemblance de Dieu fût créée pourvue du libre arbitre et de l'autonomie, pour qu'en elle, cela précisément, le libre arbitre et l'autonomie, fût tenu pour l'image et la ressemblance de Dieu[6]. Et à cet effet, a été accordée à l'homme une substance qui relevât de ce statut,

cette liberté de l'homme. Le motif du θεοπρεπές est à nouveau utilisé.

3. Cf. I, 23.
4. Cf. *supra* II, 3, 2-3.
5. Cf. *supra* II, 4, 3.
6. Reprise de l'idée de II, 5, 5-6. Sur le problème textuel, voir Notes critiques, p. 186.

accommodata est, quae huius status esset, adflatus Dei[b],
utique liberi et suae potestatis. Sed et alias quale erat, ut
totius mundi possidens homo non inprimis animi sui
possessione regnaret, aliorum dominus, sui famulus[c]?
25 **4.** Habes igitur et bonitatem Dei agnoscere ex dignatione
et rationem ex dispositione. Sola nunc bonitas deputetur
quae tantum homini largita sit, id est arbitrii libertatem;
aliud sibi ratio defendat in eiusmodi institutionem. Nam
bonus natura Deus solus. Qui enim quod est sine initio
30 habet, non institutione habet illud, sed natura. Homo
autem, qui totus ex institutione est, habens initium, cum
initio sortitus est formam, qua esset, atque ita non natura
in bonum dispositus est, sed institutione, non suum habens
bonus esse, quia non natura in bonum dispositus est, sed
35 institutione, secundum institutorem bonum, scilicet bonorum conditorem.   **5.** Vt ergo bonum iam suum haberet
homo, emancipatum sibi a Deo, et fieret proprietas iam
boni in homine et quodammodo natura, de institutione
adscripta est illi quasi libripens emancipati a Deo boni
40 libertas et potestas arbitrii, quae efficeret bonum ut pro-

---

VI, 28 institutionem θ *Kr. Ev.* : -tione *Mor.* * ‖ 39 libripens emancipati R₂R₃ *edd.* : libripense (liberi pensse γ) mancipati *codd.*

VI. b. Cf. Gen. 2, 7 ‖ c. Cf. Gen. 1, 28

---

1. Sur la liberté de Dieu, cf. IRÉNÉE, *Haer.* 2, 1, 1 ; 2, 2, 1-3 ; 3, 8, 3.
Sur l'âme comme *adflatus dei*, voir *infra*, ch. 9.
2. Argument supplémentaire tiré de la supériorité de l'homme sur les
autres créatures et qui tient précisément à sa libre volonté : cf.
supra II, 4, 5 (ce thème est courant depuis JUSTIN, *I Apol.* 43, 8).
3. Appel à l'interlocuteur, qui sert de transition : des deux termes
initialement posés (bonté et raison), un seul a été pris en compte jusqu'à
présent ; mais la raison aussi est intervenue dans le don du libre arbitre ;
elle peut se faire entendre dans cette «défense» du Créateur (cf. Intro-

le souffle de ce dieu[b] qui est évidemment un être libre et autonome[1]. Autrement, quelle absurdité si l'homme, possesseur de tout l'univers, ne régnait pas en premier lieu par la possession de son cœur, maître des autres, mais esclave de lui-même[c2] ! 4. Tu peux donc reconnaître la bonté de Dieu dans sa complaisance et sa raison dans son plan. Que la bonté seule, pour l'instant, soit prise en compte pour avoir octroyé à l'homme un si grand don, la liberté de choix : la raison, elle, aurait d'autres arguments à faire valoir pour se défendre à l'égard d'une création de cette sorte[3]. Dieu seul est bon par nature. Car celui qui détient ce qu'il est sans aucun commencement ne le détient pas par création, mais par nature. L'homme au contraire, qui relève tout entier d'une création puisqu'il a un commencement, a reçu avec son commencement sa forme d'être ; et ainsi il n'a pas été disposé au bien par nature, mais par création : il ne détient pas comme lui appartenant en propre d'être bon puisqu'il n'a pas été disposé au bien par nature, mais par création, conformément à un créateur bon, celui bien sûr qui a créé les choses bonnes[4]. 5. Pour que l'homme désormais fût détenteur du bien en propre, bien émancipé de Dieu à son profit, pour que désormais l'homme eût la propriété et en quelque sorte la nature du bien, il lui a été accordé par création, pour être comme le payeur du bien émancipé de Dieu, le libre pouvoir de choisir : celui-ci devait faire en sorte que

---

duction, t. 1, p. 36) ; c'est à montrer la *rationalité* de cette *dispositio* divine que va être consacrée la suite du développement (jusqu'au § 7 a). Sur le problème textuel, voir Notes critiques, p. 186.

4. Le point de départ du raisonnement est l'idée qu'il existe une différence radicale, dans l'ordre de la bonté comme de toutes les autres qualités, entre Dieu incréé et l'homme être créé. Elle vient sans doute d'IRÉNÉE (*Haer*. 4, 38, 1 = *SC* 100, p. 944, l. 2-9) qui établit comme nécessaire l'infériorité des créatures par rapport à l'être incréé.

prium iam sponte praestari ab homine, quoniam et hoc
ratio bonitatis exigeret uoluntarie exercendae, ex libertate
scilicet arbitrii, [non] fauente institutioni non seruiente, ut
ita demum bonus consisteret homo, si secundum institu-
45 tionem quidem, sed ex uoluntate iam bonus inueniretur,
quasi de proprietate naturae; proinde ut et contra malum
(nam et illud utique Deus prouidebat) ut fortior homo
praetenderet, liber scilicet et suae potestatis, quia si careret
hoc iure, ut bonum quoque non uoluntate obiret sed
50 necessitate, usurpabilis etiam malo futurus esset ex infirmi-
tate seruitii, proinde et malo sicut bono famulus. **6.** Tota
ergo libertas arbitrii in utramque partem concessa est illi,
ut sui dominus constanter occurreret et bono sponte
seruando et malo sponte uitando, quoniam et alias positum
55 hominem sub iudicio Dei oportebat iustum illud efficere de
arbitrii sui meritis, liberi scilicet. **7.** Ceterum nec boni
nec mali merces iure pensaretur et, qui aut bonus aut malus
necessitate fuisset inuentus, non uoluntate. In hoc et lex
constituta est, non excludens, sed probans libertatem de

VI, 41 et hoc : *inu. Kr.* (*qui uerbis* quoniam — seruiente *parenthesin
sign.*) ‖ 43 non *secl. Vrs.* * ‖ institutioni *Vrs. Kr. Mor. Ev.* : -tionis θ ‖
46 ut et *X* R *Kr. Mor. Ev.* : ut *M* et *F* ‖ 47 ut *M*γ *R*₁ *Kr. Mor.* : *om.*
*R*₂*R*₃ *Ev.* ‖ 48 careret *Lat. Kr. Mor. Ev.* : caperet θ ‖ 49 obiret *R*₃ *Kr.*
Mor. Ev. : abiret *M*γ *R*₁*R*₂

---

1. Ayant, du fait de sa création, une simple disposition au bien,
l'homme peut, par un bon usage de son libre arbitre, transformer celle-ci
en une sorte de propriété naturelle. Une telle explication « rationnelle »
du don de la liberté à l'homme (à mettre en rapport avec l'anthropologie
volontariste de Tert.) ne se rencontre pas sous cette forme avant lui. Le
mélange d'expressions philosophiques (*natura*, *institutio*) et d'images
empruntées au droit, comme *emancipare*, *proprietas*, *libripens* (sur ce mot,
voir note complémentaire 24, p. 216.), lui est propre aussi. Sur ce
problème textuel, voir Notes critiques, p. 186.

2. Justification symétrique du libre arbitre par rapport au mal :
l'homme ne devait pas plus être esclave du mal que du bien. Sur

l'homme désormais accomplît le bien de son plein gré comme son acte propre. Ainsi l'exigeait la raison d'une bonté qui devait s'exercer volontairement, c'est-à-dire en vertu d'une liberté de choisir allant dans le sens de la création, mais sans y être asservie : c'est alors seulement que la bonté de l'homme prendrait consistance, à partir du moment où il serait trouvé bon, certes conformément à sa création, mais en vertu de sa volonté et par l'effet, pour ainsi dire, d'une propriété de sa nature[1]; et de la même façon, contre le mal (car Dieu, bien sûr, le prévoyait aussi) l'homme se défendrait avec plus de force en étant libre et autonome; car, s'il était privé de ce droit et condamné à accomplir le bien non par l'effet de sa volonté, mais par celui d'une nécessité, l'infirmité de sa servitude le destinerait à devenir la proie du mal aussi et il serait l'esclave du mal autant que du bien[2]. **6.** Ainsi donc la liberté totale de choix lui a été accordée dans les deux sens, pour que, maître de lui-même, il fît face constamment et au bien, pour choisir de le garder, et au mal, pour choisir de l'éviter; car, étant soumis par ailleurs au jugement de Dieu[3], il fallait qu'il rendît ce jugement juste par les mérites de son choix évidemment libre. **7.** Du reste, il ne serait juste de payer le salaire ni du bien ni du mal à un être qui aurait été trouvé ou bon ou mauvais par l'effet d'une nécessité, non de sa volonté. Aussi bien la loi n'a-t-elle pas été établie pour supprimer, mais pour prouver la liberté

l'apparition du mal par la transgression de Satan et sur les combats de l'homme contre lui, voir *infra*, ch. 10 et notamment § 6.

3. Nouvelle justification «rationnelle» du libre arbitre humain : il rend équitable le jugement de Dieu sur l'homme. Le lien entre liberté et responsabilité morale a été fortement souligné depuis JUSTIN, *I Apol.* 43, 8; cf. THÉOPHILE, *Autol.* 2, 27; IRÉNÉE, *Haer.* 4, 37, 2 (*SC* 100, p. 922, l. 32 s.) et 4, 37, 6 (*ibid.*, p. 936, l. 123 s.). Voir MEIJERING, p. 105.

60 obsequio sponte praestando uel transgressione sponte
committenda : ita in utrumque exitum libertas patuit
arbitrii.

Igitur si et bonitas et ratio Dei inuenitur circa libertatem
arbitrii concessam homini, non oportet omissa prima
65 definitione bonitatis atque rationis, quae ante omnem
tractatum constituenda est, post factis praeiudicare non ita
Deum instituere debuisse, quia aliter quam Deo deceret
euasit, sed dispecto, quia ita debuerit instituere, saluo eo
quod dispectum est cetera explorare.   8. Ceterum facile
70 est offendentes statim in hominis ruinam, antequam condicionem eius inspexerint, in auctorem referre quod accidit,
quia nec auctoris examinata sit ratio. Denique et bonitas
Dei a primordio operum perspecta persuadebit nihil a Deo
mali euenire potuisse, et libertas hominis recogitata se
75 potius ream ostendit quod ipsa commisit.

VII. 1. Hac definitione omnia Deo salua sunt : et
natura bonitatis et ratio dispositionis et praescientiae et
potentiae copia. Exigere tamen a Deo debes et grauitatem
summam et fidem praecipuam in omni institutione eius, ut
5 desinas quaerere, an Deo nolente potuerit quid euenire.
Tenens enim grauitatem et fidem Dei, bonis et rationalibus
institutionibus eius uindicandas, nec illud miraberis, quod
Deus non intercesserit aduersus ea, quae noluit euenire, ut

VI, 66 factis : e factis *Kr.* ‖ 67 quia *Lat. Kr. Mor. Ev.* : qui θ ‖ Deo
Mγ R$_1$ *Kr. Mor.* : deum R$_2$R$_3$ *Ev.* * ‖ 75 ostendit θ : -det *Lat. Kr. Mor.
Ev.* * ‖ quod : eius quod *Eng. Kr.* *

VII, 4 ut *Lat. Kr. Ev.* : et θ *Mor.* * ‖ 6 bonis et *Kr.* : boni, sed θ *Mor.
Ev.* * ‖ 7 eius M R$_3$ *Kr. Mor. Ev.* : *om.* γ R$_1$R$_2$

---

1. Reprise de l'idée de II, 5, 7.
2. Voir Notes critiques, p. 187.
3. Voir Notes critiques, p. 187.

par une obéissance consentie de plein gré ou par une
transgression commise de plein gré[1]. La liberté de choix se
manifeste dans l'un comme dans l'autre résultat.

Si donc à la fois bonté et raison de Dieu se rencontrent à
propos de la liberté de choisir accordée à l'homme, il ne
faut pas, laissant de côté ce qui vient d'être établi en
premier lieu sur la bonté et la raison, et qui doit constituer
la base préalable à toute discussion, aller préjuger des faits
subséquents que Dieu n'aurait pas dû créer l'homme de la
sorte, le résultat ayant été différent de ce qui convenait à
Dieu[2]; il faut au contraire, ayant discerné qu'il devait bien
créer l'homme de cette sorte, passer à l'exploration du reste
en gardant les yeux sur ce qu'on a discerné.   **8.** D'ailleurs
il est facile, quand on se scandalise tout de suite de la chute
de l'homme sans attendre d'avoir examiné sa condition,
d'imputer à son auteur ce qui est arrivé puisqu'on n'a pas
non plus examiné les raisons de cet auteur. Bref, d'une part
la bonté de Dieu, reconnue en lui depuis l'origine de ses
œuvres, nous persuadera que rien de mauvais n'a pu
arriver de Dieu, d'autre part la liberté de l'homme, à la
réflexion, se montre bien plutôt la responsable de ce qu'elle
a commis elle-même[3].

**Pourquoi Dieu
n'est pas intervenu
a) Fidélité à ses plans**

VII. 1. Cette explication sauvegarde tous les attributs de Dieu : sa
bonté de nature, la rationalité de son
plan, l'ampleur de sa prescience et de
sa puissance. Tu dois cependant exiger de Dieu la plus
haute gravité et une particulière fidélité dans toute son
œuvre créatrice, pour cesser de te demander si quelque
chose a pu arriver contre le gré de Dieu. Si tu gardes à
l'esprit la gravité et la fidélité de Dieu, qualités qu'il faut
revendiquer pour toutes ses créations bonnes et raisonnables, tu ne t'étonneras pas non plus qu'il ne soit pas
intervenu pour empêcher un événement qu'il ne voulait

conseruaret ea, quae uoluit. **2.** Si enim semel homini
10 permiserat arbitrii libertatem et potestatem et digne permiserat, sicut ostendimus, utique fruendas eas ex ipsa institutionis auctoritate permiserat, fruendas autem, quantum in
ipso, secundum ipsum, id est secundum Deum, id est
in bonum (quis enim aduersus se permittet aliquid?),
15 quantum uero in homine, secundum motus libertatis ipsius
(quis enim non hoc praestat ei, cui quid semel frui praestat,
ut pro animo et arbitrio suo fruatur?). Igitur consequens
erat, uti Deus secederet a libertate semel concessa homini,
id est contineret in semetipso et praescientiam et praepo-
20 tentiam suam, per quas intercessisse potuisset, quominus
homo male libertate sua frui adgressus in periculum
laberetur. **(3)** Si enim intercessisset, rescidisset arbitrii

---

VII, 19 semetipso *M Kr. Mor. Ev.* : ipso β

---

1. Après une courte récapitulation des ch. 5 et 6 (première phrase),
l'auteur introduit, sous une forme indirecte, une première question
adverse : est-ce que quelque chose a pu arriver contre le gré de Dieu?
(deuxième phrase; sur le problème textuel, voir Notes critiques,
p. 188.). Cete question ne retient pas l'attention parce que sa réponse,
négative, est évidente; elle sert uniquement à faire rebondir le débat par
une nouvelle question, posée aussi de façon indirecte : pourquoi Dieu
n'est-il pas intervenu pour empêcher la chute de l'homme s'il ne la
voulait pas? (troisième phrase). C'est à elle que vont répondre les ch. 7
et 8. La première réponse (ch. 7) est présentée d'entrée de jeu, précédant
même les interrogations adverses (souci de *uariatio*, désir de piquer
l'attention). Pour justifier la non-intervention de Dieu, il est fait appel
d'abord à deux qualités éminemment romaines souvent évoquées
ensemble quand il s'agit du respect de l'engagement, de la loyauté et de
la fidélité envers soi-même et envers les autres : la *grauitas* (associée à
constantia et opposée à *inconstantia*, cf. *TLL* VI, 2, c. 2306, l.35 s.;
Romana grauitas en *Ap.* 39, 13; voir aussi *Fug.* 7, 2 : *tanta diuersitas
sententiarum non congruit diuinae grauitati*) et la *fides* (au sens de *fidelitas*,
constantia, honestas; cf. *TLL* VI, 1, c. 675, l. 10 s.). L'affirmation de ces
qualités dans le Créateur répond par avance au réquisitoire marcionite :
cf. *infra* II, 21, 1 (*mobilis, instabilis*); 23, 1 (*leuis*); 24, 1 (*mobilitas, improui-*

pas, et pour maintenir ce qu'il voulait[1].   **2.** Car s'il avait,
une fois pour toutes, permis à l'homme la liberté de choix
et l'autonomie, et si, comme nous l'avons montré[2], il était
bien digne de lui de les permettre, évidemment il lui avait
permis de jouir de ces facultés en vertu de l'autorité même
de l'œuvre créatrice : d'en jouir, en ce qui le concernait, lui
Dieu, conformément à lui, c'est-à-dire conformément à
Dieu, c'est-à-dire dans le sens du bien (car qui permettra
une chose allant contre lui-même?), et d'autre part, en ce
qui concernait l'homme, d'en jouir selon les mouvements
de sa liberté (qui donc en effet, quand il accorde une bonne
fois à quelqu'un la jouissance d'une chose, ne lui accorde
pas d'en jouir à son gré et à sa guise?)[3]. Il était donc
logique[4] que Dieu restât à l'écart de la liberté de l'homme
une fois qu'il la lui avait concédée, c'est-à-dire qu'il
contînt en lui-même sa prescience et sa toute-puissance
qui auraient pu le faire intervenir pour empêcher l'homme
de commencer un mauvais usage de sa liberté et de
succomber au péril. **(3)** Car s'il était intervenu, il aurait
aboli la liberté de choix que, dans sa raison et sa bonté, il

---

dentia); et aussi IV, 1, 10; 27, 1; Id. 5, 3. Pour le problème textuel de la
troisième phrase, voir Notes critiques, p. 188.

    2. Cf. supra II, 6, 1-7.

    3. Rappel de l'argumentation de II, 6, 4 b-5 a, sur la distinction entre
l'Incréé et l'ordre créé (natura pour Dieu, institutio pour l'homme); il
s'agit d'expliquer ici, non sans lourdeur, que l'usage de la liberté
humaine devait s'exercer dans le sens du bien (étant produite par un être
«bon par nature»), sans être pour autant asservi au bien (ce serait la
négation de la liberté). La conciliation de la libre initiative de l'âme
avec la Providence était courante dans le platonisme : cf. ALBINOS,
Épit. 26, 1 ; PLOTIN, Ennéad. 3, 2, 9; 3, 3, 3-5. Mais les arguments de
Tert. procèdent d'observations de bons sens, formulées comme des
évidences.

    4. Cette expression, fréquente chez les juristes et dont notre auteur a
plusieurs exemples (cf. TLL IV, c. 412, l. 22-46), rejoint la notion
exprimée au § 1 par grauitas et fides.

libertatem, quam ratione et bonitate permiserat.   3. Denique puta intercessisse, puta rescidisse illum arbitrii liber-
25 tatem, dum reuocat ab arbore, dum ipsum circumscrip-
torem colubrum a congressu feminae[a] arcet : nonne exclamaret Marcion : 'O Dominum futtilem, instabilem, infi-
delem, rescindentem quae instituit ? Cur permiserat
liberum arbitrium, si intercedit ? Cur intercedit, si per-
30 misit ? Eligat, ubi semetipsum erroris notet, < in > institutione an in rescissione.'   4. Nonne tunc magis deceptus
ex impraescientia futuri uideretur, cum obstitisset ? Et
quod quasi ignorans, quomodo euasurum esset, indulserat,
quis non diceret ? Sed et si praescierat male hominem
35 institutione sua usurum, quid tam dignum Deo quam
grauitas, quam fides institutionum qualiumcumque ? Vidisset homo, si non bene dispunxisset quod bene acceperat,
< ut > ipse legi reus fuisset, cui obsequi noluisset, non ut
legislator ipse fraudem legi suae faceret, non sinendo
40 praescriptum eius impleri.   5. Haec dignissime peroratu-

VII, 30 in *add. Gel. Kr.* ‖ 37 dispunxisset *Rig. Kr. Mor. Ev.* :
depinxisset *M*γ *R₁*   depunxisset *R₁ (coni.) R₂R₃* ‖ 38 ut ipse *Lat. Ev.* :
ipse θ *Kr. Mor. (qui post* acceperat *interp.)*

VII. a. Cf. Gen. 3, 1

---

1. Le mot *circumscriptor*, cher aux juristes, a déjà été employé en
I, 27, 1 où il est appliqué au dieu de Marcion (avec génitif objectif).
Dans cette seconde partie, l'auteur va donner un tour plus oratoire et
plus mordant à sa démonstration en y associant, non sans habileté,
Marcion lui-même (sur le grief de *leuitas*, de *mobilitas* fait au Créateur, cf.
supra, p. 56, n. 1).

2. Après la prosopopée de Marcion, Tert. reprend la parole en
continuant à se placer dans l'hypothèse d'une intervention (cf. plus haut,
l. 23-24 : *Denique puta*) et pour souligner, cette fois, l'absence de
praescientia que l'hérétique serait en droit de reprocher au Créateur
(cf. II, 5, 2). Mais *quis non diceret* (l.33-34) renchérit sur *nonne exclamaret
Marcion* (l. 26-27).

avait permise.   **3.** Suppose en effet qu'il soit intervenu, suppose qu'il ait aboli la liberté de choix en détournant l'homme de l'arbre, en écartant le serpent trompeur[1] de sa rencontre avec la femme[a]. Marcion ne s'écrierait-il pas : «Ô le Seigneur frivole, versatile, infidèle, qui abolit ce qu'il a créé! Pourquoi avait-il permis le libre arbitre s'il revient là-dessus? Pourquoi revient-il là-dessus s'il l'a permis? A lui de choisir en quoi il doit se taxer lui-même d'erreur : d'avoir créé ou d'avoir aboli!»   **4.** Est-ce qu'il ne paraî-trait pas encore plus victime de son imprévoyance de l'avenir, au cas où il se serait opposé à ce libre arbitre? Et qui ne dirait qu'en accordant ce don, il était comme dans l'ignorance du tour qu'il prendrait[2]? Mais même s'il avait prévu que l'homme userait mal de la façon dont il l'avait créé, est-il chose aussi digne de Dieu que la gravité, que la fidélité dans ses œuvres créatrices, quelles qu'elles soient[3]? C'eût été l'affaire de l'homme, s'il n'avait pas bien employé ce qu'il avait bien reçu, en se rendant ainsi lui-même coupable envers la loi par son refus de s'y soumettre, sans que le législateur portât atteinte à sa propre loi en ne permettant pas l'accomplissement de ce qu'elle prescri-vait[4].   **5.** Toi qui aurais eu tout à fait raison d'accuser en

3. Dernier argument, appelé par le précédent, «en repli» : même si le Créateur avait su d'avance que l'homme ferait mauvais usage de sa liberté, il ne devait pas intervenir par respect à l'égard de sa créature; reprise du motif de θεοπρεπές (cf. Introduction, t. 1, p. 46) et des termes initiaux du chapitre.

4. Coloration juridique de l'argument : *dispungere* (au sens de *complere*; cf. *TLL* V, 1, c. 1437, l.26), *lex*, *reus*, *legislator*, *fraus*, *praescriptum*. *Vidisset* transpose à l'irréel (cf. *et si praescierat*) le *uiderit* du tour habituel chez notre auteur (cf. I, 1, 1). Ces deux phrases (de *Sed et si* jusqu'à *impleri*) et peut-être même tout le § 4 semblent un ajout de l'édition définitive. Car au début du § 5, *haec* (*peroraturus*) n'a vraiment de sens que s'il renvoie et fait suite à la prosopopée de Marcion (fin du § 3). On n'échappe pas à l'impression que l'auteur a rajouté ici, sans intégrer ses insertions dans la trame primitive aussi bien qu'il le fait en général. Kroymann y voulait voir les vestiges d'une double rédaction.

rus in Creatorem, si libero arbitrio hominis ex prouidentia
et potentia, quas exigis, obstitisset, nunc tibi insusurra pro
Creatore, et grauitatem et patientiam et fidem <in>
institutionibus suis functo ut et rationalibus et bonis.

VIII. 1. Neque enim ad uiuendum solummodo pro-
duxerat hominem, ut non ad recte uiuendum, in respectu
Dei scilicet legisque eius. Igitur uiuere quidem illi ipse
praestiterat, facto in animam uiuam[a], recte uero uiuere
5 demandarat, admonito in legis obsequium. Ita non in
mortem institutum hominem probat qui nunc cupit in
uitam restitutum, malens peccatoris paenitentiam quam
mortem[b]. **2.** Igitur sicut Deus homini uitae statum
induxit, ita homo sibi mortis statum adtraxit, et hoc non
10 per infirmitatem, sicuti nec per ignorantiam, ne quid
auctori imputaretur. Nam etsi angelus qui seduxit, sed

VII, 43 in *add. Eng. Kr.*
VIII, 3 dei scilicet *M Kr.* : *inu.* β *Mor. Ev.* ‖ illi *R Kr. Mor. Ev.* : ille
Mγ Rig.

VIII. a. Cf. Gen. 2, 7 ‖ b. Cf. Éz. 18, 23; 33, 11; II Pierre 3, 9

1. Conclusion en forme d'apostrophe à Marcion : son *In Creatorem*
(dans le cas supposé d'une intervention contre le libre arbitre) doit donc
se muer en un *Pro creatore* (puisque l'intervention n'a pas eu lieu).
Reprise des termes initiaux, avec élargissement : un troisième terme leur
est associé, *patientia*, qui fait référence à la vertu dont le Créateur fait
preuve devant le péché de ses créatures (cf. *infra* II, 24, 2-3 ; voir aussi
De patientia, passim).
2. Destiné à parfaire la démonstration sur la responsablité de
l'homme dans la chute, ce chapitre va souligner que celui-ci est créé
pour la vie selon le bien et que son libre arbitre en fait un être fort.
L'opposition de *uiuere* et de *recte uiuere* (que MEIJERING, p. 108,
rapproche d'IRÉNÉE, *Haer.* 4, 41, 2, qui oppose «fils de Dieu selon la
nature» et «fils de Dieu selon l'obéissance») paraît bien plutôt s'inspirer

ces termes le Créateur si, d'après la prévoyance et la puissance que tu exiges, il s'était opposé au libre arbitre de l'homme, énonce-les tout bas en toi-même pour la défense du Créateur, lui qui a déployé gravité, patience, fidélité dans les choses qu'il a mises en place, parce qu'elles sont raisonnables et bonnes[1].

b) L'homme être fort   **VIII. 1.** Et de fait, Dieu n'avait pas produit l'homme seulement pour vivre, sans le produire pour vivre selon le bien, c'est-à-dire dans le respect de Dieu et de sa loi[2]. Ainsi donc, il lui avait sans doute lui-même procuré la vie en faisant de lui une âme vivante[a], mais il l'avait chargé de mener cette vie selon le bien, en l'avertissant d'obéir à la loi. Que l'homme ainsi n'ait pas été créé pour la mort, c'est ce qu'il prouve en le désirant maintenant rétabli dans la vie, lui qui préfère la pénitence à la mort du pécheur[b3].   **2.** Donc de même que Dieu a introduit pour l'homme le statut de vie, c'est l'homme qui s'est attiré le statut de mort; et cela ne vient pas de sa faiblesse, comme non plus de son ignorance, pour ne rien imputer à son Auteur[4]. L'ange, il est vrai, fut le

---

de celle de SÉNÈQUE, Benef. 3, 31, 4 («Non est bonum uiuere, sed bene uiuere», dans une discusssion sur le don de la vie) : Tert. l'adapte ici à son propos qui est d'expliquer la vocation de l'homme et de justifier Dieu de l'avoir soumis à la loi.

3. Argument supplémentaire pour disculper le Créateur auquel les marcionites reprochent d'avoir créé l'homme pour le faire ensuite mourir, du moins en n'intervenant pas. L'adverbe nunc s'oppose au passé de la Création. Le texte d'Ézéchiel est souvent cité, explicitement ou implicitement, dans le même sens : cf. Or. 7, 1; Paen. 4, 2; Scor. 1, 8; Marc. IV, 32, 2; V, 11, 2; Res. 9, 4; Pud. 10, 8.

4. Cette phrase repousse avec viguer les explications qui pourraient faire retomber sur Dieu la responsabilité de la chute : l'homme n'a pas été tenu dans l'ignorance de ce qu'il encourait (cf. admonito au § 1, l. 5) et il n'a pas été créé faible. C'est la démonstration positive de cette force de l'homme qui occupe toute la fin du chapitre : cf. infra II, 9, 7, où la thèse est reprise et nuancée.

liber et suae potestatis qui seductus est, sed imago et
similitudo Dei fortior angelo, sed adflatus Dei generosior
spiritu materiali, quo angeli constiterunt : *Qui facit,* inquit,
15 *spiritus angelos et apparitores flammam ignis*[c]; quia nec uniuer-
sitatem homini subiecisset infirmo dominandi et non
potiori angelis, quibus nihil tale subiecit.   3. Sic nec legis
pondus imposuisset si grauis lex inualido sustinendi, nec
quem excusabilem sciret nomine imbecillitatis, eum defini-
20 tione mortis conuenisset[d]. Postremo non libertate nec
potestate arbitrii fecisset infirmum, sed potius defectione
earum. Atque adeo eundem hominem, eandem substantiam animae, eundem Adae statum eadem arbitrii libertas
et potestas uictorem efficit hodie de eodem diabolo, cum
25 secundum obsequium legum eius administratur.

   IX. 1 Quoquo tamen, inquis, modo substantia Creatoris delicti capax inuenitur, cum adflatus Dei, id est anima,

---

VIII, 14-15 qui — ignis : *parenthesin sign. Kr. Mor.* ‖ 18 si grauis lex :
parenthesin sign. Kr. ‖ 19 eum *Rig. Kr. Mor. Ev.* : cum X R   *ambigitur in*
MF ‖ 25 eius θ *Mor. Ev.* : dei *Kr.*

VIII. c. Ps. 103, 4; Hébr. 1, 7 ‖ d. Cf. Gen. 2, 17

---

1. Premier argument : la supériorité de l'homme, image et souffle de
Dieu (cf. *supra* II, 5, 6 et *infra* II, 9), sur les anges. Il s'agit ici des anges
déserteurs ou démons (cf. *Ap.* 22, 1 et 5; *Cult.* I, 2), conçus selon la
tradition apologétique comme des esprits ignés : cf. TATIEN, *Orat.* 12
et 15; A. D'ALÈS, *La théologie de Tertullien*, p. 154-155; SPANNEUT,
Stoïcisme, p. 336. Le tour nominal et la triple anaphore de *sed* donnent un
relief particulier à l'idée.
   2. Le *Ps.* 103, 4 reviendra dans la suite : II, 10, 1; III, 9, 7; IV, 26, 4.
Ici il est cité à travers *Hébr.* 1, 7 : d'où *flammam ignis* = πυρὸς φλόγα (en
Marc. III, 9, 7 *ignem flagrantem* suit le texte de la LXX) et *inquit* (c'est
Dieu qui parle dans l'épître). D'après le contexte, nous voyons dans
angelos (avec jeu sur le sens premier de «messagers») et dans *apparitores*
des attributs, ce qui est conforme au texte hébreu («celui qui fait des
vents ses messagers»). Tert. inverse ici l'ordre des mots *angelos ...*

séducteur, mais celui qui fut séduit était libre et autonome ;
mais, étant l'image et la ressemblance de Dieu, il était plus
fort que l'ange ; mais, étant souffle de Dieu, il était plus
noble que l'esprit matériel dont les anges sont constitués[1] :
«Celui qui fait, dit-il, des esprits ses anges et de la flamme
du feu ses ministres[c][2]». Car il n'aurait pas non plus soumis
l'univers à un homme qui fût trop faible pour le dominer et
ne fût pas supérieur aux anges auxquels il n'a rien soumis
de tel[3]. **3.** De même, il ne lui aurait pas imposé le fardeau
de la loi si, incapable de le porter, la loi lui eût été lourde ;
et à l'encontre de celui qu'il aurait su excusable à cause de
sa débilité, il n'aurait pas fixé la mort[d]. Enfin, ce n'est pas
en donnant la faculté du libre arbitre qu'il aurait créé un
être faible, mais plutôt en privant de celle-ci[4]. Et cela est si
vrai que nous voyons le même homme, la même substance
de l'âme, le même statut d'Adam rendus aujourd'hui
vainqueurs du même diable par le même libre arbitre,
quand celui-ci se gouverne dans le sens de l'obéissance à
ses lois[5].

L'âme n'est pas l'esprit	**IX. 1.** De quelque façon que ce soit cependant, dis-tu, on trouve la substance du Créateur capable de

pécher puisque c'est le souffle de Dieu, c'est-à-dire l'âme,
qui a péché dans l'homme et qu'on ne peut pas ne pas

---

spiritus, ordre qu'il conserve en II, 10, 1 et qui est celui de l'hébreu, de la
LXX, de *Hébr*. 1, 7 et des psautiers latins. Cette inversion produit un
chiasme dans la citation.

3. Deuxième argument : la souveraineté du monde (cf. *supra*
II, 4, 4-5 ; 6, 3) n'aurait pas été confiée à un être faible.

4. Le troisième argument reprend, en les adaptant, les idées énoncées
supra II, 5, 7 et 6, 5.

5. Sur ce combat actuel (*hodie* rappelle *nunc* du § 1), voir *infra* II, 10, 6.
Emploi analogue de *administrare* (le sujet est *arbitrii libertas et potestas*) en
Cult. II, 8, 3. Le contexte rendant assez claire la valeur de *eius*, la
correction *dei* de Kroymann est superflue.

in homine deliquit nec potest non ad originalem summam
referri corruptio portionis. Ad hoc interpretanda erit
5 qualitas animae. Inprimis tenendum quod Graeca scriptura
signauit, adflatum nominans, non spiritum[a]. **2.** Quidam
enim de Graeco interpretantes non recogitata differentia
nec curata proprietate uerborum pro adflatu spiritum
ponunt et dant haereticis occasionem spiritum Dei delicto
10 infuscandi, id est ipsum Deum. Et usurpata iam quaestio
est. Intellege itaque adflatum minorem spiritu esse, etsi de
spiritu accidit ut aurulam eius, non tamen spiritum. Nam et
aura uento rarior, etsi de uento aura, non tamen uentus
aura. **3.** Capit etiam imaginem spiritus dicere flatum. **(3)**
15 Nam et ideo homo imago Dei[b], id est spiritus; deus enim
spiritus[c]. Imago ergo spiritus flatus. Porro imago ueritati
non usquequaque adaequabitur. Aliud est enim secundum
ueritatem esse, aliud ipsam ueritatem esse. Sic et adflatus,
cum imago sit spiritus, non potest ita imaginem Dei

IX, 3 originalem β *Kr. Mor. Ev.* : originem *M Rig.* ‖ 8 spiritum *R*
edd. : -tuum *M*γ ‖ 11 spiritu *R₃ (coni.) Pam. Kr. Mor. Ev.* : spiritum θ ‖
etsi *scripsi* : et si θ *Kr. Mor. Ev.* ‖ 16 flatus *MX Rig. Kr. Mor.* : afflatus *F*
R Ev.

IX. a. Cf. Gen. 2, 7 ‖ b. Cf. Gen. 1, 26-27 ‖ c. Cf. Jn 4, 24

---

1. Nouvelle objection marcionite : si l'homme, «souffle de Dieu», a
péché, c'est la substance même de Dieu, l'esprit, qui a péché par
conséquent, puisqu'une parcelle participe de la totalité dont elle
provient! S'agit-il d'une *quaestio* réeellement posée par Marcion? ou
entendue dans des débats avec des marcionites? ou simplement ima-
ginée par notre auteur sur le modèle du problème que s'était posé
Hermogène quand il avait donné une origine matérielle à l'âme humaine
parce qu'il se refusait à admettre que l'âme, esprit de Dieu, fût tombée
dans le péché (cf. *An.* 11, 2)? Cette interprétation est la plus probable.
Sur le raisonnement prêté à Marcion (participation de la *portio* à la
summa), voir MOINGT, *TTT* 3, p. 951-952.
2. Voir note complémentaire 25 (p. 217).

rapporter la corruption d'une partie au tout dont elle provient[1]. Pour répondre à cela, il va falloir expliquer la nature de l'âme. En premier lieu il faut s'attacher à ce que l'Écriture grecque a voulu signifier en utilisant le mot «souffle», et non «esprit»[a]. **2.** Quelques-uns, en traduisant du grec sans réfléchir à la différence des mots et sans prendre soin de leur propriété, mettent «esprit» au lieu de «souffle», et donnent aux hérétiques l'occasion de noircir d'un péché l'esprit de Dieu, c'est-à-dire Dieu lui-même. Aussi bien la question a déjà été traitée[2]. Comprends-le donc, le souffle est moindre que l'esprit : quoiqu'il vienne de l'esprit comme son exhalaison, il n'est pas cependant l'esprit. Car la brise aussi est plus déliée que le vent; la brise n'est pourtant pas le vent. **3.** On peut[3] même dire que le souffle est une image de l'esprit. **(3)** Car c'est pour cela aussi que l'homme est l'image de Dieu[b], c'est-à-dire de l'esprit : Dieu en effet est esprit[c]. Ainsi donc le souffle est l'image de l'esprit[4]. En conséquence, l'image n'égalera pas en tout point la vérité. C'est une chose d'être conforme à la vérité, c'en est une autre d'être la vérité même! Ainsi le souffle non plus, tout en étant l'image de l'esprit, ne peut

---

3. Emploi impersonnel de *capit* = «il est possible» (ἐνδέχεται); sur cet hellénisme, voir HOPPE, *SuS* (*trad. it.*), p. 98

4. Le rappel, dans la discussion, de *Gen.* 1, 26-27 (allégué du second terme «ressemblance» que notre auteur ne différencie plus du premier : cf. *supra* II, 5, 5-6 et p. 46, n. 1) paraît propre à Tert. La définition de l'homme comme «image» divine, tirée dans le sens d'une distinction fondamentale avec le Modèle, va faire avancer l'analyse en superposant à l'opposition *spiritus/adflatus* une opposition «vérité»/«image» qui, d'origine platonicienne (cf. MEIJERING, p. 112), s'apparente aussi au schème de la relation antérieur/postérieur (cf. FREDOUILLE, *Conversion*, p. 151). De façon semblable à *Praes.* 29, 5 (et à la différence de *An.* 7, 1 : cf. WASZINK, *Comm. An.*, p. 151), elle sert ici à creuser la distance entre Dieu-Esprit-Vérité et l'homme-souffle-image. Sur la définition scripturaire de Dieu comme Esprit, cf. *Deus Christ.*, p. 189-192.

20 comparare ut, quia ueritas, id est spiritus, id est Deus, sine
delicto est, ideo et adflatus, id est imago, non debuerit
admisisse delictum. **4.** In hoc erit imago minor ueritate
et adflatus spiritu inferior, habens illas utique lineas Dei,
qua immortalis anima, qua libera et sui arbitrii, qua praescia
25 plerumque, qua rationalis, capax intellectus et scientiae,
tamen et in his imago et non usque ad ipsam uim
diuinitatis; sic nec usque ad integritatem a delicto, quia hoc
soli Deo cedit, id est ueritati, et hoc solum imagini non
licet. **5.** Sicut enim imago, cum omnes lineas exprimat
30 ueritatis, ui tamen ipsa caret, non habens motum, ita et
anima, imago spiritus, solam uim eius exprimere non
ualuit, id est non delinquendi felicitatem. Ceterum non
esset anima, sed spiritus, nec homo qui animam sortitus
est, sed Deus. **6.** Et alias autem non omne, quod Dei
35 erit, Deus habebitur, ut expostules Deum et adflatum, id
est uacuum a delicto, quia Dei sit adflatus. Nec tu enim, si
in tibiam flaueris, hominem tibiam feceris, quamquam de

IX, 23 illas *MF* R *edd.* : illa X *fortasse* illac *legendum* ‖ 28 soli deo R
Kr. Mor. Ev. : soli ideo Mγ

---

1. Sur ce sens large de *comparare* = *efficere* («réaliser»), voir *TLL* III,
c. 2013, l. 72 s. − c. 2015, l. 20.

2. Cf. *supra* II, 5, 6 (dont l'image de *forma Dei* se précise ici en celle
des *lineae Dei*, qu'on ne retrouve pas ailleurs) et II, 4, 5. A rapprocher de
An. 22, 1-2 : ces questions avaient été traitées dans le *De censu animae*
(cf. WASZINK, *Comm. An.*, p. 10*).

3. Plutôt que de la conception stoïcienne du mouvement constituant
l'être des choses (MEIJERING, p. 113), on rapprochera d'APULÉE,
Apol. 14, 5 (éloge du miroir) : *deest ... motus omnibus (imaginibus), qui
praecipua fide similitudinem repraesentat.*

4. Cf. *An.* 24, 2 : *animam longe infra deum... quod natam esse agnoscimus ac
per hoc dilutioris diuinitatis et exilioris felicitatis, ut flatum, non ut spiritum.*
Sur tout le développement, voir MOINGT, *TTT* 2, p. 398-399.

5. Nouvel argument, fondé sur la distinction entre *Deus* et *res Dei* (ici
quod Dei est, avec mise au futur dans la perspective du raisonnement) :

constituer[1] l'image de Dieu au point de faire dire : puisque
la vérité, c'est-à-dire l'esprit, c'est-à-dire Dieu, est sans
péché, le souffle, c'est-à-dire l'image, ne devait pas pour
cette raison commettre le péché.   4. C'est en cela que
l'image sera moindre que la vérité, et le souffle inférieur à
l'esprit : elle aura assurément les traits de Dieu en tant
qu'âme immortelle, libre et autonome, presciente le plus
souvent, raisonnable, capable d'intelligence et de science[2];
pourtant, même en ces qualités, elle ne sera qu'image et ne
parviendra pas jusqu'à la puissance même de la divinité; de
la même façon, elle n'atteindra pas non plus à l'impeccabi-
lité; car c'est là le privilège de Dieu seul, c'est-à-dire de la
vérité, et le seul pouvoir qui ne soit pas permis à l'image.
5. Car de même qu'une image, tout en reproduisant tous
les traits de la vérité, manque cependant de la puissance
même de celle-ci puisqu'elle n'a pas le mouvement[3], de
même en va-t-il pour l'âme, image de l'esprit : la seule
chose qu'elle n'ait pas été en mesure de reproduire, c'est la
puissance de l'esprit, c'est-à-dire le bonheur de l'impecca-
bilité. Autrement, elle ne serait pas l'âme, mais l'esprit, ni
l'homme – un être qui a reçu l'âme en partage –, mais
Dieu[4] !   6. Aussi bien, par ailleurs, tout ce qui sera de
Dieu, on ne le considérera pas comme Dieu pour te
permettre de revendiquer aussi comme Dieu, c'est-à-dire
exempt de péché, le souffle, parce que ce souffle serait de
Dieu[5]. Toi non plus, si tu soufflais dans une flûte, tu ne
saurais faire de la flûte un homme, bien que tu aies insufflé

ainsi sont dits *res Dei* la chair (*Res.* 5, 3), l'homme (*Marc.* V, 6, 11, avec
association à *opus, imago, similitudo*), telle ou telle composante du
monde (*Spec.* 2, 8; *Cor.* 10, 4; 10, 6), mais aussi les «œuvres de foi»
(*Praes.* 29, 4) et la patience (*Pat.* 1, 6 et 8). Le sens juridique qu'on a
voulu voir (MOINGT, *TTT* 4, p. 181) n'est guère admissible. C'est
l'opposition *opus/artifex* (= créé/créateur) qui explicitera plus bas le
rapport de dépendance que marque le génitif.

anima tua flaueris, sicut et Deus de spiritu suo. Denique
cum manifeste scriptura dicat flasse Deum in faciem
40 hominis et factum hominem in animam uiuam[d], non in
spiritum uiuificatorem[e], separauit eam a condicione fac-
toris.   7. Opus enim aliud sit necesse est ab artifice, id est
inferius artifice. Nec urceus enim factus a figulo ipse erit
figulus; ita nec adflatus factus a spiritu ideo erit spiritus.
45 Ipsum quod anima uocitatus est flatus, uide, ne etiam de
adflatus condicione transierit in aliquam diminutiorem
qualitatem. Ergo, inquis, dedisti animae infirmitatem supra
negatam. Plane, cum illam exigis Deo parem, id est delicti
immunem, dico infirmam; cum uero ad angelum prouo-
50 catur, fortiorem defendam necesse est dominum uniuersitatis[f], cui iam angeli administrant[g], qui etiam angelos
iudicaturus est[h], si in Dei lege constiterit, quod in pri-

IX, 45 ne etiam *M Kr. Mor. Ev.* : *inu.* β ‖ 46 diminutiorem *M*γ *Kr.* :
deminu- *R Mor. Ev.*

IX. d. Cf. Gen. 2, 7 ‖ e. Cf. Jn 6, 63; I Cor. 15, 45 ‖ f. Cf. Gen. 1, 28
‖ g. Cf. Hébr. 1, 14 ‖ h. Cf. I Cor. 6, 3

---

1. Comparaison familière qui joue sur le double sens de *anima* :
«souffle» et «âme».
2. Le rappel de *I Cor.* 15, 45 permet de creuser la distance entre l'âme
(homme psychique) et l'Esprit (homme spirituel), comme avait fait
IRÉNÉE, *Haer.* 5, 12, 2 (cf. note complémentaire 25, p. 217) dont Tert.
peut se souvenir ici. Sur *uiuificator*, création probable de l'auteur, voir
Deus Christ., p. 542 et n. 2.
3. Cf. IRÉNÉE, *Haer.* 5, 12, 2 : *Aliud ... est quod factum est ab eo qui fecit.*
Mais ici, la différence devient infériorité, avec reprise de la formule de
I, 13, 2 (cf. *supra*, p. 158, n.2).
4. L'opposition, d'origine aristotélicienne, *artifex/opus* se développe
au moyen d'images familières comme dans la Bible (*Is.* 29, 16; cf.
Rom. 9, 21). L'homme est appelé *uasculum figuli* (*Paen.* 4, 3; cf. *Res.* 7, 4).
Sur ces images et ce vocabulaire, voir *Deus Christ.*, p. 401 s.
5. Cf. *An.* 11, 3 (*anima ... flatus factus ex spiritu*). Mais la préposition *a*,

de ton âme tout comme Dieu a insufflé de son esprit[1]. Car
l'Écriture, en disant clairement que Dieu souffla sur la
face de l'homme et que l'homme fut fait une âme vivante[d]
– elle ne dit pas un esprit vivificateur[e] –, a distingué la
condition de l'âme de celle de son créateur[2].   7. L'œuvre
est en effet nécessairement autre que l'ouvrier, c'est-à-dire
inférieure à l'ouvrier[3]. Le pot non plus, façonné par le
potier, ne sera pas le potier[4]. Pas davantage le souffle, fait
par l'esprit[5], ne sera pour cette raison l'esprit. Et le fait
même que le souffle ait reçu le nom d'âme, examine si cela
n'a pas marqué son passage de la condition de souffle à
quelque état plus humble[6]! «Voilà donc, dis-tu, que tu as
attribué à l'âme une faiblesse que tu avais niée plus haut[7].»
– Parfaitement, quand tu l'exiges l'égale de Dieu, c'est-à-
dire à l'abri du péché, je la dis faible. Mais quand elle est
confrontée à l'ange, il me faut nécessairement établir pour
sa défense que le plus fort, c'est le maître de l'univers[f],
celui que déjà les anges servent[g], qui doit même juger les
anges[h] s'il se tient ferme dans la loi de Dieu[8] : ce qu'il n'a

choisie ici, accuse davantage le rôle d'agent que joue l'Esprit dans la
création, et souligne son altérité.

6. Argument supplémentaire, tiré de la dénomination de *anima* (ψυχή)
donnée à ce «souffle» dans le texte sacré (*flatus* est manifestement sujet,
anima attribut, et non l'inverse comme comprend MEIJERING, p. 113).
Tert. paraît établir une différence quantitative entre la notion de
«souffle» (πνόη, *flatus* ou *adflatus*) et celle de «haleine», «souffle
personnel d'un être vivant», d'où «âme» (*anima*, ψυχή).

7. Cf. *supra* II, 8, 2 et p. 61, n. 4). Objection supposée par l'auteur
pour défendre la cohérence de ses vues.

8. Même affirmation de la «faiblesse» de l'homme chez IRÉNÉE,
Haer. 5, 3, 1, avec des arguments scripturaires qu'on ne retrouve pas ici.
En revanche, la thèse opposée («force de l'homme») est appuyée de
preuves bibliques données allusivement (*Hébr.* 1, 14 se réfère au présent,
I Cor. 6, 3 à la parousie future). Les termes juridiques *prouocatur* et
defendam suggèrent les débats d'un procès. Sur l'âme *dominatrix*, cf.
An. 22, 1 et 2 (sujet traité aussi dans le *De censu animae* perdu, cf.

mordio noluit.   8. Hoc ipsum ergo potuit adflatus Dei
admittere; potuit, sed non debuit. Potuisse enim habuit per
55 substantiae exilitatem, qua adflatus, non spiritus, non
debuisse autem per arbitrii potestatem, qua liber, non
seruus, adsistente amplius demonstratione non delinquendi
sub comminatione moriendi [i], qua substrueretur substantiae exilitas et regeretur sententiae libertas. Itaque non per
60 illud iam uideri potest anima deliquisse, quod illi cum Deo
adfine est, id est per adflatum, sed per illud, quod substantiae accessit, id est per liberum arbitrium, a Deo quidem
rationaliter adtributum, ab homine uero qua uoluit agi-
tatum.   9. Quodsi ita se habent, omnis iam Dei dispositio
65 de mali exprobratione purgatur. Libertas enim arbitrii non
ei culpam suam respuet, a quo data est, sed a quo non ut
debuit administrata est. Quod denique malum discribes
Creatori? Si delictum hominis, non erit Dei quod est
hominis, nec idem habendus est delicti auctor qui inuenitur
70 interdictor, immo et condemnator. Si mors malum, nec
mors comminatori suo, sed contemptori faciet inuidiam, ut

IX, 64 habent θ *Ev.* : habet *Leopoldus Kr. Mor.* * ‖ 67 discribes *M
Rig.* : describes (-bis *X*) β *Kr. Mor. Ev.*

IX. i. Cf. Gen. 2, 17

Waszink, *Comm. An.*, p. 9*). Sur les anges déserteurs, cf. *supra* II, 8, 2
et p. 62, n. 1; voir notre étude «Les païens juges des chrétiens»,
ALFNice 50, 1985, p. 410.
    1. Par l'opposition de *posse* et *debere* (ce dernier au sens moral, non
physique), Tert. revient à l'explication de la chute par le libre arbitre.
Pour l'homme la possibilité de pécher venait de ce qu'il n'était pas
spiritus (pour *exilitas substantiae*, cf. *An.* 24, 2 cité *supra*, p. 66, n. 4); mais
la force de son libre arbitre faisait qu'il ne devait pas pécher. *Hoc ipsum*
renvoie à *in dei lege consistere nolle.* Sur *habere* + infinitif (= «avoir à...»),
cf. Hoppe, *SuS* (*Trad. it.*), p. 92; sur les infinitifs parfaits à valeur de
présents, cf. *ibid.*, p. 106-109.

pas voulu faire à l'origine !   **8.** Voilà donc précisément ce
que pouvait commettre le souffle de Dieu : il le pouvait,
mais il ne le devait pas. Qu'il le pût, cela tenait à chétiveté
de sa substance, en tant qu'il était souffle et non pas esprit.
Qu'il ne le dût pas, cela tenait à son libre arbitre, en tant
qu'il était libre et non pas esclave[1] ; et l'avertissement de
ne pas pécher sous menace de mort[i] lui apportait en plus
une aide pour soutenir la chétiveté de sa substance et
diriger la liberté de sa décision[2]. Ainsi donc, on peut voir
que l'âme n'a pas péché par ce qui l'apparente à Dieu,
c'est-à-dire le souffle, mais par l'attribut de sa substance[3],
c'est-à-dire le libre arbitre, certes accordé sagement par
Dieu, mais manié par l'homme dans le sens qu'il a voulu.
9. Que s'il en est ainsi[4], voilà désormais disculpées du mal
qu'on leur reproche toutes les dispositions de Dieu. Le
libre arbitre ne rejettera pas sa propre faute sur celui qui en
a fait don, mais sur celui qui ne l'a pas exercé comme il le
devait. Quel mal, finalement, vas-tu attribuer au Créateur ?
Le péché de l'homme ? Il n'est pas de Dieu, étant de
l'homme, et l'on ne peut regarder comme étant aussi
l'auteur du péché celui qui l'a interdit, que dis-je ? celui qui
même l'a condamné ! Est-ce la mort qui est le mal ? La mort
non plus ne rendra pas odieux comme étant son auteur
celui qui en a menacé, mais bien celui qui l'a bravée. Car en

---

2. Cf. *supra* II, 4, 6 et 5, 7.

3. Sur la notion d'*accidens* (*accedens*), par rapport à *substantia*, voir *Deus Christ.*, p. 183-187.

4. Voir Notes critiques, p. 188. Cette formule de transition appuyée introduit une conclusion récapitulative (culpabilité de l'homme, disculpation du Créateur) où la rhétorique se marque par plusieurs moyens : oppositions, anaphores, abondance de vocables en -*tor* (*interdictor*, *comminator* ne sont attestés qu'à partir de Tert.), reprise de mots avec valeur différente (*faciet*/*fecit*), termes de couleur juridique (*purgatur*, *respuet*, *discribes*), seconde personne.

auctori. Contemnendo enim eam fecit, non utique futuram,
si non contempsisset.

X. 1. Sed et si nunc ab homine in diabolum transcrip-
seris mali elogium, ut in instinctorem delicti, uti sic
quoque in Creatorem dirigas culpam ut in auctorem
diaboli – *qui facit angelos spiritus*[a] – ergo quod factus a Deo
5 est, id est angelus, id erit eius qui fecit, quod autem factus a
Deo non est, id est diabolus, id est delator, superest ut ipse
sese fecerit, deferendo de Deo, et quidem falsum, primo,
quod Deus illos ex omni ligno edere uetuisset[b], dehinc,
quasi morituri non essent, si edissent[c], tertio, quasi Deus
10 illis inuidisset diuinitatem[d]. **2.** Vnde igitur malitia men-
dacii et fallaciae in homines et infamiae in Deum? A Deo
utique non, qui et angelum ex forma operum bonorum
instituit bonum. Denique sapientissimus omnium[e] editur
ante quam diabolus; nisi malum est sapientia. Et si euoluas
15 Ezechielis prophetiam, facile animaduertes tam institutione
bonum angelum illum quam sponte corruptum. **3.** In

X, 1 et si nunc R₂ (*coni.*) *Iun.* : et si non Mγ R₁R₂   et si R₃ *Kr. Mor.
Ev.* * ‖ 2 in instinctorem : instinctorem β ‖ 4 facit Mγ *Kr. Mor. Ev.* :
fecit R

X. a. Ps. 103, 4 ‖ b. Cf. Gen. 3, 1 ‖ c. Cf. Gen. 3, 4 ‖ d. Cf. Gen.
3, 5 ‖ e. Cf. Gen. 3, 1

---

1. Nouvelle *quaestio* en une argumentation de repli : admettons que le
coupable ne soit pas l'homme, mais le diable, le mal n'est-il pas
imputable à son auteur, le Créateur? MEIJERING (p. 115) rapproche
d'un raisonnement «manichéen» d'AUGUSTIN, *Conf.* 7, 3, 5 : *si diabolus
auctor (amaritudinis), unde ipse diabolus?*. Pour le problème textuel, voir
Notes critiques, p. 188.
2. Cf. *supra* II, 8, 2 et p. 62, n. 2. Ici encore l'interprétation de Tert.
est conforme au texte hébreu et à la LXX : *angelos* est compris comme
attribut, comme le prouve la suite (*angelus* et *diabolus* sont manifestement
attributs). *Contra* MEIJERING, p. 116.

la bravant, il l'a fait naître : assurément elle n'aurait pas existé s'il ne l'avait pas bravée.

L'ange du mal   **X. 1.** Mais peut-être maintenant vas-tu reporter l'imputation du mal de l'homme sur le diable en sa qualité d'instigateur du péché, afin de faire retomber également la faute sur le Créateur en sa qualité d'auteur du diable[1] – «lui qui fait des esprits ses anges[a2]» : eh bien donc, ce qu'il a été fait par Dieu, c'est-à-dire l'ange, voilà ce qui relèvera de celui qui l'a fait tel; mais ce qu'il n'a pas été fait par Dieu, c'est-à-dire diable, c'est-à-dire calomniateur[3], reste qu'il s'est fait tel lui-même en rapportant sur Dieu, faussement d'ailleurs, d'abord que Dieu avait défendu à l'homme et à la femme de manger du fruit de toute espèce d'arbre[b], ensuite qu'ils ne mourraient pas s'il en mangeaient[c], en troisième lieu que Dieu leur avait refusé par jalousie la divinité[d]. **2.** D'où vient donc la malice de son mensonge, de sa fourberie à l'encontre des hommes, de sa diffamation à l'égard de Dieu? Assurément pas de Dieu : l'ange aussi, il l'a, sur le modèle de ses œuvres bonnes, créé bon[4]. Car il est produit comme le plus sage de tous[e5] avant d'être le diable, à moins que la sagesse ne soit un mal! Et si tu parcours le prophète Ézéchiel, tu remarqueras aisément ces deux choses : cet ange a été créé bon, et c'est spontanément qu'il s'est corrompu. **3.** Contre le personnage du

---

3. Sur le sens étymologique de *diabolus* («calomniateur», «accusateur», «délateur»), qui est repris dans *deferendo* (cf. *TTL* V, 1, c. 316, l. 44 s.), voir *TWNT* 3, p. 637 (F.Büchsel).

4. Cf. *supra* II, 4, 1-5 a, où Tert. n'avait pas parlé de la création des anges, se réservant sans doute de le faire ici.

5. Se référant à *Gen.* 3, 1 selon la LXX, l'auteur, qui a déjà en tête *Éz.* 28, 12, entend φρονιμώτατος (dit du serpent) dans un sens favorable : la φρόνησις est une des quatre vertus cardinales du stoïcisme; cf. *SVF* 1, 190. La Vulgate traduit par *callidior*, les traductions françaises comprennent «rusé» (Dhorme, *BJ*) ou «astucieux» (*TOB*).

personam enim principis Sor ad diabolum pronuntiatur :
Et factus est sermo Domini ad me dicens : fili hominis, sume
planctum super principem Sor et dices : haec dicit Dominus : tu es
20 *resignaculum similitudinis* – qui scilicet integritatem imaginis
et similitudinis[f] resignaueris –, *corona decoris* – hoc ut
eminentissimo angelorum, ut archangelo, ut sapientissimo
omnium[g] –; *in deliciis paradisi Dei tui natus es* – illic
enim, ubi Deus in secunda animalium figurae formatione[h]
25 angelos fecerat –, *lapidem optimum indutus es, sardium,*
topazium, smaragdum, carbunculum, sapphirum, iaspin, lyncu-
rium, achaten, amethystum, chrysolithum, beryllum, onychinum, et
auro replesti horrea tua et thesauros tuos ex qua die conditus es.
Cum Cherubin posui te in monte sancto Dei. Fuisti in medio
30 *lapidum igneorum. Fuisti inuituperabilis in diebus tuis, ex qua die*
conditus es, donec inuentae sunt laesurae tuae : de multitudine
negotiationis tuae promas tuas replesti et deliquisti[i], et cetera,
quae ad suggillationem angeli, non ad illius principis
proprie pertinere manifestum est eo, quod nemo hominum
35 in paradiso Dei natus sit, ne ipse quidem Adam, translatus
potius illuc[j], nec cum Cherubin positus in monte sancto

X, 17 personam (-sonã *M*[pc]) θ : persona *Pam. Kr. Mor. Ev.* * ‖ 25 es
Pam. Kr. Mor. Ev. : est θ ‖ 26 lyncurium *Rig. Kr. Mor. Ev.* : lycirium *M*
ligurium β ‖ 28 ex qua die conditus es *cum praecedentibus coniunxi* (*sec.*
Scripturae locum) : *cum succedentibus coniunxerunt codd. edd.* ‖ 29 Cherubin
posui θ *Eng.* : Cherub imposui *Oehler Kr. Mor. Ev.* Cherub posui
Pam. * ‖ 32 deliquisti *R₂R₃ Kr. Mor. Ev.* : dereliquisti *Mγ R₁* ‖
36 Cherubin positus θ *Eng.* : Cherub impositus *Oehler Kr. Mor. Ev.*
Cherub positus *Pam.* *

X. f. Cf. Gen. 1, 26 ‖ g. Cf. Gen. 3, 1 ‖ h. Cf. Gen. 2, 19 ‖ i. Éz.
28, 11-16 ‖ j. Cf. Gen. 2, 8

---

1. Voir Notes critiques, p. 189.
2. Ce passage d'Éz. 28, 11-16 paraît avoir visé Ithobaal sous le règne
de qui Tyr fut assiégée et prise par Nabuchodonosor (cf. JOSÈPHE,

roi de Tyr[1], voici ce qui est prononcé en visant le diable[2] :
«La parole du Seigneur me fut adressée en ces termes : Fils
de l'homme, pleure sur le roi de Tyr; et tu diras : Voici ce
que dit le Seigneur : Tu es le sceau de la ressemblance
(c'est-à-dire : tu as scellé l'intégralité de l'image et de la
ressemblance[f]), la couronne d'honneur (cela pour marquer
le plus éminent des anges, l'archange, le plus sage de
tous[g]), tu es né dans les délices du paradis de ton Dieu (là
où en effet Dieu avait créé les anges dans la seconde
formation de la figure des êtres animés[h3]), tu as revêtu les
pierres les plus précieuses, cornaline, topaze, émeraude,
escarboucle, saphir, jaspe, rubis, agate, améthyste, chryso-
lithe, béryl, onyx, et tu as rempli d'or tes greniers et tes
trésors depuis le jour de ta création[4]. Je t'ai placé avec le
chérubin sur la montagne sainte de Dieu, tu as été au
milieu des pierres de feu. Tu as été irréprochable au long
de tes jours depuis le jour de ta création, jusqu'à ce que se
soient trouvés tes torts : par l'abondance de ton activité tu
as rempli tes réserves et tu as péché[i]!», et tout le reste du
texte qui, manifestement, vise en propre à insulter l'ange,
et non pas ce roi : cela ressort du fait que pas un homme
n'est né dans le paradis de Dieu, pas même Adam, qui y fut
plutôt transporté[j], ni n'a été placé avec le chérubin sur la

---

Ant. Iud. 10, 11, 1) et, par-delà ce personnage, toute la lignée princière,
symbole de l'orgueil révolté contre Dieu (cf. Dhorme, p. 543 note).
Mais l'application de ce texte au diable est une interprétation chrétienne
largement attestée dans l'Église ancienne à partir du IIIe siècle : en
Occident, elle se rencontre pour la première fois ici; en Orient, elle
apparaît avec ORIGÈNE, *Princ.* 1, 5, 4 (*SC* 252, p. 187; voir *SC* 253,
p. 87-88); 3, 2, 1; 3, 3, 2; *C. Cels.* 6, 44; *Hom. Éz.* 13, 1. Ici *Sor* est le
nom sémitique correspondant à *Tyros* de la LXX. Tert., qui a six
exemples de *Tyrus* (*Tyros*), n'emploie *Sor* qu'ici : indice qu'il suivait une
version influencée par l'hébreu?
  3. Voir note complémentaire 26, (p. 219).
  4. Voir Notes critiques, p. 189.

Dei, id est in sublimitate caelesti, de qua satanan Dominus
quoque decidisse testatur[k], nec inter lapides igneos demo-
ratus, inter gemmantes siderum ardentium radios, unde
40 etiam quasi fulgur deiectus est satanas[k]. **4.** Sed ipse
auctor delicti in persona peccatoris uiri denotabatur, retro
quidem inuituperabilis a die conditionis suae, a Deo in
bonum conditus ut a bono conditore inuituperabilium
conditionum et excultus omni gloria angelica et apud
45 Deum constitutus, qua bonus apud bonum, postea uero a
semetipso translatus in malum. *Ex quo* enim, inquit,
apparuerunt laesurae tuae[1], illi eas reputans, quibus scilicet
laesit hominem electum a Dei obsequio. **5.** Et deliquit ex
illo ex quo delictum seminauit, atque ita exinde negotia-
50 tionis, id est malitiae suae, multitudinem[m] exercuit, delictorum scilicet censum, non minus et ipse liberi arbitrii
institutus, ut spiritus. Nihil enim Deus proximum sibi non
libertate eiusmodi ordinasset. Quem tamen et praedam-
nando testatus est ab institutionis forma libidine propria

X, 37 satanan *M*γ *R₁R₂ Kr*. : satanam *R₃ Mor. Ev.* ‖ 48 electum
(= elicitum) θ *Kr. Mor*. : eiectum *Ciacconius Ev*. ‖ 48-49 deliquit ex illo
M Kr. : ex illo deliquit β *Mor. Ev*. ‖ 51 censum *Oehler Kr. Mor. Ev*. : et
censuum θ

X. k. Cf. Lc 10, 18 ‖ l. Éz. 28, 15 ‖ m. Cf. Éz. 18, 16

---

1. Même rapprochement avec *Lc*. 10, 18 (après rappel d'*Is*. 14, 12 s.)
par ORIGÈNE (*Princ*. 1, 5, 5, l. 258 s. = *SC* 252, p. 190) qui, à la lumière
de l'enseignement du Christ, comprend la prophétie d'Ézéchiel comme
s'appliquant à une puissance auparavant sainte et bienheureuse, mais
que son iniquité a précipitée du ciel sur la terre.
2. Même affirmation chez ORIGÈNE, *Princ*. 1, 5, 4-5 (*SC* 252, p. 188,
l. 217 et p. 192-194, l. 286-297).
3. Sur *electum = elicitum* (de *elicere*, comme Arnobe a *elixisse* au lieu de
elicuisse), cf. *TLL* V, 2, c. 366, l. 21-24. Ne sont donc indispensables ni

montagne sainte de Dieu, c'est-à-dire dans les hauteurs du
ciel, d'où Satan est tombé[k] comme l'atteste aussi le
Seigneur[1], ni n'est demeuré parmi les pierres de feu
– parmi les rayons diamantés des astres flamboyants –, d'où
même comme un éclair fut précipité Satan[k].   **4.** Mais c'est
l'auteur même du péché qui était stigmatisé dans la
personne du pécheur : auparavant, irréprochable depuis le
jour de sa création, créé pour le bien par Dieu puisqu'il
l'était par le créateur bon de créatures irréprochables,
rehaussé de toute la gloire angélique et établi auprès de
Dieu comme un être bon auprès d'un Dieu bon, il s'est, par
la suite, porté de lui-même au mal[2]. «Depuis que, en effet,
sont apparus tes torts[1]», dit Dieu, lui imputant évidemment ceux qu'il a commis contre l'homme en le détournant[3] de l'obéissance à Dieu.   **5.** Et il a péché à partir du
jour où il a semé le péché, et depuis ce moment-là,
il a de son activité, c'est-à-dire de sa malfaisance, déployé
les multiples ressources[m], comprenons : la somme des
péchés[4]; c'est que, en tant qu'esprit, il n'a pas été moins
que l'homme doué de libre arbitre par sa création. Car
Dieu n'aurait rien placé si près de lui-même sans l'investir
d'une liberté de cette nature[5]. Et pourtant, en le condamnant d'avance, Dieu a attesté qu'il s'est écarté de l'ordre de

---

la correction de Ciacconius, adoptée par Evans (*iectum*), ni la restitution
proposée par Latinius (ad *dei obsequi*um).

4. Pour la traduction de *census* ici, on peut hésiter entre les deux
derniers sens que distingue MOINGT, *TTT* 4, p. 44-45 : un «ensemble
de choses ou d'individus», «tout ce qui est recensé sur une même liste»
(c'est ce sens que nous avons préféré à cause du contexte scripturaire :
cf. *replesti*, l. 27) ou bien «provenance», «ascendance», «généalogie»
(d'une chose) : c'est ce dernier sens que choisit J. DANIÉLOU, *Origines du
christianisme latin*, p. 285, où il traduit par «origine du mal» et com-
mente : « le *census* du mal ne saurait être que la déficience de la liberté
créée.»

5. Cf. *supra* II, 5, 5-6. Voir aussi la note complémentaire 26 (p. 219).

55 conceptae ultro malitiae exorbitasse, et commeatum opera-
tionibus eius admetiendo rationem bonitatis suae egit,
eodem consilio differens extinctionem diaboli quo hominibus restitutionem.   **6.** Certamini enim dedit spatium, ut
et homo eadem arbitrii libertate elideret inimicum, qua
60 succiderat illi, probans suam, non Dei culpam, et ita
salutem digne per uictoriam recuperaret, et diabolus amarius puniretur ab eo, quem eliserat ante, deuictus, et Deus
tanto magis bonus inueniretur, sustinens hominem glorio-
siorem in paradisum ad licentiam decerpendae arboris
65 uitae[n] iam de uita regressurum.

XI. 1 Igitur usque ad delictum hominis Deus a primordio tantum bonus, exinde iudex et seuerus et, quod

---

X. n. Cf. Apoc. 22, 14

---

1. Cette «condamnation anticipée» se réfère à *Éz.* 28, 16b-19 à quoi
fait allusion plus haut «cetera *quae ad suggillationem angeli*» (l. 32-33). Elle
s'explique par la prescience divine, sans que soit jamais posé le problème
de sa conciliation avec la liberté des créatures. Tert. en retient seulement
la preuve que l'ange s'est écarté de sa *forma institutionis* par son propre
désir du mal (*propria* et *ultro* soulignent la responsabilité de l'ange dans
ce choix). Sur cette *praedamnatio* qui deviendra définitive au jugement
dernier, cf. notre étude «Les païens juges des chrétiens», *AFLNice* 50,
1985, p. 410.

2. Allusion à la liberté dont Satan, vaincu par le Christ sur la croix,
dispose encore jusqu'à la parousie où il sera définitivement anéanti
(cf. *II Thess.* 2, 3-10 : voir *Res.* 24, 8-20).

3. Il s'agit de la «restauration» eschatologique : sur cette valeur de
restitutio, cf. *Deus Christ.*, p. 521-522.

4. Cf. *supra* II, 8, 3. Sur le motif du πρέπον (*dignum*), habituellement
utilisé pour Dieu, cf. Introduction, t. 1, p. 46.

5. La triple justification donnée ici porte la marque personnelle de
Tert. et se ressent de sa conception «volontariste» de la vie chrétienne et
de la grâce. Les notions utilisées (combat, victoire, dignité, gloire) ont
une couleur stoïcienne. MEIJERING (p. 118) propose de rapprocher de
IRÉNÉE, *Haer.* 3, 20, 1 = *SC* 211, p. 382-386 (mais ce passage, qui ne
parle ni des combats de l'homme avec Satan ni de la gloire plus grande

la création en éprouvant le désir, qui lui fut propre, du mal, qu'il conçut de lui-même[1]; d'autre part, en lui accordant la mesure d'un délai pour ses activités[2], Dieu a agi par égard pour sa propre bonté, puisque c'est en vertu de ce même dessein qu'il diffère d'anéantir le diable comme de restaurer l'homme[3]. **6.** S'il a donné un laps de temps pour le combat, c'est à trois fins : l'homme userait, pour terrasser l'ennemi, de ce même libre arbitre qui l'avait fait succomber sous lui, prouvant ainsi que c'était lui le coupable, et non Dieu, et de la sorte, il regagnerait dignement son salut par la victoire[4]; le diable subirait une punition plus amère en étant défait par celui qu'il avait terrassé auparavant; Dieu enfin manifesterait d'autant plus sa bonté puisqu'il attendrait que l'homme désormais revînt plus glorieux de la vie d'ici-bas au paradis pour y cueillir en toute liberté les fruits de l'arbre de vie[n5].

DEUXIÈME PARTIE :
DÉFENSE DE LA JUSTICE DU CRÉATEUR

**Bonté première,
sévérité occasionnelle**

XI. 1. Donc, jusqu'au péché de l'homme, depuis l'origine, Dieu est exclusivement bon; c'est à partir du péché qu'il est un juge sévère[6] et, au gré des marcionites,

qu'il en obtiendra ainsi auprès de Dieu, est en fait une mise en garde contre l'orgueil).

6. L'idée que la justice divine se manifeste à partir (et à cause) du péché de l'homme est familière à Tert. : cf. *Herm.* 3, 3-4 (*deus ... nec pater potuit esse ante filium nec iudex ante delictum*); *Pat.* 5, 12 (*Hinc prima iudicii unde delicti origo*); *Res.* 14, 4 (*Nisi homo deliquisset, optimum solummodo deum nosset* ex naturae proprietate). Avant de passer à l'examen de la justice divine qui est l'objet de la seconde partie, il consacre ce développement charnière à souligner l'acquis de l'argumentation précédente : la bonté du Créateur s'est manifestée la première parce qu'elle est essentielle à son être.

Marcionitae uolunt, saeuus : statim mulier in doloribus
parere et uiro seruire damnatur[a], sed quae ante sine ulla
contristatione per benedictionem incrementum generis
audierat – *crescite,* tantum, *et multiplicamini*[b] –, sed quae in
adiutorium masculo[c], non in seruitium fuerat destinata;
statim et terra maledicitur[d], sed ante benedicta[e]; statim
tribuli et spinae[f], sed ante foenum et herbae et arborum
fructuosa[g]; statim sudor et labor panis[h], sed ante ex omni
ligno uictus inmunis et alimenta secura[g]. **2.** Exinde
homo ad terram, sed ante de terra[h]; exinde ad mortem, sed
ante ad uitam; exinde in scorteis uestibus[i], sed ante sine
scrupulo nudus[j]. Ita prior bonitas Dei secundum naturam,
seuritas posterior secundum causam. Illa ingenita, haec
accidens; illa propria, haec accommodata; illa edita, haec
adhibita. Nec natura enim inoperatam debuit continuisse
bonitatem nec causa dissimulatam euasisse seueritatem.
Alteram sibi, alteram rei Deus praestitit.

XI, 11-12 Exinde homo — de terra : *om.* M ‖ 15 seueritas posterior
R_2 (*coni.*) R_3 *Kr. Mor. Ev.* : seueritas posteritas M^{ac} seuerior posteritas
$M^{pc}\gamma$ R_1R_2 posterior seueritas R_1 (*coni.*)

XI. a. Cf. Gen. 3, 16 ‖ b. Gen. 1, 28 ‖ c. Cf. Gen. 2, 28 ‖ d. Cf. Gen.
3, 17 ‖ e. Cf. Gen. 1, 28 ‖ f. Cf. Gen. 3, 18 ‖ g. Cf. Gen. 1, 29 ‖ h. Cf.
Gen. 3, 19 ‖ i. Cf. Gen. 3, 21 ‖ j. Cf. Gen. 2, 25

---

1. Cette critique est un «slogan» des marcionites : cf. *infra* II, 13, 2
(*ut* dicitis, *saeuit*); II, 27, 2 (*seueritatem iudicis ... pro saeuitia* exprobratis);
ORIGÈNE, *Hom. Jér.* 1, 16, 20 (*SC* 232, p. 234); *Hom. Jér.* 12, 4-5
(*SC* 238, p. 24); *Hom. Lc* 16, 5 (*SC* 87, p. 242). Voir HARNACK, *Marcion*,
p. 264*-265*.

2. Les allusions à *Gen.* 1-3 sont intégrées d'abord à un groupement
quaternaire (que structurent les anaphores de *statim* et de *sed*), puis à un
groupement ternaire à membres plus courts (que structurent les
anaphores de *exinde* et de *sed ante*) : procédés stylistiques destinés à
mettre en relief l'opposition (avant/après le péché). Les *uestes scorteae*
sont appelées *tunicae pelliciae* en *Val.* 24, 3 et en *Res.* 7, 6 : ce dernier

cruel[1] : aussitôt la femme est condamnée à enfanter dans la douleur et à servir l'homme[a]. Mais c'est elle qui, auparavant, avait entendu sans aucun chagrin prononcer par une bénédiction l'accroissement de sa race (c'est l'unique précepte : «Croissez et multipliez-vous[b]»); c'est elle qui avait été destinée à aider l'homme[c], et non à le servir. Aussitôt la terre est maudite[d]. Mais auparavant, elle avait été bénie[e]. Aussitôt, les chardons et les épines[f]; mais, avant, le gazon, les herbes et les fruits des arbres[g]. Aussitôt la sueur et le travail pour le pain[h]; mais, avant, tout arbre donnait une nourriture sans danger et des aliments sûrs[g]. **2.** A partir de là, l'homme retourne à la terre; mais, avant, il était sorti de la terre[h]. A partir de là, il va à la mort; mais, avant, il allait à la vie. A partir de là, il revêt les tuniques de peau[i]; mais, avant, il était nu sans scrupule[j][2]. Ainsi la bonté de Dieu vient la première, en conformité avec sa nature; la sévérité ne vient que postérieurement, en conformité avec le motif occasionnel. Celle-là est innée, celle-ci accidentelle; celle-là lui est propre, celle-ci est circonstancielle; celle-là est donnée, celle-ci employée. Ni sa nature ne devait retenir sa bonté sans qu'elle eût opéré, ni le motif occasionnel ne devait échapper à sa sévérité, sans qu'elle se fût manifestée. L'une, Dieu la dispense à lui-même; l'autre, à la circonstance[3].

---

passage montre que l'auteur les comprend comme étant la peau, suivant sans doute l'interprétation d'IRÉNÉE, *Haer.* 3, 23, 5 (Dieu a remplacé par ces «tuniques de peau» les feuilles de figuier dont les protoplastes ont revêtu leur nudité après le péché selon *Gen.* 3, 7).

3. Faisant suite aux rappels scripturaires, ce développement vise à dégager l'idée générale (voir en I, 22, 3 et t. 1, p. 202, n. 2, l'opposition entre *naturalia, ingenita*, et *obuenticia, extranea*; cf. aussi *Res.* 14, 4 cité *supra*, p. 79, n. 6). L'auteur lui imprime l'allure d'un parallèle rhétorique entre «bonté naturelle» et «sévérité occasionnelle» (en évitant de parler de *iustitia*, car au ch. 12, il montrera que «justice» et «bonté» ne sont pas séparables). On peut remarquer que la phrase *Nec natura ... euasisse*

20 3. Incipe nunc etiam iudicis statum ut adfinem mali
arguere, qui idcirco alium deum somniasti, solummodo
bonum, quia non potes iudicem; quamquam et illum aut
iudicem ostendimus, aut si non iudicem, certe peruersum
ac uanum disciplinae non uindicandae, id est non iudi-
25 candae, constitutorem. Non reprobas autem deum iudicem
qui non iudicem deum probas : ipsam sine dubio iustitiam
accusare debebis, quae iudicem praestat, aut et eam in
species malitiae deputare, id est iniustitiam in titulos
bonitatis adscribere.   4. Nunc enim iustitia malum, si
30 iniustitia bonum. Porro cum cogeris iniustitiam de pes-
simis pronuntiare, eodem iugo urgeris iustitiam de optimis
censere. Nihil enim aemulum mali non bonum, sicut et
boni aemulum nihil non malum. Igitur quanto malum
iniustitia, tanto bonum iustitia. Nec species solummodo,
35 sed tutela reputanda bonitatis, quia bonitas, nisi iustitia

---

XI, 22 aut *Kr.* : ut θ *Mor. Ev.* ‖ 27 aut et eam R*₁* (*coni.*) R*₃* *Mor. Ev.* :
aut da eam *M*   aut dat eam *X*   aut det eam *F* R*₁*R*₂*   aut eam *G*   aut +
da eam *Kr.* (*qui* aude eam *coni.*)   aut eandem *Eng.* ‖ 29 Nunc θ *Mor.*
Ev. : Tunc *Kr.* ‖ si : et *X*

---

seueritatem, où sont reprises des idées exprimées en I, 22, 4-5 (verbes
operari et *contineri*), rompt la rigueur du parallèle et serait mieux à sa
place si elle faisait suite à la phrase initiale (après *secundum causam*, l. 15).
Peut-être rajout mal raccordé de l'édition définitive?

1. Rappel de la dichotomie marcionite entre bonté et justice : cf.
I, 2, 3 et IRÉNÉE, *Haer.* 3, 25, 3. *Somniare* rappelle la qualification de
umbra et phantasma donnée au dieu suprême en I, 22, 1.

2. Cf. I, 26, 1-2.

3. Cette apostrophe à Marcion, avec son jeu d'antithèses, sert à
aborder le fond du problème, par-delà le cas des deux dieux : c'est la
justice elle-même que l'hérétique met en accusation. Le glissement de la
notion de «juge» à celle de «justice» va permettre d'acculer l'adversaire
à une position intenable.

4. Développement de l'accusation. Nous avons admis ici la conjecture de R*₁* (*aut et eam*) : la nouvelle proposition marque ainsi un

**Justice et bonté
vont de pair**

3. Mets-toi donc maintenant à accuser même l'état de juge d'être
apparenté au mal, toi dont les rêve-
ries ont forgé un autre dieu, exclusivement bon, parce que
tu ne peux le concevoir juge[1]. Cependant nous avons
montré que lui aussi il est juge, ou alors, s'il n'est pas juge,
il est, pour sûr, le législateur absurde et inconsistant d'une
discipline qui échappe à la sanction, autrement dit au
jugement[2]. Mais tu ne réussis pas à réprouver le dieu juge
par l'approbation que tu donnes à un dieu qui n'est pas
juge : il te faudra, sans aucun doute, accuser la justice
elle-même, qui est le principe du juge[3], ou même la mettre
au nombre des aspects de la malice, c'est-à-dire ranger
l'injustice parmi les catégories de la bonté[4]. **4.** Car la
justice est un mal dans le cas seulement où l'injustice est un
bien[5]. Poursuivons : si tu es forcé de compter l'injustice
comme l'une des pires choses, tu seras contraint, par la
même nécessité, de ranger la justice parmi les meilleures.
Rien de contraire au mal qui ne soit bien, rien non plus de
contraire au bien qui ne soit mal ! Donc autant l'injustice
est un mal, autant la justice est un bien. Et même il ne faut
pas la regarder seulement comme un aspect de la bonté,
mais comme sa sauvegarde ; car la bonté, à moins d'être

renchérissement. Mais nous serions tenté d'adopter la correction que
Kroymann propose dans son apparat : *Aude eam* (après ponctuation
forte) ; ce qui ferait rebondir la phrase pour un défi (« Ose la mettre... »).
En outre, cette restitution rendrait mieux compte des variantes des
principaux mss.

5. Toute l'argumentation de cette fin du chapitre repose sur la loi
d'exclusion des contraires : elle n'est pas exempte de sophistique. Elle
s'appuie néanmoins sur la définition stoïcienne (cf. *SVF* 1, 190) qui
range la justice parmi les biens et l'injustice parmi les maux. On peut
également, ici et dans le chapitre suivant, retrouver un écho de la thèse
stoïcienne bien connue sur l'inséparabilité des vertus.

regatur, ut iusta sit, non erit bonitas, si iniusta sit. Nihil
enim bonum quod iniustum, bonum autem omne quod
iustum.

XII. 1 Ita si societas et conspiratio bonitatis atque
iustitiae separationem earum non potest capere, quo ore
constitues diuersitatem duorum deorum in separatione,
seorsum deputans deum bonum et seorsum deum iustum?
5 Illic consistit bonum ubi et iustum. A primordio denique
Creator tam bonus quam et iustus. Pariter utrumque
processit. Bonitas eius operata est mundum, iustitia modu-
lata est, quae etiam tum mundum iudicauit ex bonis
faciendum, quia cum bonitatis consilio iudicauit. **2.** Ius-
10 titiae opus est, quod inter lucem et tenebras[a] separatio
pronuntiata est, inter diem et noctem[b], inter caelum et
terram[c], inter aquam superiorem et inferiorem[d], inter
maris coetum et aridae molem[e], inter luminaria maiora et
minora, diurna atque nocturna[f], inter marem et feminam[g],
15 [et] inter arborem agnitionis – mortis – et uitae[h], inter
orbem et paradisum[i], inter aquigena et terrigena animalia[j].

XII, 2 separationem *M Kr. Mor. Ev.* : -tione β ‖ potest *M*ac *Lat. Kr.*
Mor. Ev. : potes *M*pcβ ‖ capere *Lat. Kr. Mor. Ev.* : carere θ ‖ 8 tum *R*₂
(*coni.*) *Gel. Mor. Ev.* : dum θ *Kr.* ‖ 9 quia θ *Mor. Ev.* : *secl. Kr.* ‖
14 feminam *Gel. Kr. Mor. Ev.* : feminam et θ ‖ 15 mortis *in parenthesi
posui* : *secl. Kr. Mor.* *

XII. a. Cf. Gen. 1, 4 ‖ b. Cf. Gen. 1, 5 ‖ c. Cf. Gen. 1, 7.9.10 ‖
d. Cf. Gen. 1, 7 ‖ e. Cf. Gen. 1, 10 ‖ f. Cf. Gen. 1, 16 ‖ g. Cf. Gen.
1, 27 ‖ h. Cf. Gen. 2, 9; 2, 17 ‖ i. Cf. Gen. 2, 8 ‖ j. Cf. Gen. 1, 20.24

---

1. L'allusion à la Sagesse (*Sophia*) de *Prov.* 8, 28-30 est transparente :
cf. *Herm.* 18, 1-2 et surtout 32, 3 (où *modulans* sert à traduire ἁρμόζουσα
du verset 30).

2. L'argument s'appuie sur le rapport étymologique entre *iustitita* et
iudicare (également *iudicium* et, au § 3, *iudicatum*) : cf. *supra* II, 11, 3
(*iustitiam ... quae iudicem praestat*).

dirigée par la justice de manière à être juste, ne sera pas la bonté puisqu'elle serait injuste. Rien en effet n'est bon qui soit injuste; mais est bon tout ce qui est juste.

XII. 1. Si donc l'union et la communauté d'action de la bonté et de la justice ne permettent pas de les séparer, de quel front établiras-tu sur cette séparation l'antagonisme de deux dieux, toi qui mets à part un dieu bon et à part un dieu juste? Le bien se trouve là où est aussi le juste. Car depuis l'origine, le Créateur est aussi bon que juste. L'un et l'autre sont allés de pair. Sa bonté a créé le monde, sa justice l'a réglé[1] puisque même alors, elle a jugé qu'il fallait faire le monde d'éléments qui soient bons, car elle a jugé avec le conseil de la bonté[2]. **2.** C'est une œuvre de la justice le fait qu'ait été prononcée la séparation[3] entre lumière et ténèbres[a], entre jour et nuit[b], entre ciel et terre[c], entre les eaux d'en haut et les eaux d'en bas[d], entre l'amoncellement de la mer et la masse de la terre sèche[e], entre luminaires majeurs et mineurs, du jour et de la nuit[f], entre le mâle et la femelle[g], entre l'arbre de la connaissance (l'arbre de la mort!) et l'arbre de la vie[h][4], entre le monde et le paradis[i], entre les animaux aquatiques et les animaux terrestres[j]. **3.** Toutes ces réalités, si la

– ainsi dans la création

---

3. L'idée que la justice s'applique aux partages, distinctions et répartitions, forme la base du raisonnement; elle est familière aux stoïciens : cf. *SVF* 1, 201 (Zénon, cité par PLUTARQUE, *De uirt. mor.* 2, 441 A : «la prudence s'appelle justice quand il s'agit des choses à partager»); STOBÉE, *Ecl.* 2, 7, 5. Mais, non sans sophisme, Tert. l'utilise à propos de l'organisation cosmique. Celle-ci avait déjà été présentée comme une suite de «dièrèses» par PHILON, *Her.* 133-140 (Voir U. FRÜCHTEL, *Die kosmologischen Vorstellungen bei Philo von Alexandrien*, Leiden 1968). Ici les allusions à *Gen.* 1-2 sont regroupées en une énumération à dix membres commandés par l'anaphore de *inter*. On remarquera les néologismes *aquigenus* et *terrigenus* (cf. HOPPE, *Beiträge*, p. 141 et 145) dans le membre final.

4. Voir Notes critiques, p. 190.

3. Omnia ut bonitas concepit, ita iustitia distinxit. **(3)**
Totum hoc iudicato dispositum et ordinatum est. Omnis
situs habitus effectus motus status ortus occasus singu-
20 lorum elementorum iudicia sunt Creatoris : ne putes eum
exinde iudicem definiendum, quo malum coepit, atque ita
iustitiam de causa mali offusces. His enim modis ostendimus eam cum auctrice omnium bonitate prodisse, ut et
ipsam ingenitam Deo et naturalem nec obuenticiam depu-
25 tandam, quae in domino inuenta sit arbitratrix operum
eius.

XIII. 1. At enim ut malum postea erupit atque inde iam
coepit bonitas Dei cum aduersario agere, aliud quoque
negotium eadem illa iustitia Dei nacta est, iam secundum
aduersationem dirigendae bonitatis, ut, seposita libertate
5 eius, qua et ultro Deus bonus, pro meritis cuiusque
pensetur, dignis offeratur, indignis denegetur, ingratis
auferatur, proinde omnibus aemulis uindicetur. **2.** Ita
omne hoc iustitiae opus procuratio bonitatis est : quod
iudicando damnat, quod damnando punit, quod, ut dicitis,

XII, 20 elementorum *huc transt. Kr.* (*cf. I, 13, 3, l. 23*) : *in* θ *post*
habitus *traditum* (*unde Mor. Ev.*) ‖ ne   Mγ *Kr. Mor. Ev.* : nec R ‖ 24 nec
R *Kr. Mor. Ev.* : ne Mγ
   XIII, 4 aduersationem *Eng. Kr.* : aduersionem θ *Ev.*   auersionem
Scal. Mor. * ‖ seposita R₂R₃ *edd.* : se possit a Mγ R₁

---

1. La démonstration aboutit à corriger les vues exposées au chapitre
précédent (§ 2) ou plutôt l'interprétation erronée de ces vues par
Marcion (ou le lecteur) : la justice appartient bien à la nature divine
(*ingenita, naturalis*) au même titre que la bonté; c'est la sévérité qui, en
lui, est occasionnelle (*obuenticia*) et liée à l'apparition du péché.

bonté les a conçues, c'est la justice qui les a distinguées. **(3)** Tout cet univers a été disposé et ordonné par jugement. Toute position, situation, activité, mouvement, arrêt, lever, coucher de chacun des corps célestes, autant de jugements du Créateur : ne va donc pas croire qu'il faut le définir comme juge seulement à partir du moment où le mal a commencé, pour ne pas ternir par là la justice en la motivant par le mal. Tous ces arguments nous ont permis de montrer qu'elle est apparue avec celle qui a tout produit, la bonté ; car elle aussi doit être tenue pour innée et naturelle en Dieu, et non accidentelle, s'étant trouvée dans le Seigneur comme arbitre de ses œuvres[1].

S'exerçant contre le mal, la justice est plénitude de la divinité

XIII. 1. Mais quand le mal, par la suite, fit irruption et que, dès lors, la bonté divine se trouva aux prises avec un antagoniste, cette même justice divine rencontra aussi une autre tâche, celle de diriger la bonté d'après cet antagonisme[2] : de la sorte, écartant la liberté qui est propre à Dieu, qui même le fait spontanément bon, la bonté se mesurerait selon les mérites de chacun, s'offrirait à ceux qui en sont dignes, se refuserait aux indignes, se soustrairait aux impies, se vengerait enfin de tous ses ennemis[3]. **2.** Ainsi toute cette œuvre de la justice n'est que gestion de la bonté : qu'elle condamne en jugeant, qu'elle punisse en condamnant, qu'elle soit, comme vous dites, cruelle[4], c'est

2. Voir Notes critiques, p. 191.

3. Depuis l'apparition du mal dans le monde des créatures (*aduersarius* fait référence à une désignation habituelle de Satan ; cf. *Pat.* 5, 3 = *SC* 310, p. 150 ; *An.* 35, 2-3), la justice en Dieu doit régler le cours de la bonté suivant les mérites (récompenses) et les démérites (châtiments) de chacun.

4. Cf. *supra* II, 11, 1 et p. 80, n. 1.

10 saeuit, utique bono, non malo proficit. Denique timor
iudicii ad bonum, non ad malum confert. Non enim
sufficiebat bonum per semetipsum commendari, iam sub
aduersario laborans. Nam et si commendabile per semetipsum, non tamen et conseruabile, quia expugnabile iam
15 per aduersarium, nisi uis aliqua praeesset timendi, quae
bonum etiam nolentes adpetere et custodire compelleret.
3. Ceterum tot inlecebris mali expugnantibus bonum quis
illud appeteret, quod impune contemneret? Quis custo-
diret quod sine periculo amitteret? Legis mali uiam latam
20 et multo frequentiorem[a] : nonne omnes illa laberentur, si
nihil in illa timeretur? Horremus terribiles minas Creatoris,
et uix a malo auellimur. Quid, si nihil minaretur? Hanc
iustitiam malum dices, quae malo non fauet? Hanc bonum
negabis, quae bono prospicit? Non qualem oportet Deum
25 uelles? Qualem malis expediret? Sub quo delicta gauderent? Cui diabolus inluderet? **(4)** Illum bonum iudicares
deum, qui hominem posset magis malum facere securitate
delicti? **4.** Quis boni auctor, nisi qui et exactor? Proinde

---

XIII, 20 illa laberentur *M Rig. Kr. Mor. Ev.* : illaberentur β ||
24 prospicit *R₂ Kr. Mor. Ev.* : non prospicit *Mγ R₁R₂* * || Non qualem
Rig. : Qualem θ *Kr. Mor. Ev.* * || 25 malis *Kr.* : malles θ *Mor. Ev.*   malle
Oehler * || 27 posset : possit *X*

XIII. a. Cf. Matth. 7, 13

---

1. Allusion à *Ps.* 110, 10 («crainte de Dieu commencement de la
sagesse»), souvent cité par Tert. : cf. RAMBAUX, *Tertullien face aux
morales*, p. 70 et 98-99.
2. Marcion récusait la crainte dans les rapports de l'homme avec son
dieu suprême (cf. I, 27, 2-5). De la crainte du Jugement et de la
contrainte qu'elle exerce sur les hommes, notre auteur donne une
double justification : a) l'importance des assauts du mal contre le bien
(on remarquera le vocabulaire militaire : *laborare, expugnare* et son
dérivé); b) la fragilité morale de l'homme qui a besoin du secours d'une

évidemment au profit du bien et non du mal. Car la crainte du jugement sert le bien, non le mal[1]. Il ne suffisait pas en effet que le bien se recommandât par lui-même, maintenant qu'il peinait sous un antagoniste. Car il aurait beau être recommandable par lui-même, il ne serait cependant pas capable aussi de se garder, étant désormais accessible aux assauts de son antagoniste, si quelque puissance de crainte ne prenait le dessus pour contraindre les hommes, même contre leur gré, à rechercher et sauvegarder ce bien. **3.** D'ailleurs, face à toutes les séductions du mal dans ses assauts contre le bien, qui rechercherait un bien qu'il mépriserait en toute impunité? Qui garderait un bien qu'il perdrait sans courir de danger[2]? Tu lis que la voie du mal est large et de beaucoup la plus fréquentée[a] : est-ce que tous ne s'y laisseraient pas aller s'il n'y avait rien à y craindre? Nous frémissons devant les terribles menaces du Créateur[3] et, pourtant, elles ont peine à nous arracher au mal. Que serait-ce s'il ne proférait pas de menaces? Donneras-tu à cette justice le nom de mal, elle qui ne favorise pas le mal? Nieras-tu qu'elle soit un bien, elle qui pourvoit au bien? Tu ne voudrais pas Dieu tel qu'il doit être? Tu le voudrais tel qu'il fût avantageux aux méchants[4]? Un dieu sous lequel les péchés seraient en joie? dont le diable se jouerait? **(4)** Un tel dieu, tu le jugerais bon, lui qui, par la sécurité laissée au péché, aurait pu rendre l'homme pire encore[5]? **4.** Crée-t-on le bien sans l'exiger aussi? Et de même, est-on étranger au mal sans en

sanction pour résister aux attraits du péché (*inlecebrae*). *Conseruabilis* (l. 14) est un hapax.

3. Il s'agit des «malédictions» de l'A. T. contre les pécheurs (cf. *Lév.* 26, 14-38; *Deut.* 28, 15-68) qui se prolongent dans le N.T. (cf. *Matth.* 25, 41).

4. Voir Notes critiques, p. 191.

5. Cf. I, 23, 9 : *Quis iste deus tam bonus ut homo ab illo malus fiat?*

quis mali extraneus, nisi qui et inimicus? Quis inimicus,
30 nisi qui et expugnator? Quis expugnator, nisi qui et
punitor? Sic totus Deus bonus est, dum pro bono omnia
est. Sic denique omnipotens, quia et iuuandi et laedendi
potens[b]. Minus est tantummodo prodesse, quia non aliud
quid possit cum prodesse. De eiusmodi qua fiducia bonum
35 sperem, si hoc solum potest? Quomodo innocentiae mer-
cedem secter, si non et nocentiae spectem? (5) Diffidam
necesse est, ne nec alteram partem remuneret qui utramque
non ualuit.   5. Vsque adeo iustitia etiam plenitudo est
diuinitatis ipsius, exhibens deum perfectum, et patrem et
40 dominum, patrem clementia dominum disciplina, patrem
potestate blanda dominum seuera, patrem diligendum pie
dominum timendum necessarie, diligendum, quia malit
misericordiam quam sacrificium[c], et timendum, quia nolit
peccatum, diligendum, quia malit paenitentiam peccatoris
45 quam mortem[d], et timendum, quia nolit peccatores sui iam
non paenitentes. Ideo lex utrumque definit : *Diliges Deum*[e]
et *Timebis Deum*[f]. Aliud obsecutori proposuit, aliud exorbi-
tatori.

XIII, 34 cum *Mγ R₁ Mor.* (cf. THÖRNELL, *Studia* I, p. 58) : quam
R₂R₃ *Kr. Ev.* ‖ 36 spectem R₃ (*coni.*) *Kr. Mor. Ev.* : speciem θG sperem
R₂ (*coni.*) ‖ 37 remuneret *M Kr. Mor.* : -retur β *Ev.* ‖ 40 dominum[2] :
deum *MF*

XIII. b. Cf. Deut. 32, 39 ‖ c. Cf. Os. 6, 6 ‖ d. Cf. Éz. 33, 11 ‖
e. Deut. 6, 5 ‖ f. Deut. 6, 13

---

1. Cf. I, 26, 5 (fin).
2. Sur cette figure de rhétorique, voir F. SCIUTO, *La gradatio in Tertulliano*, Catane 1966, p. 52.
3. La supériorité d'un dieu qui sait, comme le Créateur, à la fois récompenser et punir, est établie d'abord par une maxime générale (*Minus...prodesse*), ensuite par un raisonnement qui prend la forme d'une série de réflexions personnelles comme en I, 5, 5.

être aussi l'ennemi[1]? l'ennemi sans en être aussi le pourfendeur? le pourfendeur sans en être aussi le punisseur[2]? Ainsi Dieu est tout entier bonté puisqu'il est tout ce qui défend le bien ; car c'est ainsi qu'il est tout-puissant, étant puissant à porter aide aussi bien qu'à porter tort[b]. C'est une moindre qualité de n'être qu'utile, pour la raison que, à côté d'être utile, on ne pourrait rien d'autre. En un dieu de cette sorte quelle confiance mettrais-je pour espérer le bien, s'il n'est capable que de ce bien? Comment rechercherais-je le salaire de l'innocence si je ne voyais pas aussi celui de la culpabilité. (5) J'en viendrais nécessairement à la défiance, par crainte qu'il ne rétribue pas non plus l'une, n'ayant pas été capable de rétribuer les deux[3]. **5.** Tant il est vrai que la justice est la plénitude de la divinité même : elle présente un dieu parfait, à la fois père et maître, père par sa clémence, maître par sa discipline, père par la douceur de son pouvoir, maître par la sévérité de celui-ci, père à aimer par piété, maître à craindre par nécessité, à aimer parce qu'il préfère la miséricorde au sacrifice[c], et à craindre parce qu'il ne veut pas du péché, à aimer parce qu'il préfère la pénitence du pécheur à sa mort[d], et à craindre parce qu'il ne veut pas des pécheurs dès lors qu'ils sont impénitents[4]. C'est pourquoi la loi prononce ces deux arrêts : «Tu aimeras Dieu[e]» et «Tu craindras Dieu[f]». L'un vise qui lui obéit, l'autre qui s'écarte de lui[5].

---

4. Cette conclusion sur la justice «plénitude de la divinité» ramène et précise les images du «père» (= bonté) et du maître (= justice et sévérité) qui ont déjà été opposées au dieu de Marcion en I, 27, 3. Sur la citation d'*Éz*. 18, 23, voir *supra* II, 8, 1.

5. Ces deux substantifs sont des néologismes de l'auteur : *obsecutor* (employé aussi en *Marc*. IV, 9, 11 et 26, 13) est très rare après lui ; *exorbitator* ne se rencontre qu'ici et en *Marc*. III, 6, 10.

XIV. 1. Ad omnia tibi occurrit Deus idem : percutiens
sed et sanans, mortificans sed et uiuificans[a], humilians sed
et sublimans[b], condens mala sed et pacem faciens[c], ut
etiam et hic respondeam haereticis. 'Ecce, enim inquiunt,
5 ipse se conditorem profitetur malorum dicens : *Ego sum qui
condo mala*[d]'. **2.** Amplexi enim uocabuli communionem
duas malorum species in ambiguitate turbantem, quia mala
dicuntur et delicta et supplicia, passim uolunt eum conditorem intellegi malorum, ut et malitiae auctor renuntietur.
10 Nos autem adhibita distinctione utriusque formae, sepa-
ratis malis delicti et malis supplicii, malis culpae et malis
poenae, suum cuique parti definimus auctorem, malorum
quidem peccati et culpae diabolum, malorum uero supplicii et poenae Deum Creatorem, ut illa pars malitiae
15 deputetur ista iustitiae, mala condentis iudicii aduersus
mala delicti. **3.** De his ergo Creator profitetur malis quae
congruunt iudici. Quae quidem illis mala sunt, quibus
rependuntur, ceterum suo nomine bona, qua iusta et
bonorum defensoria et delictorum inimica atque in hoc

XIV, 1 Deus idem : percutiens *Kr. Mor.* : deus; idem percutiens R
Ev. ‖ 9 ut et *M Kr. Mor.* : ut R et γ ‖ 11 delicti ... supplicii R, *Kr. Mor.*
Ev. : -tis ... -ciis Mγ R,R, ‖ 15 iudicii *Kr. (ex editione Migniana Van der
Vliet) Mor. Ev.* : -cia θ

XIV. a. Cf. Deut. 32, 39 ‖ b. Cf. Ps. 75, 8 ‖ c. Cf. Is. 45, 7 ‖ d. Is.
45, 7

---

1. Habile transition qui consiste à reprendre, en lui donnant un sens
positif (cf. IRÉNÉE, *Haer.* 4, 40, 1-2) l'argument marcionite sur les
contradictions du Créateur (cf. *Marc.* I, 16, 4), pour en arriver à l'objet
propre du chapitre : la distinction à établir entre deux sortes de maux
(péchés et châtiments).

**Le mal du péché
et le mal du châtiment** **XIV. 1.** Pour toutes choses, c'est le même Dieu qui se présente à toi, frappant, mais guérissant, donnant la mort, mais aussi la vie[a], abaissant, mais aussi élevant[b], créant les maux, mais faisant aussi la paix[c], pour me permettre, sur ce point aussi, de répondre aux hérétiques[1]. «Voyez, disent-ils, il fait profession lui-même d'être le créateur des maux quand il dit : 'C'est moi qui crée les maux[d2]'». **2.** Ils se saisissent de la communauté de terme qui confond sous une ambiguïté deux espèces de maux – on appelle maux en effet aussi bien les péchés que les supplices – pour prétendre qu'on voie en Dieu le créateur des maux indistinctement, et le proclamer aussi, de cette façon, l'auteur de la méchanceté. Mais nous qui recourons à la distinction des deux catégories, qui séparons les maux du péché et les maux du supplice, les maux de la faute et les maux du châtiment, nous déterminons pour chaque groupe son auteur propre : pour les maux du péché et de la faute, le diable; pour les maux du supplice et du châtiment, le Dieu Créateur; de sorte que nous attribuons ce groupe-là à la méchanceté, et celui-ci à la justice qui crée les maux du jugement pour s'opposer à ceux du péché[3]. **3.** C'est donc de ces maux, conformes à la fonction d'un juge, que fait profession le Créateur. Ils sont, à la vérité, des maux pour ceux auxquels ils sont administrés; mais, à proprement parler, ce sont des biens puisqu'ils sont justes, destinés à la défense des biens, ennemis des péchés et, à ce

---

2. Cf. I, 2, 2; II, 24, 4; III, 24, 1; IV, 1, 10.
3. A rapprocher d'IRÉNÉE, *Haer.* 4, 40, 1; voir aussi ORIGÈNE, *C. Cels.* 6, 54-56 (qui compare aux peines infligées par les pères et les enseignants ou par les médecins en vue du bien des enfants ou des malades).

20 ordine Deo digna. Aut proba ea iniusta, ut probes malitiae
deputanda, id est iniustitiae mala, quia si iustitiae erunt,
iam mala non erunt, sed bona, malis tantummodo
mala, quibus etiam directo bona pro malis damnantur.
4. Constitue igitur iniuste hominem diuinae legis uolunta-
25 rium contemptorem id retulisse, quod noluit caruisse,
iniuste malitiam aeui illius imbribus[e], dehinc et ignibus[f]
caesam, iniuste Aegyptum foedissimam, superstitiosam,
amplius hospitis populi conflictatricem, decemplici castigatione percussam. Indurat cor Pharaonis[g], sed meruerat in
30 exitium subministrari qui iam negauerat Deum, qui iam
legatos eius totiens superbus excusserat[h], qui iam populo
laborem operis adiecerat[i]; postremo, qua Aegyptius, olim
Deo reus fuerat gentilis idolatriae, ibim et corcodrillum
citius colens quam Deum uiuum. Impendit et ipsum
35 populum[j], sed ingratum. Inmisit et pueris ursos[k], sed

XIV, 23 damnantur R *Kr. Mor. Ev.* : damnant Mγ ‖ 25 quod Mγ *Kr.*
Mor. : quo R *Ev.* ‖ noluit Mγ R₁ *Kr. Mor.* : uoluit R₂R₃ *Ev.* ‖ 29 sed R₃
Kr. Mor. Ev. : et Mγ R₁R₂ ‖ 33 ibim R₂R₃ *Kr. Mor.* : ibi Mγ R₁ ibin
Ev. ‖ corcodrillum M X *Kr.* (cf. *Nat.* II, 8, 8) : corcodillum F crocco-
dilum R *Mor. Ev.* ‖ 34 Impendit *Rig. Kr. Mor. Ev.* : impedit θ impetit
Iun.

XIV. e. Cf. Gen. 6, 5; 6, 17 ‖ f. Cf. Gen. 19, 24 ‖ g. Cf. Ex. 4, 21;
10, 20 ‖ h. Cf. Ex. 5, 1-4 ‖ i. Cf. Ex. 1, 11-14; 5, 9 ‖ j. Cf. Ex. 32, 35 ‖
k. Cf. IV Rois 2, 23-24

---

1. Explication en accord avec la thèse stoïcienne selon laquelle le mal
ne peut être que moral, Dieu ne pouvant être la cause de choses
mauvaises (cf. *SVF* 2, 1125). Sur le cliché du θεοπρεπές, cf. Introduction, t. 1, p. 46. L'adjectif *defensorius* est un néologisme de Tert. (un seul
autre emploi, chez Grégoire le Grand), destiné peut-être à assurer une
quadruple homéotéleute dans la dernière proposition.
2. Ici commence, sous la forme d'un défi, une adresse à Marcion, qui

titre, dignes de Dieu[1]. Ou alors prouve-moi[2] qu'ils sont
injustes si tu veux prouver qu'il faut les attribuer à la
méchanceté, c'est-à-dire que ce sont les maux de l'injustice;
car, s'ils relèvent de la justice, ils ne seront plus des maux,
mais des biens; ils ne seront des maux que pour les
méchants qui condamnent comme mauvais même ce qui
est ouvertement bon.   **4.** Établis donc que c'est injustice
de voir l'homme, contempteur volontaire de la loi divine,
recevoir un salaire dont il n'a pas voulu être privé, injustice
de voir la méchanceté de cet âge ancien frappée par les
pluies[e], puis par le feu[f], injustice de voir l'Égypte, toute
souillée, superstitieuse et, de plus, persécutrice du peuple,
son hôte, frappée du châtiment des dix plaies[3]! Dieu
endurcit le cœur de Pharaon[g] – mais celui-ci avait mérité
d'être réservé à l'anéantissement[4] : il avait déjà nié Dieu,
il avait déjà, dans son orgueil, tant de fois rejeté ses
envoyés[h], il avait déjà augmenté le labeur pour les travaux
que lui faisait le peuple[i]; enfin, en tant qu'Égyptien, il
s'était dès longtemps montré coupable envers Dieu d'idolâtrie païenne en adorant l'ibis et le crocodile plutôt que le
Dieu vivant. Celui-ci sacrifia aussi son peuple même[j]
– mais c'était un peuple ingrat. Il envoya même des ours

---

se substitue aux marcionites du § 1 : impossible d'attribuer les maux
dont parle *Is.* 45, 7, à l'injustice, donc à la méchanceté.
   3. Le défi se poursuit avec l'évocation, rythmée par la reprise de
iniuste, de quatre punitions vérérotestamentaires que Tert. tient pour
méritées : Adam frappé de mort pour sa désobéissance (cf. *supra*
II, 2, 6-7; 4, 6), le déluge et le feu de Sodome (ces deux exemples étant
étroitement associés), les dix plaies d'Égypte. *Conflictatrix* est un hapax.
   4. Changement de ton et de tour : le constat succède au défi pour
trois autres exemples de punitions légitimes (l'anéantissement de Pharaon, les transgressions du peuple juif, les enfants qui s'étaient moqués
d'Élisée). Un verbe en tête de phrase exprime l'action divine, *sed*
introduit la justification. Pour Pharaon comme symbole de l'incrédulité
et du refus de la pénitence, cf. *Paen.* 12, 8 et Irénée, *Haer.* 4, 29, 2.

inreuerentibus in prophetam. Vindicanda erat procacitas
aetatis uerecundiam debentis.

XV. 1 Iustitiam ergo primo iudicis dispice; cuius si
ratio constiterit, tunc et seueritas et per quae seueritas
decurrit rationi et iustitiae reputabuntur. Ac ne pluribus
inmoremur, adserite causas ceteras quoque, ut sententias
5 condemnetis, excusate delicta, ut iudicia reprobetis. Nolite
reprehendere iudicem, sed reuincite malum iudicem. Nam
et si patrum delicta de filiis exigebat[a], duritia populi talia
remedia compulerat, ut uel posteritatibus suis prospi-
cientes legi diuinae oboedirent. Quis enim non magis
10 filiorum salutem quam suam curet? **2.** Sed et si bene-

XIV, 36-37 *Verba* Vindicanda — debentis, *quae libri mss in II, 16, 1,
l. 5, post* debitum est iustitiae *exhibent, huc transtulit van der Vliet (unde
Kr.)*
XV, 1 dispice *M R, Kr. Mor. Ev.* : despice γ *R₁R₂* ‖ 7 si : *om.* β

XV. a. Cf. Ex. 20, 5

---

1. Cf. *Marc.* IV, 23, 4-5, d'où il resssort que les *Antithèses* de Marcion
mettaient en opposition le Créateur punissant de mort les *pueri* insul-
teurs d'Élisée et le dieu suprême laissant venir à lui les *paruuli* :
cf. MÉGÉTHIUS, *Dial.* 1, 16 ; HARNACK, *Marcion*, p. 90 et 282*. Dans sa
justification, Tert. souligne la différence entre *paruuli* («âge innocent»)
et *pueri* («âge capable de jugement», en mesure de blasphémer et qui
mérite par conséquent, en cas d'impiété, la rigueur divine).
2. Avec Kroymann et Moreschini, nous admettons le déplacement
proposé par Van der Vliet pour cette phrase que la tradition manuscrite
insère plus bas, en 16, 1 où elle ne présente aucun sens. Il doit s'agir
d'un ajout de la dernière édition, l'auteur ayant voulu expliciter, à
propos de cet exemple contesté par les marcionites, la légitimité (d'où
uindicanda) de la punition infligée par le Créateur. Voir notre étude «De
quelques corrections», p. 50.
3. De la justice, l'auteur passe à la sévérité, que les marcionites
mettaient spécialement en cause (cf. *supra* II, 11, 1) : elle est examinée ici
et justifiée par le critère de la rationalité. Les agents d'exécution de la
sévérité seront examinés au début du chapitre suivant.

contre des enfants[k][1] – mais ils manquaient de respect à son
prophète : il fallait punir l'effronterie d'un âge qui est tenu
au respect[2].

**Sévérité justifiée
du Créateur**
XV. 1. Commence donc par exa-
miner la justice du juge ; s'il est établi
qu'elle est raisonnable, alors on rap-
portera à la raison et à la justice tant la sévérité que les
moyens par lesquels s'accomplit cette sévérité[3]. Et, pour
être bref, prenez la défense des autres causes aussi, si vous
voulez condamner ses sentences ; excusez les fautes, si vous
voulez réprouver ses jugements. Ne critiquez pas le juge,
mais convainquez-le d'être un mauvais juge[4]. Aussi bien,
s'il faisait payer aux fils les fautes des pères[a][5], c'est que la
dureté de cœur du peuple l'avait forcé à de tels remèdes,
afin qu'au moins le souci de leur postérité les fît obéir à la
loi divine[6]. Qui en effet ne penserait au salut de ses fils plus
encore qu'au sien propre[7]? **2.** Mais d'autre part, si la

4. L'examen tourne court par souci de brièveté. Tert. se contente
d'une généralisation : dans tous les *autres* cas (nous comprenons «*autres*
que ceux de 15, 4») , c'est aux marcionites qu'il incombe de se faire les
champions des prétendues victimes de la sévérité du Créateur, en
défendant leurs fautes et en faisant apparaître ce dieu comme un mauvais
juge. Une série d'impératifs (à la 2ᵉ personne du pluriel ; cf. II, 14, 1)
énonce un défi qui est la poursuite de celui de 14, 4.

5. Un seul exemple de sévérité va retenir ici l'attention de l'auteur : le
principe de rétribution collective posé dans le Décalogue (cf. *Ex.*
20, 5 = *Deut.* 5, 9). Il est vrai qu'il faisait l'objet d'une vive critique
chez Marcion : cf. *Marc.* IV, 15, 1 et surtout IV, 27, 8 (*zelotes, qualem
arguunt marcionitae, delicta patrum de filiis exigentem usque in quartam
natiuitatem*).

6. Justification qui s'inspire des conceptions d'IRÉNÉE, *Haer.* 4,
14, 3-15, 2, sur la pédagogie divine à l'égard d'un peuple dur de cœur et
indocile.

7. Aphorisme moral, inspiré de l'expérience courante, pour justifier
la proclamation du Décalogue, qui est ramenée à une simple menace
visant à détourner du péché.

dictio patrum semini quoque eorum destinabatur, sine ullo
adhuc merito eius, cur non et reatus patrum in filios
quoque redundaret? Sicut gratia, ita et offensa ut per totum
genus et gratia decurreret et offensa : saluo eo, quod postea
15 decerni habebat : non dicturos acidam uuam patres mandu-
casse et filiorum dentes obstipuisse, id est non sumpturum
patrem delictum filii nec filium delictum patris, sed unum-
quemque delicti sui reum futurum[b], ut post duritiam
populi duritia legis edomita iustitia iam non genus, sed
20 personas iudicaret. **3.** Quamquam si euangelium ueritatis accipias, ad quos pertineat sententia reddentis in filios
patrum delicta cognosces, ad illos scilicet, qui hanc ultro
sibi sententiam fuerant inrogaturi : *Sanguis illius super capita
nostra et filiorum nostrorum*[c]. Hoc itaque omnibus proui-
25 dentia Dei censuit, quod iam audierat.

XV, 16 obstipuisse *MF Kr. Mor.* : obstupuisse *X R Ev.* ‖ 24 Hoc *M
R₃ Kr. Mor. Ev.* : Hac *F R₁R₂*   Hãc *X* * ‖ omnibus *scripsi* : omnis θ *Ev.*
homini *Eng. Kr. Mor.* *

XV. b. Cf. Jér. 38, 29-30 (Vulg. 31, 29-30); Éz. 18, 2-4.20; Deut.
24, 16 ‖ c. Matth. 27, 25

---

1. Nouvel argument où Tert. paraît exploiter la suite du verset
incriminé. En effet *Ex.* 20, 6 dit : « Mais (je suis un dieu) qui fais grâce à
des milliers pour ceux qui m'aiment et gardent mes commandements. »
Or ces grâces et bénédictions, le Créateur les a promises à Israël pour ses
descendants et en l'absence de tout mérite.
2. La rétribution collective critiquée par les marcionites n'a eu
qu'une portée limitée et circonstancielle, étant liée à l'instruction du
peuple juif au même titre que la Loi. Notre auteur souligne fortement
que la responsabilité personnelle triomphe dans la doctrine des prophètes : cf. ORIGÈNE, *C. Cels.* 8, 40.
3. A l'explication historique s'ajoute, sans l'éliminer, l'explication
« mystique » (ou « prophétique ») : cf. *infra* II, 19, 2 (*arcanis ... significantiis
Legis, spiritalis scilicet et propheticae et in omnibus paene argumentis figuratae*)
et 21, 2. La sentence de *Ex.* 20, 5 est présentée comme l'annonce
prophétique de la parole des juifs à Ponce Pilate selon *Matth.* 27, 25,

bénédiction des pères était également destinée à leurs
descendants, sans qu'il y eût encore aucun mérite de leur
part, pourquoi la culpabilité des pères ne rejaillirait-elle pas
aussi sur leurs fils? Comme il en allait de la grâce, ainsi en
allait-il de l'offense : à travers toute la race, on suivrait, de
la sorte, le courant de la grâce comme de l'offense[1]; se
trouvaient réservées cependant ses décisions ultérieures :
on ne dirait plus : «Les pères ont mangé le raisin vert et les
dents des fils ont été agacées», c'est-à-dire que le père ne
porterait pas la faute du fils ni le fils la faute du père, mais
que chacun serait responsable de sa propre faute[b]; et cela,
afin que la dureté de la loi s'adoucît après la dureté du
peuple et que la justice ne jugeât plus la race, mais les
personnes[2]. **3.** Et du reste, si tu acceptes l'évangile de
vérité, tu reconnaîtras à qui s'applique la sentence de celui
qui fait payer aux fils les fautes des pères[a] : elle s'applique
évidemment à ceux qui, plus tard, devaient s'infliger
spontanément à eux-mêmes cette sentence : «Que son sang
soit sur nos têtes et celles de nos fils[c3]!» C'est pourquoi la
providence de Dieu, ayant déjà entendu cet arrêt, l'établit
pour tous[4].

---

parole par laquelle ils assumaient la pleine responsabilité de la mort du
Christ en associant leurs fils à leur propre châtiment. Pour Tert., ce
châtiment s'est accompli avec la destruction de Jérusalem et l'exil des
juifs (cf. *Ap.* 21, 5; 21, 18); cf. *Iud.* 8, 18, qui voit exprimée par cette
parole la culpabilité de «toute la Synagogue». L'expression *euangelium
ueritatis* désigne ici la forme entière de l'évangile tétramorphe dont se
sert l'Église, par opposition à l'*erreur* de Marcion qui a réduit cet
évangile au seul *Lc*, et encore mutilé : en effet, la parole des juifs à Pilate
sur le sang du Christ ne se lit que dans *Matth*. *Reddens* est l'écho de
ἀποδιδούς de *Ex*. 20, 5 (= «donner en punition», «revaloir»).

4. Voir Notes critiques, p. 192. Nous comprenons *omnibus* comme
s'opposant à *illos*, de la phrase précédente, qui désigne les juifs
contemporains du Christ. On peut expliciter ainsi ce passage obscur :
dans sa providence, Dieu qui avait déjà perçu la sentence contre
eux-mêmes et leurs enfants des juifs contemporains du Christ, l'a

XVI. 1. Bona igitur et seueritas quia iusta, si bonus
iudex, id est iustus. Item cetera bona, per quae opus
bonum currit bonae seueritatis, siue ira siue aemulatio siue
saeuitia. Debita enim omnia haec sunt seueritati, sicut
5 seueritas debitum est iustitiae. Atque ita non poterunt
iudici exprobrari quae iudici accedunt, carentia et ipsa
culpa sicut et iudex. Quid enim, si medicum quidem dicas
esse debere, ferramenta uero eius accuses quod secent et
inurant et amputent et constrictent, **(2)** quando sine
10 instrumento artis medicus esse non possit? **2.** Sed accusa
male secantem, importune amputantem, temere inurentem,
atque ita ferramenta quoque eius ut mala ministeria reprehende. Proinde est enim, cum Deum quidem iudicem
admittis, eos uero motus et sensus, per quos iudicat,
15 destruis. Deum nos a prophetis et a Christo, non a

XVI, 4 seueritati θ *Mor. Ev.* : -tatis *Iun. Kr.* ‖ 5 iustitiae : iustitiae;
uindicanda ... R (*cf. II, 14, 4, l. 36-37*) iustitia euindicanda ... *MF*
iustitiam euindicanda ... *X* ‖ 6 accedunt *MX R Mor. Ev.* : accidunt *F
Kr.* ‖ 7 sicut et *Mγ Kr. Mor. Ev.* : sicut *R* ‖ 8-9 et inurant *R₃ edd.* :
tensuram *MF*   censuram *X*   tonsuram *R₁R₂*

étendue à l'ensemble des juifs (ceux dont il avait à faire l'éducation,
selon l'explication du § 2).

1. Sur les moyens par lesquels s'accomplit la sévérité (*currit* reprend
decurrit de 15, 1) et qui seront définis au § 2 comme *motus et sensus per quos
iudicat*, voir I, 25, 6-7 et 26, 1. A la colère et à l'hostilité (*aemulatio*) est
ajoutée ici la *saeuitia* spécialement incriminée par les marcionites (cf.
supra II, 11, 1).

2. Ils sont appelés *officiales* de l'*aemulatio* en I, 25, 6.

3. Reprise de la comparaison de I, 22, 9. Cette comparaison de Dieu
avec le médecin (notamment pour la valeur thérapeutique de ses
châtiments) vient de la philosophie (cf. PLATON, *Gorgias* 525 b-c, etc.);
elle est fréquente aussi chez ORIGÈNE : cf. *Hom. Jér.* 12, 5, 35 s. (*SC* 238,
p. 26) et *Sur Ex.* 10, 27 dans *Philocalie* 27, 4-5 (*SC* 226, p. 278 s., avec la
note des p. 279-281). Elle porte ici sur les «sentiments» de Dieu, qui
sont assimilés à des instruments de chirurgie; et sous cette forme

**Les sentiments
auxiliaires de la justice
sont exempts de mal
en Dieu**

XVI. 1. Donc la sévérité aussi est
bonne parce que juste, si le juge est
bon, c'est-à-dire juste. Sont pareillement bons les autres moyens par
lesquels s'accomplit l'œuvre bonne
d'une bonne sévérité, que ce soit la colère ou l'hostilité ou
la cruauté[1]. Car ils sont des éléments indispensables[2] pour
la sévérité, comme la sévérité en est un pour la justice.
Aussi ne pourra-t-on pas reprocher au juge ces mouvements qui l'affectent de surcroît : ils sont eux-mêmes
exempts de faute, comme le juge. Que dirais-tu si l'on
affirmait la nécessité du médecin tout en accusant ses
instruments parce qu'ils coupent, brûlent, amputent, étrei-
gnent, **(2)** alors que l'existence du médecin serait impossible sans l'outillage de son art[3] ? **2.** Mais accuse celui qui
coupe mal, celui qui ampute hors de propos, celui qui brûle
à la légère, et du même coup, critique aussi ses instruments
comme mauvais serviteurs. Il en va de même[4] lorsque, tout
en admettant, certes, que Dieu est juge, tu détruis les
mouvements et les sentiments au moyen desquels il juge.
Sur Dieu, notre instruction vient des prophètes et du

---

particulière, elle semble originale. *Constricto* (au lieu de l'usuel *constringo*)
est un hapax : par ce verbe, non repris dans le trikôlon suivant, l'auteur
vise sans doute les instruments servant à la réduction des fractures et
luxations (notamment le « banc d'Hippocrate » : cf. *DAGR* 3², p. 1685).

4. *Proinde* introduit le second terme de la comparaison, dont le
premier est constitué de la phrase *Quid enim—possit* (l. 7-10) : même
absurdité en ceux qui, admettant la nécessité d'un médecin, accusent ses
instruments, et les marcionites admettant un dieu juge dont ils veulent
retrancher les « sentiments » agents de sa justice. Il faut donc considérer
la phrase *Sed accusa—reprehende* (l. 10-13) comme une sorte de parenthèse
qui rompt la suite des idées : rajout de la dernière édition ? L'auteur a
peut-être voulu préciser qu'il faut accuser non les instruments, mais
l'incompétence du médecin.

philosophis nec ab Epicuro erudimur. **3.** Qui credimus
Deum etiam in terris egisse et humani habitus humilitatem
suscepisse ex causa humanae salutis[a], longe sumus a
sententia eorum, qui nolunt Deum curare quicquam. Inde
20 uenit ad haereticos quoque definitio eiusmodi : si Deus
irascitur et aemulatur et extollitur et exacerbatur, ergo et
corrumpetur, ergo et morietur. Bene autem, quod Christianorum est etiam mortuum Deum credere et tamen
uiuentem in aeuo aeuorum. **4.** Stultissimi, qui de
25 humanis diuina praeiudicant, ut, quoniam in homine
corruptoriae condicionis habentur huiusmodi passiones,
idcirco et in Deo eiusdem status existimentur. Discerne
substantias et suos eis distribue sensus, tam diuersos quam
substantiae exigunt, licet uocabulis communicare uidean-
30 tur. Nam et dexteram et oculos et pedes Dei legimus, nec
ideo tamen humanis comparabuntur, quia de appellatione
sociantur. Quanta erit diuersitas diuini corporis et humani
sub eisdem nominibus membrorum, tanta erit et animi
diuini et humani differentia sub eisdem licet uocabulis
35 sensuum, quos tam corruptorios efficit in homine corrupti-

---

XVI, 20 eiusmodi *MF R* : huiusmodi *X* ‖ 24 aeuo θ *Mor. Ev.* : aeua
Kr. * ‖ 25 quoniam *M R₃ Kr. Mor. Ev.* : quomodo γ *R₁R₂* ‖ 34 diuini *R₁*
(*coni.*) *R₂R₃ Kr. Mor. Ev.* : diuinitas *Mγ R₁*

XVI. a. Cf. Phil. 2, 7-8

---

1. Avant d'établir la légitimité de «sentiments» dans l'être divin,
Tert. reprend le thème polémique de l'origine épicurienne des conceptions marcionites : cf. I, 25, 3 et Note complémentaire 20 (t.1 , p. 310).
2. Sur la corrélation philosophique entre impassibilité, incorruptibilité et éternité, cf. *Deus Christ.*, p. 59-60. Voir I, 25, 3 et *Test.* 2, 3.
3. Sur l'utilisation du paradoxe chrétien dans la discussion avec les
hérétiques, cf. *supra* II, 2, 6 (et p. 28, n. 1). Pour le texte, voir Notes
critiques, p. 192.

Christ, non des philosophes ni d'Épicure[1].   **3.** Nous qui
croyons que Dieu a même vécu sur terre et s'est abaissé
jusqu'à prendre la condition humaine pour le salut des
hommes[a], nous sommes bien éloignés de l'avis de ceux qui
ne veulent pas que Dieu se soucie de quoi que ce soit! C'est
à cette source que les hérétiques aussi ont pris une
définition de cette sorte : si Dieu se met en colère, est
hostile, s'emporte, s'exaspère, c'est donc qu'il subira aussi
une corruption, c'est donc aussi qu'il mourra[2]. Mais quelle
chance que ce soit l'apanage des chrétiens de croire même
que Dieu est mort tout en étant vivant dans le siècle
des siècles[3].   **4.** C'est suprême déraison de préjuger des
choses divines d'après les choses humaines et, parce qu'on
voit que, chez l'homme, les passions de cette sorte ont une
nature corruptrice, d'en déduire qu'en Dieu aussi elles ont
même statut[4]. Distingue les substances et attribue-leur des
sentiments qui leur soient propres, marqués de toute la
différence qu'exigent les substances en cause, et cela, même
si les termes paraissent établir entre eux une communauté[5].
Car nous lisons dans l'Écriture : le bras, les yeux, les pieds
de Dieu. On n'ira pas pourtant les assimiler à ceux des
hommes du fait qu'ils sont associés sous une appellation
commune[6]. La différence qu'il y aura, sous des noms
identiques de membres, entre le corps divin et le corps
humain, se retrouvera aussi grande entre l'esprit divin et
l'esprit humain malgré l'identité des termes sous lesquels
sont désignés les sentiments : la corruptibilité de la sub-

---

4. Sur l'idée que Dieu est sans commune mesure avec sa créature,
cf. I, 4, 2 et t. 1, p. 116, n. 3 qui signale un rapprochement avec Irénée.
Selon MEIJERING (p. 16 et 131), la source serait XÉNOPHANE (*FVS* 21,
B. 23 et B. 14).

5. Sur l'opposition *substantia/nomen* (*uocabulum*), cf. I, 7, 2-4.

6. Habile utilisation du thème des anthropomorphismes bibliques,
interprétés selon la tradition des apologistes, eux-mêmes tributaires de
PHILON (cf. *Deus* 51-59). Cf. ORIGÈNE, *C. Cels.* 6, 61 s.

bilitas substantiae humanae quam incorruptorios in Deo
efficit incorruptibilitas substantiae diuinae. **5.** Certe
Deum confiteris Creatorem? **(5)** Certe, inquis. Quomodo
ergo in Deo humanum aliquid existimas, et non diuinum
40 omne? Quem Deum non negas confiteris non humanum,
siquidem Deum confitendo praeiudicasti utique illum ab
omni humanarum condicionum qualitate diuersum. Porro
cum pariter agnoscas hominem a Deo inflatum in animam
uiuam[b], non Deum ab homine, satis peruersum est, ut in
45 Deo potius humana constituas quam in homine diuina, et
hominis imaginem Deo imbuas potius quam Dei homini.
6. Et haec ergo imago censenda est Dei in homine[c], quod
eosdem motus et sensus habeat animus humanus quos et
Deus, licet non tales, quales Deus; pro substantia enim et
50 status eorum et exitus distant. Denique contrarios eorum
sensus, lenitatem dico patientiam misericordiam ipsamque
matricem earum bonitatem, cur diuina praesumitis? Nec
tamen perfecte ea obtinemus, quia solus Deus perfectus[d].

XVI, 38 Creatorem : *interrogationem sign. Ev.* || 39 existimas : -times *X*
|| 46 imaginem *Mγ Kr.* : -gine *R Mor. Ev.* * || Deo *Kr.* : deum θ *Mor.
Ev.* * || imbuas *MX* R : induas *F Kr. Mor. Ev.* * || homini *Mγ Kr.* :
hominem *R Mor. Ev.* * || 48 animus humanus *M Kr.* : *inu.* β *Mor. Ev.*

XVI. b. Cf. Gen. 2, 7 || c. Cf. Gen. 1, 26 || d. Cf. Matth. 5, 48

---

1. La formulation pourrait laisser penser que Tert. admet en Dieu
comme en l'homme l'existence d'un *corpus* et d'un *animus* distincts. En
fait la distinction traditionnelle ne lui sert qu'à tirer parti de l'interprétation spirituelle habituellement reçue des «membres» de Dieu : il l'étend
aux «sentiments», pour réfuter la thèse adverse. Sur le vocabulaire de ce
passage, cf. *Deus Christ.*, p. 60-61.
2. Rappel du plein statut de dieu que le système marcionite accorde
au Créateur (cf. I, 2, 1; 6, 4; 11, 6; etc.) : il permet à l'auteur d'exploiter
l'argument sur l'antinomie du divin et de l'humain.

stance humaine les rend, dans l'homme, corrupteurs tout autant que l'incorruptibilité de la substance divine les rend, en Dieu, incapables de corruption[1].   **5.** Pour sûr, tu reconnais que le Créateur est Dieu ? – **(5)** Oui, pour sûr, dis-tu. – Comment donc estimes-tu qu'il y a en Dieu quelque chose d'humain, au lieu d'estimer qu'en lui tout est divin ? Celui dont tu ne nies pas la divinité, tu reconnais sa non-humanité, puisque, en le reconnaissant comme Dieu, tu as préjugé en tout cas qu'il était qualitativement différent de toute condition humaine[2]. Poursuivons : puisque tu admets également que l'homme a été formé par Dieu, de son souffle, en âme vivante[b], et non Dieu par l'homme, c'est une belle absurdité de mettre en Dieu les qualités humaines, plutôt qu'en l'homme les qualités divines, et d'imposer à Dieu l'image de l'homme plutôt qu'à l'homme celle de Dieu[3] !   **6.** Or donc, s'il faut voir en l'homme l'image de Dieu[c], c'est précisément parce que l'esprit humain possède les mêmes mouvements et les mêmes sentiments que Dieu, bien qu'ils ne soient pas dans l'homme tels qu'ils sont en Dieu ; car selon la substance à laquelle ils appartiennent, ils diffèrent de statut et de finalité[4]. Considérons enfin les sentiments contraires, j'entends la douceur, la patience, la miséricorde et, leur source à toutes, la bonté elle-même : pourquoi les présumez-vous divins ? Cependant, nous n'y atteignons pas non plus parfaitement, puisque Dieu seul est parfait[d][5].

---

3. Cf. *supra* II, 9. Les marcionites admettant que l'homme est bien l'œuvre et l'image du Créateur (cf. I, 14, 2 ; etc.), Tert. exploite son argument d'une autre façon. Sur la leçon *imbuas*, voir Notes critiques, p. 193.

4. Réaffirmation de la thèse présentée au § 4.

5. Argument tiré des contraires : les « sentiments » de miséricorde et de bonté, que l'homme n'éprouve pas non plus dans leur perfection, celle-ci étant réservée à Dieu (cf. I, 24 ; II, 13, 5). Tert. peut se souvenir ici que, selon les stoïciens, la pitié appartient aux παθήματα. Habilement

Ita et illas species, irae dico et exasperationis, non tam
55 feliciter patimur, quia solus Deus de incorruptibilitatis
proprietate felix.   7. Irascetur enim, sed non < concitabitur >, exacerbabitur, sed non periclitabitur, mouebitur,
sed non euertetur. Omnia necesse est adhibeat propter
omnia, tot sensus quot et causas : et iram propter scelestos
60 et bilem propter ingratos et aemulationem propter
superbos et quicquid non expedit malis. Sic et misericordiam propter errantes et patientiam propter non respicientes et praestantiam propter merentes et quicquid bonis
opus est. Quae omnia patitur suo more, quo eum pati
65 condecet, propter quem homo eadem patitur, aeque suo
more.

XVII. 1. Haec itaque dispecta totum ordinem dei
iudicis operarium et, ut dignius dixerim, protectorem
catholicae et summae illius bonitatis ostendunt, quam
semotam a iudiciariis sensibus et in suo statu puram nolunt

XVI, 54 irae dico R_2 *(coni.)* R_3 *Kr. Mor. Ev.* : praedico $M\gamma$ R_1R_2 ||
56 concitabitur *addidi* : quatietur *add. Ev.*   conturbabitur *siue* exturbabitur *(Eng.)* *siue aliquid simile intercidisse censuit Kr. qui post* non *lacunam
signauit* * || 62 non respicientes θ *Mor.* : non resipiscentes R_2 *(coni.)* *Ev.*
non *delendum et* respicientes *secundum Lc 9, 62 interpretandum censuit Kr.* *
XVII, 1 itaque *M Pam.* : ita β *Kr. Mor. Ev.* * || 4 nolunt : norunt *M*

---

en tout cas, la fin de sa démonstration associe aux sentiments acrimo-
nieux les sentiments opposés, que les marcionites admettent et même
exaltent dans leur dieu.
    1. Voir Notes critiques, p. 194.
    2. Allusion probable à la règle de l'apôtre Paul (*I Cor.* 9, 22 : « Je me
suis fait *tout à tous* afin de les sauver tous »; cf. I, 20, 3; IV, 3, 3; V, 3, 5;
Id. 14, 4; *Mon.* 14, 2). Elle est ici étendue à Dieu même.
    3. Voir Notes critiques, p. 195.
    4. Sur le sens de *praestantia*, voir *Deus Christ.*, p. 124-125. Aux

Ainsi en est-il des sentiments de l'autre catégorie, j'entends de la colère et de l'exaspération : nous ne les éprouvons pas avec autant de bonheur parce que Dieu seul, possédant en propre l'incorruptibilité, est heureux.   **7.** Il se mettra en colère, mais sans trouble ; il s'exaspèrera, mais sans danger ; il s'émouvra, mais sans bouleversement[1]. Pour s'employer à tout, il lui faut tout : autant de sentiments que d'objets[2] : et la colère pour les criminels, et l'indignation pour les ingrats, et l'hostilité pour les orgueilleux, bref tout ce qui n'est guère avantageux aux méchants. De même aussi il a et la miséricorde pour ceux qui errent, et la patience pour ceux qui ne tournent pas leurs regards vers lui[3], et la générosité[4] pour ceux qui sont méritants, bref tout ce qu'il faut pour les bons. Tous ces sentiments, il les éprouve à sa manière, telle qu'il lui convient de les éprouver ; et c'est à cause de lui que l'homme éprouve les mêmes sentiments, également à sa manière[5].

Patience et miséricorde du Créateur   **XVII. 1.** Ainsi[6] cette claire vision des choses fait apparaître toute l'économie du dieu juge comme ouvrière et, pour parler plus dignement, protectrice de cette bonté universelle et suprême[7] que les marcionites, la séparant des sentiments relatifs à la justice et l'établissant dans toute la pureté de son statut, ne veulent pas recon-

exemples de *praestare* absolu (= «donner», «rendre service»), on ajoutera LACTANCE, *Ira* 18, 14 (*SC* 289, p. 187, en corrigeant la traduction).

5. Conclusion qui sauvegarde l'infinie transcendance de Dieu par rapport à ses créatures, tout en maintenant que l'être humain est à son image. Renvoi, par *patitur*, au terme *passio* (§ 4, l. 26) dont les marcionites ne veulent pas à propos de Dieu.

6. Cf. Notes critiques, p. 195.

7. Reprise de l'idée fondamentale (inséparabilité de la justice et de la bonté) : cf. *supra* II, 13, 1.

5 Marcionitae in eodem deo agnoscere, pluentem super
bonos et malos et solem suum oriri facientem super iustos
et iniustos[a], quod alius deus omnino non praestat. Nam
etsi hoc quoque testimonium Christi in Creatorem Marcion de euangelio eradere ausus est, sed ipse mundus
10 inscriptus est et omni a conscientia legitur.   **2.** Et erit
haec ipsa patientia Creatoris in iudicium Marcionis, illa
patientia, quae expectat paenitentiam potius peccatoris
quam mortem[b] et mauult misericordiam quam sacrificium[c], auertens destinatum iam exitium Niniuitis[d] et
15 largiens spatium uitae Ezechiae lacrimis[e] et restituens
statum regni Babylonis tyranno paenitentia functo[f] : illam
dico misericordiam, quae et filium Saulis moriturum ex
deuotione populo concessit[g] et Dauid delicta in domum
Vriae confessum uenia liberauit[h] et ipsum Israhel totiens
20 restituit quotiens iudicauit, totiens refouit quotiens et
increpuit.   **3.** Non solum igitur iudicem aspiciens con-
uertere et ad optimi exempla : notans cum ulciscitur,

XVII, 5-6 pluentem ... facientem : -te ... -te *Kr.* ‖ 14 destinatum iam
M Kr. Mor. : *inu.* β *Ev.* ‖ 18 populo *M R₃ Kr. Mor. Ev.* : -li γ *R₁R₂* ‖
delicta : delictum *X*

XVII. a. Cf. Matth. 5, 45 ‖ b. Cf. Éz. 33, 11 ‖ c. Cf. Os. 6, 6 ‖ d. Cf.
Jonas 3, 10 ‖ e. Cf. IV Rois 20, 3-6; Is. 38, 1-5 ‖ f. Cf. Dan. 4, 33 ‖
g. Cf. I Sam. 14, 45 ‖ h. Cf. II Sam. 12, 13

---

1. Cf. I, 25, 1-2.
2. Cette parole du Christ dans le Sermon sur la montagne selon
Matth. 5, 45 est plusieurs fois invoquée comme témoignage de la
patience, donc de la bonté du Créateur, et souvent avec une pointe
antimarcionite : cf. *Praes.* 44, 11; *Pat.* 2, 1-2; *Marc.* IV, 17, 6-7 et 36, 3;
An. 47, 2; *Res.* 26, 8; également chez IRÉNÉE, *Haer.* 2, 22, 2; 3, 25, 4;
4, 13, 3; 4, 36, 6 (l. 261 s.); 5, 2, 2; 5, 27, 1.
3. Cf. *supra* II, 16, 7 et p. 106, n. 4.
4. Voir *supra* II, 15, 3 et la note sur *euangelium ueritatis* (p. 98, n. 3).
La remarque de Tert. (cf. *Marc.* IV, 17, 6) n'est exacte que par rapport à

naître dans le même dieu[1] : c'est elle pourtant qui envoie sa
pluie sur les bons et sur les méchants, fait lever son soleil
sur les justes et sur les injustes[a][2], et ces bienfaits, on ne voit
absolument pas d'autre dieu qui les procure[3]. Car Marcion
a beau avoir eu l'audace d'effacer aussi de son évangile ce
témoignage du Christ en faveur du Créateur[4], le monde
lui-même le porte gravé en lui et il est lu par toute
conscience[5]. **2.** Et c'est cette patience même du Créateur
qui servira à condamner Marcion, cette patience qui attend
la pénitence du pécheur plutôt que sa mort[b] et préfère la
miséricorde au sacrifice[c] : elle suspend la ruine déjà décidée
de Ninive[d], elle accorde un délai de vie aux larmes
d'Ézéchias[e], elle rend la royauté de Babylone au tyran qui a
fait pénitence[f][6]. La miséricorde dont je parle, c'est celle qui
a accordé au peuple, à cause de sa piété, la vie du fils de
Saül qui était près de mourir[g], celle qui, par le pardon, a
sauvé David une fois qu'il eut confessé ses fautes contre la
maison d'Urie[h], celle qui a restauré Israël autant de fois
que condamné, réconforté autant de fois qu'invectivé[7].
3. Ne regarde donc pas seulement le juge ; tourne-toi aussi
vers les exemples qui manifestent le dieu très bon. Tu notes

la forme pleine de l'évangile tétramorphe. Le texte de *Lc.* 6, 35 (parallèle
à *Matth.* 5, 45), que ce soit sous sa forme catholique ou sous sa forme
marcionite, ne comporte pas la mention relative au soleil et à la pluie.

5. Sur la double voie de la connaissance naturelle de Dieu, cf. I, 10.
La construction de *inscriptus* (avec l'accusatif sous-entendu *hoc testimonium*) est sur le modèle de Virgile, *Buc.* 3, 106 (*inscripti nomina regum
flores*); cf. *TLL* VII, 1, c. 1848, l. 79 s. L'image se poursuit avec *legitur*
(sujet : *mundus inscriptus*).

6. Au *testimonium* néotestamentaire non admis par Marcion succèdent
cinq témoignages vétérotestamentaires illustrant la patience, forme de la
bonté. Sur *Éz.* 33, 11, cf. *supra* II, 13, 5.

7. Groupement ternaire, scandé par la reprise de *et*, et illustrant la
miséricorde du Créateur : aux deux exemples particuliers tirés des *Règnes*
succède le thème plus général des transgressions d'Israël (cf. *supra*
II, 14, 4 et p. 95, n. 4).

considera cum indulget; repende austeritati lenitatem.
Cum utrumque conueneris in Creatore, inuenies in eo et
25 illud, propter quod alterum deum credis. Veni denique ad
inspectationem doctrinarum disciplinarum praeceptorum
consiliorumque eius. Dices forsitan haec etiam humanis
legibus determinari. Sed ante Lycurgos et Solonas omnes
Moyses et Deus. Nulla posteritas non a primordiis accipit.
30 **4.** Tamen non a tuo deo didicit Creator meus praescribere : *Non occides, non adulterabis, non furaberis, non falsum
testimonium dices, alienum non concupisces*[i], *honora patrem et
matrem*[j], et *diliges proximum tuum ut temetipsum*[k]. Ad haec
innocentiae, pudicitiae et iustitiae et pietatis principalia
35 consulta accedunt etiam humanitatis praescripta, cum sep-
timo quoque anno seruitia libertate soluuntur[l], cum eodem
tempore agro parcitur egenis cedendo locum[m], < cum >
boui etiam terenti uincula oris remittuntur ad fructum

XVII, 25 quod *Vrs. Kr. Mor. Ev.* : quem θ ‖ 28 determinari *M* R₂R₃
Kr. Mor. Ev. : -naris γ R₁ ‖ 30 praescribere R *Kr. Mor. Ev.* : proscr- *M*γ
Rig. ‖ 33 temetipsum *M Kr. Mor.* : te ipsum β *Ev.* ‖ 37 cum *add. Kr.* *

XVII. i. Ex. 20, 13-17 ‖ j. Ex. 20, 12 ‖ k. Lév. 19, 18 ‖ l. Cf. Ex.
21, 2 ‖ m. Cf. Ex. 23, 11 ; Lév. 25, 4-6

---

1. Cette suite pressante d'impératifs adressés à Marcion (ou au
marcionite) forme transition entre les exemples d'*actes* (§ 2) et les
exemples d'*enseignements* (§ 4) du Créateur. Elle met en relief l'inutilité du
dualisme divin conçu par Marcion. *Optimus* est le titre même de son dieu
suprême : cf. I, 6, 1.
2. Objection prêtée à Marcion, sur le modèle des païens auxquels il
est assmilé (cf. I, 4, 1 ; 5, 1 ; etc.). En fait, si l'hérétique rejetait l'A. T.
comme livre du Démiurge, il n'y voyait pas cependant un livre
mensonger ; il admettait qu'il contenait des choses justes contre le mal et
le péché ; cf. HARNACK, *Marcion*, p. 116.

quand il se venge; considère quand il est indulgent. Mets
dans la balance, en face de la sévérité, la douceur. Comme
tu rencontreras les deux chez le Créateur, en lui aussi tu
trouveras ce qui te fait croire à un autre dieu[1]. Viens enfin
passer en revue ses doctrines, ses disciplines, ses préceptes
et ses conseils. Peut-être diras-tu que même les lois
humaines présentent ces dispositions[2]. Mais avant tous les
Lycurgues et les Solons, il y a Dieu et Moïse. Pas d'âge
postérieur qui ne reçoive des origines[3]! **4.** Cependant, ce
n'est pas de ton dieu que mon Créateur a appris à édicter[4] :
«Tu ne tueras pas, tu ne commettras pas d'adultère, tu ne
voleras pas, tu ne diras pas de faux témoignage, tu ne
convoiteras pas le bien d'autrui[i]», «honore ton père et ta
mère[j]» et «tu aimeras ton prochain comme toi-même[k5]».
A ces arrêts principaux qui édictent l'innocence, la pureté,
la justice, la piété, s'ajoutent même des prescriptions sur le
devoir d'humanité[6] : tous les sept ans, on affranchit les
esclaves[l]; à la même époque, on laisse les champs en
jachère pour céder la place aux indigents[m]; on détache
même la muselière du bœuf qui foule le grain pour lui

---

3. L'antériorité de l'A. T., notamment du Pentateuque, sur la littérature profane et les législations du monde grec est un thème apologétique
issu du judaïsme : cf. *Ap.* 19, 2-4 et *Fragmentum Fuldense* (*Ap.* 19, 1*-
10*); ORIGÈNE, *C. Cels.* 4, 11; 4, 36; 6, 43; 7, 28, et plus particulièrement 4, 21 (*SC* 136, note des p. 232-233). Ce thème est ici associé au
schéma de l'antérieur et du postérieur cher à notre auteur : cf. I, 9, 5 et
p. 140, n. 1.

4. Allusion ironique à la révélation tardive du «dieu inconnu» :
cf. I, 8-21.

5. Ce précepte tiré du *Lévitique*, peut-être le plus proche de l'esprit du
N.T., est habilement utilisé pour clore le rappel des commandements
moraux les plus universels du Décalogue.

6. Les *praescripta humanitatis* (ici *humanitas* = *benignitas*, φιλανθρωπία,
comme en I, 27, 3 et en *Pud.* 6, 4) sont distingués des précédents devoirs
pour parfaire la démonstration sur la bonté du Dieu de l'A. T., qui est
montré ainsi miséricordieux envers les esclaves, les pauvres, les bêtes.

praesentis laboris[n], quo facilius in pecudibus praemeditata
40 humanitas in hominum refrigeria erudiretur.

XVIII. 1. Sed quae potius legis bona defendam quam
quae haeresis concu < tere concu > piit? Vt talionis defini-
tionem, oculum pro oculo, dentem pro dente[a] et liuorem
pro liuore repetentis[b]. Non enim iniuriae mutuo exer-
5 cendae licentiam sapit, sed in totum cohibendae uiolentiae
prospicit, ut, quia durissimo et infideli in Deum populo
longum uel etiam incredibile uideretur a Deo expectare
defensam, edicendam postea per prophetam : *Mihi
defensam, et ego defendam, dicit Dominus*[c], interim commissio
10 iniuriae metu uicis statim occursurae repastinaretur et
licentia retributionis prohibitio esset prouocationis, ut sic
improbitas astuta cessaret, dum secunda permissa prima
terretur et prima deterrita nec secunda committitur, qua et

XVII, 40 erudiretur : -diret γ
XVIII, 1 potius legis bona : b. p. l. X ‖ 2 concutere concupiit *Kr.*
Ev. : concupiit θ *Mor.* * ‖ 12 astuta *MG* R, *Mor.* : aestuata (est- γ) γ
R,R, *Ev.*   a se tuta *Kr.*   aestimata R, *(coni.)* *

XVII. n. Cf. Deut. 25, 4; I Cor. 9, 9
XVIII. a. Cf. Ex. 21, 24 ‖ b. Cf. Ex. 21, 25 ‖ c. Rom. 12, 19; cf.
Deut. 32, 35 ; Hébr. 10, 30

1. La prescription de *Deut.* 25, 4 vise à permettre au bœuf de manger
pendant son travail sur l'aire. Selon *I Cor.* 9, 9-10, elle s'appliquerait non
aux animaux, mais aux hommes : elle exprimerait le droit pout tout
travailleur, surtout le missionnaire, d'avoir son salaire. Tert. combine
deux interprétations : l'interprétation littérale qu'à la différence de Paul,
il ne rejette pas et qu'il explicite par les mots *ad fructum praesentis laboris*;
et l'interprétation figurée qu'il reçoit de l'Apôtre. La notion de «pédagogie divine», inspirée d'Irénée, lui permet de passer de l'une à l'autre :
cf. *Marc.* IV, 24, 5 (où est rapproché *Lc* 10, 7). L'*apostolicon* marcionite

donner le fruit de son labeur présent[n], et cela pour que, en s'exerçant d'abord sur le bétail, le devoir d'humanité fît plus facilement son apprentissage en vue de soulager ensuite les hommes[1].

**Les «duretés»
de la Loi
a) Le talion**

XVIII. 1. Mais sur quels points défendre la bonté de la loi mieux que sur ceux où l'hérésie a désiré la renverser[2]? Ainsi la mesure du talion qui réclame œil pour œil, dent pour dent[a], meurtrissure pour meurtrissure[b]. Elle ne signifie pas le libre cours laissé à l'injustice mutuelle, mais elle vise au contraire à inhiber totalement la violence[3]. Ce peuple au cœur très dur et infidèle envers Dieu aurait trouvé bien long ou même inconcevable d'attendre de Dieu la vengeance, celle qu'il devait, plus tard, faire annoncer par le prophète : «A moi la vengeance; c'est moi qui vengerai, dit le Seigneur[c].» En attendant, on serait retenu[4] de commettre un tort par la crainte de l'immédiateté de la riposte, et le droit de rendre la pareille servirait à empêcher la provocation : ainsi la méchanceté, habile, se tiendrait en repos[5], étant donné que la permission d'infliger un deuxième mal dissuade d'en infliger un premier et que, le premier dissuadé, le deuxième

avait conservé d'ailleurs ce souvenir de l'A. T. : cf. *Marc.* V, 7, 10; HARNACK, *Marcion*, p. 86*. Sur le texte adopté, voir Notes critiques, p. 195.

2. Voir Notes critiques, p. 196.

3. Sur la justification du talion et sur le texte biblique cité, voir note complémentaire 27 (p. 220).

4. Le verbe *repastinare* (de *pastinum*, «houe») est un verbe technique de la langue agricole («houer», «nettoyer»), que Tert. est apparemment le seul auteur à employer dans des acceptions figurées : a) «réformer», «corriger» (cf. *An.* 50, 4); b) «limiter», «retenir»; «empêcher» (ici). Voir HOPPE, *SuS* (*trad. it.*), p. 248; WASZINK, *Comm. An.*, p. 525.

5. Voir Notes critiques, p. 196.

alias facilior timor talionis per eundem saporem passionis.
15 Nihil amarius quam id ipsum pati, quod feceris aliis.

2. Et si lex aliquid cibis detrahit et inmunda pronuntiat
animalia[d], quae aliquando benedicta sunt[e], consilium exercendae continentiae intellege et frenos impositos illi gulae
agnosce, quae, cum panem ederet angelorum[f], cucumeres
20 et pepones Aegyptiorum desiderabat[g]. Agnosce simul et
comitibus gulae, libidini scilicet atque luxuriae, pros-
pectum, quae fere uentris castigatione frigescunt. *Mandu-
cauerat* enim *populus et biberat et surrexerat ludere*[h]. Proinde,
ut et pecuniae ardor restingeretur ex parte, qua de uictus
25 necessitate causatur, pretiosorum ciborum ambitio detracta
est. Postremo, ut facilius homo ad ieiunandum Deo

XVIII, 14 eundem θ *Mor. Ev.* : eiusdem *Kr. (fortasse recte)* ‖
21 atque : et *X* ‖ 24 restingeretur *M Kr. Mor.* : restringeretur β *Ev.*

XVIII. d. Cf. Lév. 11, 1-19; Deut. 14, 1-21 ‖ e. Cf. Gen. 1, 22.25 ‖
f. Cf. Ps. 77, 25 ‖ g. Cf. Nombr. 11, 4-6 ‖ h. Ex. 32, 6

1. Prolongeant la métaphore de *saporem*, cette sentence, dispropor-
tionnée après la longue phrase précédente, est peut-être un ajout de la
troisième édition. Elle est faite d'une sorte de variante de la «règle d'or»
(«Ne fais pas à autrui...»); cf. *Tob.* 4, 15; *Matth.* 7, 12; *Lc.* 6, 31;
Didaché 1, 2; voir A. DIHLE, *Die Goldene Regel*, Göttingen 1962; voir
aussi *supra* II, 10, 6.
2. Sur les prescriptions alimentaires de la Loi et, notamment,
sur les interdits que les antinomistes jugeaient contradictoires avec
les bénédictions de *Gen.* 1 (cf. NOVATIEN, *Cib. iud.* 2, 4), notre auteur
donne également une interprétation historique, dans la ligne d'IRÉNÉE,
Haer. 4, 15, 1 : «Mais quand ensuite ils se tournèrent vers la fabrication
d'un veau et qu'ils revinrent de cœur en Égypte, désirant être esclaves
plutôt que libres, alors, conformément à leur convoitise, ils reçurent
toutes les autres prescriptions cultuelles, qui, sans les séparer de Dieu,
les dompteraient sous un joug de servitude» (trad. A. Rousseau,
SC 100, p. 551; cf. NOVATIEN, *Cib. iud.* 3, 2 s.). Mais son explication
reste générale et ne verse pas dans l'allégorisme de l'*Épître de Barnabé*

non plus n'est pas commis ; c'est que, d'autre part, le talion
inspire plus facilement la peur parce qu'il comporte une
souffrance de même goût : rien n'est plus amer que de
souffrir soi-même ce que l'on a fait aux autres[1] !

b) Les interdits alimentaires   **2.** Quant aux restrictions que la
loi impose à la nourriture en décla-
rant impurs des animaux[d] jadis bé-
nis[e], vois là le conseil d'exercer la tempérance et
reconnais-y des freins imposés à la gourmandise de ce
peuple qui, nourri du pain des anges[f], regrettait les
concombres et les melons d'Égypte[g][2]. Reconnais là, en
même temps, un préventif contre les compagnes de la
gourmandise que sont la débauche et la luxure, généralement refroidies par la mortification des plaisirs du ventre[3].
Car « le peuple avait mangé et avait bu et il s'était levé pour
s'amuser[h][4] ». Pareillement, pour éteindre aussi la passion
de l'argent, puisqu'elle se cherche une excuse dans les
besoins alimentaires, ces interdits ont supprimé l'ambi-
tieuse recherche des nourritures coûteuses[5]. Enfin, le but
était de former plus facilement à la pratique du jeûne en
l'honneur de Dieu l'homme ainsi habitué à des mets peu

(10, 1 s.), qu'on retrouve dans NOVATIEN, *Cib. iud.* 3, 12-24. En
revanche, elle distingue soigneusement les trois vices que Dieu voulait
réprimer : le premier est la gourmandise (*gula*).

3. Second vice, étroitement solidaire du premier, l'intempérance
sexuelle : cf. *Iei.* 1, 1 (*Monstrum scilicet haberetur libido sine gula*) ; 5, 3-4.
Frigescit fait écho au proverbe : *Sine Cerere et Libero friget Venus* (cf.
TÉRENCE, *Eun.* 732 ; CICÉRON, *Nat. deor.* 2, 60 ; MINUCIUS FÉLIX,
Oct. 21, 2 ; etc. Cf. A. OTTO, *Die Sprichwörter...*, p. 366).

4. Cet épisode du veau d'or (cf. IRÉNÉE, *Haer.* 4, 15, 1 = *SC* 100,
p. 552) est évoqué aussi en *Cor.* 9, 3 et surtout en *Iei.* 6, 2 : *lusum nisi
impudicum non denotasset (scriptura)*. Cette valeur péjorative de *ludere* est
attestée par ses associations à *lasciuire* et *luxuriare* : voir TLL VII, 2,
c. 1770, l. 15 s.

5. Troisième vice, la cupidité, en rapport avec le luxe de la table :
référence possible aux lois somptuaires de Rome.

formaretur, paucis et non gloriosis escis adsuefactus, et
nihil de lautioribus esuriturus. **(3)** Reprehendendus sane
Creator, quod cibos potius populo suo abstulit quam
30 ingratioribus Marcionitis.

3. Sacrificiorum quoque onera et operationum et obla-
tionum negotiosas scrupulositates nemo reprehendat,
quasi Deus talia sibi proprie desiderauerit, qui tam manifeste exclamat : *Quo mihi multitudinem sacrificiorum uestro-*
35 *rum*[i]*?* et *Quis exquisiuit ista de manibus uestris*[j]*?* Sed illam Dei
industriam sentiat, qua populum pronum in idolatriam et
transgressionem eiusmodi officiis religioni suae uoluit
adstringere, quibus superstitio saeculi agebatur, ut ab ea
auocaret illos, sibi iubens fieri, quasi desideranti, ne simula-
40 cris faciendo delinqueret.

XVIII, 27 escis : cibis *X* ‖ adsuefactus et θ *Mor. Ev.* : adsuefactus est
Kr.   adsuefactus ut *van der Vliet* ‖ 40 faciendo *Kr.* : -endis θ *Mor. Ev.* *

XVIII. i. Is. 1, 11 ‖ j. Is. 1, 12

---

1. Dernière justification de la «pédagogie divine» de ces interdits : la
préparation à la discipline évangélique du jeûne, que le montanisme
devait encore resserrer (cf. *Iei.*). Cette justification est d'autant plus
habile ici que Marcion prescrivait une *perpetua abstinentia* (cf. *Iei.* 15, 1) ;
c'est peut-être même en y pensant que Tert. se livre, aussitôt après, à une
sortie contre l'ingratitude des marcionites.
2. Bénéficiaires d'une Création dont ils stigmatisent l'auteur
(cf. I, 14, 3-5), ces hérétiques sont plus ingrats encore que les juifs.
Même mouvement d'humour sarcastique qu'en I, 29, 8 (*gratus esses...*).
Voir aussi *Marc.* IV, 36, 3 (Le Créateur «*sustinens et alens et iuuans* etiam
Marcionitas» est bien le *deus optimus*).
3. Cf. *Praes.* 40, 6 qui rapproche la *morositas iudaicae legis* des «*sacrificiorum et piaculorum et uotorum* curiositates» instituées par Numa.
Operatio (attesté depuis Vitruve) est à prendre au sens de «sacrifices»,
«rites religieux», par retour à la valeur de *operari* dans la langue cultuelle

nombreux et sans faste, lui qui en viendra même à ne
désirer aucune nourriture trop délicate[1]. (3) Assurément,
ce qu'il faut reprocher au Créateur, c'est d'avoir retranché
des mets à son peuple plutôt qu'aux marcionites plus
ingrats encore[2]!

c) Les sacrifices 3. Que personne également n'aille
lui reprocher d'avoir imposé le far-
deau des sacrifices et la méticulosité pointilleuse des rites et
des offrandes[3], comme si Dieu en avait eu besoin pour
lui-même en propre, lui qui proclame si clairement : «Que
me fait la foule de vos sacrifices[i]?» et «Qui les a désirés de
vos mains[i]?» Mais qu'on se rende compte du dessein avisé
de Dieu[4] : voyant son peuple enclin à l'idolâtrie et à la
transgression, il a voulu l'enchaîner à son culte par des
obligations pareilles à celles qui réglaient la superstition du
monde, afin de les détourner de celle-ci : il ordonnait de les
pratiquer pour lui comme s'il en avait besoin, afin de
garder du péché de les pratiquer pour des idoles[5].

païenne : NONIUS 523, 8 le définit : *deos religiose et cum summa ueneratione
sacrificiis litare* (A. ERNOUT et A. MEILLET, *Dict. étym.*, p. 466).
   4. Le sujet de *sentiat* est à tirer de *nemo reprehendat*. Sur les sacrifices
rituels de l'Ancienne Alliance, dénoncés aussi par les antinomistes, Tert.
se réfère à l'explication traditionnelle de l'Église : a) le dieu de l'A. T. a
indiqué par ses prophètes qu'il n'en avait pas besoin pour lui-même;
b) il les a institués pour détourner son peuple de l'idolâtrie : cf. JUSTIN,
Dial. 16, 6; 22, 1 et 11; *Barn.* 2, 4-10 (qui cite *Is.*1, 11 s.); IRÉNÉE,
Haer. 4, 14, 3 («Lui-même n'avait nul besoin de tout cela ... Mais il
éduquait un peuple toujours enclin à retourner aux idoles, le disposant
par de multiples prestations à persévérer dans le service de Dieu», trad.
A. Rousseau, *SC* 100, p. 547); 4, 17, 1 (où *Is.* 1, 11 est cité : *ibid.*,
p. 578). On remarquera que, volontairement sans doute (cf. *infra*
II, 19, 1), rien n'est dit ici du sens «spirituel» et «figuratif» de ces
sacrifices dont parlent IRÉNÉE, *Haer.* 4, 14, 3 (l. 75-78) et PTOLÉMÉE,
Lettre à Flora 5, 9.
   5. Voir Notes critiques, p. 197.

XIX. 1. Sed et in ipsis commerciis uitae et conuersationis humanae domi ac foris adusque curam uasculorum[a] omnifariam distinxit, ut istis legalibus disciplinis occurrentibus ubique ne ulli momento uacarent a Dei respectu. Quid enim faceret beatum hominem quam : *In lege Domini uoluntas eius et in lege Domini meditabitur die ac nocte*[b]? Quam legem non duritia promulgauit auctoris, sed ratio summae benignitatis, populi potius duritiam edomantis et rudem obsequio fidem operosis officiis dedolantis, ut nihil de arcanis adtingam significantiis legis, spiritalis scilicet et propheticae et in omnibus paene argumentis figuratae. **2.** Sufficit enim in praesenti, si simpliciter hominem Deo obligabat, ut nemo eam reprobare debeat, nisi cui non placet Deo deseruire. Ad hoc beneficium, non onus, legis adiuuandum etiam prophetas eadem bonitas Dei ordinauit, docentes Deo digna : auferre nequitias de anima, discere

---

XIX, 4 ne θ *Mor.* : nec *Kr. Ev.* * || ulli θ : ullo *Lat. Kr. Mor. Ev.* * || momento *M R₃ Kr. Mor. Ev.* : momenta γ *R₁R₂* * || 10 significantiis *R₁(coni.) R₂R₃* : -antis *Mγ R₁*

XIX. a. Cf. Lév. 6, 21; 11, 32-33; 15, 12 || b. Ps. 1, 2

---

1. Élargissement à l'ensemble des prescriptions de la Loi, avec un dernier exemple de *scrupulositas* (les règles du *Lévitique* sur la vaisselle). L'explication est traditionnelle : cf. JUSTIN, *Dial.* 20, 1 (à propos des prescriptions alimentaires); 46, 5 (à propos des vêtements) et surtout IRÉNÉE, *Haer.* 4, 14, 3 (*per multas* uacationes ... seruire *Deo*; voir p. 117, n. 4). Pour le texte adopté, voir Notes critiques, p. 197.

2. A l'appui de l'interprétation est cité *Ps.* 1, 2; Tert. se limite à la partie positive du «macarisme» initial des *Psaumes*, la partie négative sera rappelée ci-dessous (§ 2); cf. *Pud.* 6, 4 (avec généralisation à toute la «loi divine») et, en allusion, *Vx.* I, 4, 4. Même utilisation par IRÉNÉE, *Haer.* 5, 8, 3 (*SC* 153, p. 100, l. 59 et p. 102, l. 67).

3. Retour à la bonté du Créateur, avec récapitulation de l'argument développé depuis le ch. 18, et rétorsion contre le peuple juif (cf. IRÉNÉE, *Haer.* 4, 15, 2) du grief marcionite de *duritia cordis*.

Bonté de la Loi et des prophètes

XIX. **1.** Mais concernant les relations de la vie et de la société humaine en privé et en public, si Dieu est entré dans des distinctions de toute sorte et jusque sur le soin à prendre des ustensiles[a], c'était pour les obliger, par ces prescriptions légales qui se présentaient à eux partout, à ne s'exempter pour aucun moment du respect dû à Dieu[1]. Qu'est-ce qui rendrait l'homme heureux, sinon : «Sa volonté repose dans la loi du Seigneur et il fera sa méditation, jour et nuit, de la loi du Seigneur[b2]»? La promulgation de cette loi ne vient pas de la dureté de cœur de son auteur, mais d'un plan de sa suprême bienveillance qui voulait bien plutôt adoucir la dureté de cœur de ce peuple et dégrossir par des devoirs astreignants une foi novice dans l'obéissance[3] — pour ne toucher mot des significations mystérieuses de la loi, évidemment spirituelle et prophétique et, en presque tous ses thèmes, figurative[4]. **2.** Présentement il suffit d'observer que, dans son sens littéral[5], elle attachait l'homme à Dieu, pour que personne ne doive la réprouver, sauf celui qui refuse de servir Dieu. Pour porter aide au bienfait — et non au fardeau — de la loi, cette même bonté divine a suscité la série des prophètes porteurs d'enseignements dignes de Dieu[6] : ôter de son âme les iniquités, apprendre à faire le

---

4. Sur cette interprétation figurée ou «typologique» de la Loi comme de tout l'A. T., voir en dernier lieu M. SIMONETTI, *Lettera e/o Allegoria*, Rome 1985 (en particulier, p. 19-29 et, pour Tert., p. 45-47). IRÉNÉE, *Haer.* 4, 14, 3, en faisait état. Voir des exemples ci-dessous : II, 21, 2 et 22, 1.

5. Sur *simplicitas*, *simpliciter*, désignant le «sens littéral» comme opposé à un sens plus profond, «figuré» ou «spirituel», voir O'MALLEY, *Tertullian and the Bible*, p. 169-170.

6. Sur la mission des prophètes, dont le premier a été Moïse, et dont l'enseignement prolonge la Loi, cf. *Ap.* 18, 2-5. Sur le motif de θεοπρεπές, voir Introduction, t. 1, p. 46.

benefacere, exquirere iudicium, iudicare pupillo et iustificare uiduam[c], diligere quaestiones[d], fugere improborum
contactum, dimittere conflictam integram, dissipare scrip-
20 turam iniustam, infringere panem esurienti, ut tectum non
habentem inducere in domum tuam, nudum si uideris,
contegere et domesticos seminis tui non despicere[e], com-
pescere linguam a malo et labia, ne loquantur dolum,
declinare a malo et facere bonum, quaerere pacem et sectari
25 eam[f], irasci et non delinquere[g], id est in ira non perseue-
rare siue saeuire, non abire in concilium impiorum nec
stare in uia peccatorum nec in cathedra pestilentium
sedere[h]. Sed ubi? 3. *Vide quam bonum et iocundum habitare
fratres in unum*[i], meditantes die ac nocte in lege Domini[j],
30 quia bonum scilicet fidere in Deum quam fidere in
hominem et sperare in Deum quam sperare in hominem[k].

XIX, 19 integram : in integram *M*   in integrum *Eng.* * ‖ 20 ut *M*γ
R₁R₂ : et *R₂* (*coni.*) *R₃ Kr. Mor. Ev.* *

XIX. c. Cf. Is. 1, 16-17 ‖ d. Cf. Is. 1, 18 (?) ‖ e. Cf. Is. 58, 6-7 ‖ f. Cf.
Ps. 33, 14-15 ‖ g. Cf. Ps. 4, 5 ‖ h. Cf. Ps. 1, 1 ‖ i. Ps. 132, 1 ‖ j. Cf. Ps.
1, 2 ‖ k. Cf. Ps. 117, 8-9

---

1. Adaptation d'*Is.* 1, 16-18 (avec substitution de l'infinitif à l'impé-
ratif). Pour le dernier verset, le sens est douteux. Les traducteurs
modernes comprennent «Venez et discutons, dit le Seigneur» (*TOB*, qui
voit là une formule de diatribe juridique). Nous pensons que Tert. a
compris ce verset comme un appel à se soumettre aux débats sans
adopter une attitude autoritaire et renfermée. Evans traduit : «to love
requests < for God's guidance > »; Moreschini : «amare l'indagine del
vero».
2. Même sorte d'adaptation (avec vestiges des secondes personnes du
texte) d'*Is.* 58, 6-7, qui définit le véritable «jeûne». Au v. 6, σύνδεσμον
ἀδικίας paraît compris à la lumière de *Ps.* 1, 1 (cf. ci-dessous : *non abire in
concilium impiorum*). Grande liberté dans la substitution du féminin
conflictam au masculin pluriel (cf. Vulg. : *eos qui confracti sunt*). Sur le
maintien de ce texte et sur la leçon *ut* que nous adoptons dans la suite,
voir Notes critiques, p. 198.

bien, rechercher la justice, juger en faveur de l'orphelin et
rendre justice à la veuve[c], aimer se laisser interroger[d1], fuir
la compagnie des méchants, laisser partir en toute liberté
la femme broyée < par l'épreuve >, rompre le contrat
injuste, partager son pain avec l'affamé, comme introduire
dans sa maison celui qui n'a pas d'abri, couvrir celui qu'on
a vu nu et ne pas mépriser ses frères de race[e2], garder sa
langue du mal et ses lèvres des paroles trompeuses, éviter
le mal et faire le bien, chercher la paix et s'y attacher[f3], se
mettre en colère et ne pas pécher[g], c'est-à-dire ne pas
persévérer ou se déchaîner dans sa colère[4], ne pas fréquenter l'assemblée des impies et ne pas se tenir dans la
voie des pécheurs et ne pas s'asseoir dans la chaire de
pestilence[h5]. Mais en quel lieu alors[6]? **3.** «Vois comme il
est bon et agréable pour des frères d'habiter ensemble[i7]»
en faisant leur méditation, jour et nuit, de la loi du
Seigneur[j8]! parce que, assurément, il est bon de mettre sa
confiance en Dieu plutôt qu'en l'homme et son espoir en

3. A partir d'ici, notre auteur ne se réfère plus qu'aux Psaumes,
comme relevant de la prophétie : sur la portée morale et doctrinale qu'il
leur a donnée, voir notre étude «Le témoignage des Psaumes», p. 154 s.
Ici les premiers passages psalmiques sont adaptés pour prolonger ceux
d'Isaïe.

4. Cf. *Marc*.V, 18, 6. *Ps.* 4, 5 est cité selon la LXX (cf. *Éphés.* 4, 26).
Le texte hébreu dit : «Frémissez et ne péchez plus» (*TOB*). L'interprétation de Tert. est proche de celle de CLÉMENT ALEX., *Strom.* 5, 28, 2
(«ne pas passer à l'action en ratifiant la colère»).

5. Entendu ici dans son sens «simple» comme porteur d'un enseignement moral, *Ps.* 1, 1 est compris ailleurs (*Spec.* 3, 3-4; *Marc.* IV, 42, 8 et
43, 1) dans son sens «prophétique» comme annonçant Joseph d'Arima-
thie : cf. notre étude «Le témoignage des Psaumes», p. 155 s.

6. Transition vive pour passer des conseil négatifs («lieux à ne pas
fréquenter») aux conseils positifs que contiennent les Psaumes.

7. Cf. *Iei.* 13, 7 (application aux réunions chrétiennes).

8. Voir *supra* § 1 et p. 118, n. 2.

Qualis enim apud Deum merces homini? *Et erit tamquam
lignum, quod plantatum est iuxta exitus aquarum, quod fructum
suum dabit in tempore suo, et folium eius non decidet et omnia,*
35 *quaecumque faciet, prosperabuntur illi*[1]. *Innocens* autem *et purus
corde, qui non accipiet in uanum nomen Dei et non iurabit ad
proximum suum in dolo, iste accipiet benedictionem a Domino
et misericordiam a Deo salutificatore suo*[m]. **4.** *Oculi* enim
Domini super timentes eum, sperantes in misericordiam ipsius, ad
40 *deliberandas animas eorum de morte,* utique aeterna, *et nutri-
candos eos in fame*[n], utique uitae aeternae. *Multae* enim
pressurae iustorum, et ex omnibus liberabit eos Dominus[o].
Honorabilis mors in conspectu Domini sanctorum eius[p]. *Dominus*

XIX, 35 illi : *om. M* ‖ 36 accipiet *Mγ R₁ Kr. Mor.* : accepit *R₂R₃ Ev.* ‖
non iurabit *Kr. Mor.* : non iurauit *MX R Ev.*   intrauit *F* ‖ 38 salutificatore *M R Kr. Mor. Ev.* : salutificatori *X*   salutari *F* ‖ 39-40 ad
deliberandas *R Kr. Mor. Ev.* : ad eliberandas *MF*   a deliberandas *X* ‖
42 liberabit *R₂R₃ Kr. Mor. Ev.* : -rauit *Mγ R₁*

XIX. l. Ps. 1, 3 ‖ m. Ps. 23, 4-5 ‖ n. Ps. 32, 18-19 ‖ o. Ps. 33, 20 ‖
p. Ps. 115, 6 (LXX) = Ps. 115, 15 (Vulg.)

---

1. La fin de la citation (*sperare in hominem*), ici comme en
Marc. V, 6, 13 (*fidere in hominibus*), s'écarte du texte reçu de *Ps.* 117, 9
(LXX : ἐλπίζειν ἐπ' ἄρχοντας; Vulg. : *sperare in principibus*) que supposent aussi les traductions données en *Marc.* IV, 15, 15 (*sperare in prin-
cipes*), IV, 27, 5 (*confidere in praepositos*) V, 14, 11 (*sperare in magistratus*).
Peut-être y a-t-il eu croisement avec la formule de *I Cor.* 3, 21 (*nemo
glorietur in homine*) ou celle de *Jér.* 17, 5 (*miserum hominem qui spem habet in
hominem*), toutes deux citées en *Marc.* V, 6, 13. Peut-être aussi le psautier
de Tert. présentait-il une glose comme celle qu'on lit dans un psautier de
Qumrân : «Mieux vaut compter sur le Seigneur que compter sur un
millier de gens» (cf. *TOB*, p. 1407, n. x).

Dieu plutôt qu'en l'homme[k][1]! Car quelle est, auprès de Dieu, la récompense de l'homme? «Et il sera comme un arbre planté près des sources d'eau; il donnera son fruit en toute saison, et son feuillage ne tombera pas, et toutes ses affaires tourneront bien pour lui[12]!» «L'homme innocent et au cœur pur, qui ne prendra pas en vain le nom de Dieu et ne fera pas de faux serments à son prochain avec ruse, celui-là recevra la bénédiction du Seigneur et la miséricorde de Dieu son sauveur[m][3].» **4.** Car «les yeux du Seigneur sont sur ceux qui le craignent, qui espèrent en sa miséricorde, pour arracher leurs âmes à la mort – évidemment la mort éternelle –, et les nourrir dans leur faim[n]» – évidemment leur faim de vie éternelle[4]! Car «nombreuses sont les tribulations des justes, et de toutes le Seigneur les délivrera[o]». «Honorable est aux yeux du Seigneur la mort de ses saints[p][5].» «Le Seigneur gardera

2. Cf. *Paen*. 4, 3 et *Id*. 15, 11 où Tert. fait allusion à ce verset en l'appliquant au croyant. JUSTIN, *Dial*. 86, 4, y voyait annoncé le Juste par excellence, le Christ.

3. La traduction donnée ici de *Ps*. 23, 4 parle du «nom» de Dieu, sans doute d'après *Ex*. 20, 7 (cf. *Id*. 20, 7 : *non sumes nomen domini dei tui in uano*). La LXX mentionne en fait «l'âme» (de Dieu). Plus ordinairement, comme la Vulgate («*non accipit in uano animam* suam»), on a compris qu'il s'agissait de l'âme de l'homme, qui ne devait pas se tourner vers le mal, le mensonge : cf. *TOB*, p. 1291, n. x. Sur le mot *salutificator*, voir *Deus Christ*., p. 487-490.

4. L'interprétation «simple» n'exclut pas que le salut soit entendu, non au sens matériel, mais au sens spirituel, comme le souligne le commentaire de «mort» et de «faim» : cf. *Or*. 6, 2. Le composé *deliberare* («délivrer»), qu'on ne rencontre qu'ici et en *Marc*. IV, 21, 11 avant l'époque du haut Moyen Age, est apparemment un mot de la *Vetus Latina*. Chez notre auteur *nutricare* ne se rencontre qu'en citation scripturaire (cf. *Vx*. I, 5, 2).

5. Ces deux *testimonia* sont appliqués aux martyres : cf. *Scor*. 8, 1 qui rapporte expressément le second à une mort affrontée *ex testimonio religionis et proelio confessionis pro iustitia et sacramento*. *Ps*. 115, 15 est cité aussi en *Marc* IV, 21, 9 et 39, 8. En fait il paraît avoir signifié : «Il en coûte au Seigneur de voir mourir ses fidèles» (*TOB*).

custodibit omnia ossa eorum et non comminuetur [q]. *Redimet*
45 *Dominus animas seruorum suorum* [r]. Pauca ista de tantis
scripturis Creatoris intulimus, et nihil, puto, iam ad testimonium Dei optimi deest, quod satis et praecepta bonitatis
et promissa consignant.

XX. 1. Sed enim sepiae isti, quorum figura illud
quoque pisculentum de cibis lex recusauit [a], ut traduc-
tionem sui sentiunt, tenebras hinc blasphemiae interuo-
munt atque ita intentionem uniuscuiusque iam proximam
5 dispargunt, iactitando et adseuerando ea, quae relucentem
bonitatem Creatoris infuscent. Sed et per istas caligines
sequemur nequitiam et in lucem extrahemus ingenia tenebrarum, obicientia Creatori uel maxime fraudem illam et

---

XIX, 44 custodibit *Eng. Kr. Mor.* : -diuit *MX R,* -dit *F R₂R₃ Ev.* *
|| et non *Mγ VL R, Kr. Mor.* : unum ex ipsis R₂R₃ *Ev.* * || comminuetur
MF R Ev. : -nuentur *XVL Kr. Mor.* * || Redimet *Pam. Kr. Mor. Ev.* :
redemit θ || 47 deest *M Kr. Mor.* : deesse β *Ev.*

XX, 5 dispargunt : dispergunt *X* || iactitando : iactando *R* || 8 obi-
cientia *R Kr. Mor. Ev.* : obiacentia *M* obiacientia γ

XIX. q. Ps. 33, 21 || r. Ps. 33, 23
XX. a. Cf. Lév. 11, 10; Deut. 14, 10; Barn. 10, 5

---

1. Voir Notes critiques, p. 199.
2. Conclusion récapitulative qui indique le plan suivi dans ce
groupement de textes scripturaires (*praecepta* renvoie à § 2b-3a, *promissa*
à § 3b-4a). A la différence de Moreschini et d'Evans qui rapportent
bonitatis au seul *praecepta*, nous pensons qu'il détermine aussi *promissa*;
sur ce tour, très fréquent chez notre auteur, par lequel le génitif se
substitue à l'adjectif correspondant, cf. HOPPE, *SuS* (*trad. it.*), p. 50-52.
Sur le Créateur comme véritable *deus optimus*, cf. *supra* II, 17, 3 (et
p. 108, n. 2).
3. Transition élaborée, rehaussée d'une métaphore animale (cf. *supra*
II, 5, 1 *canes*; voir Introduction, t. 1, p. 73) qui est filée avec soin
(*tenebras ... relucentem ... infuscent ... caligines ... lucem*) : elle introduit la
3ᵉ partie, où les attaques contre le Créateur, sur ses prétendues indignités

tous leurs ossements et ils ne seront pas brisés[q 1].» «Le Seigneur rachètera les âmes de ses serviteurs[r].» Ce ne sont là que quelques passages que nous avons présentés en les tirant de la masse des Écritures du Créateur, et cependant rien, je pense, ne manque désormais pour témoigner qu'il est le Dieu très bon : ce que consignent suffisamment aussi bien ses préceptes que ses promesses de bonté[2].

TROISIÉME PARTIE :
DÉFENSE DU CRÉATEUR CONTRE LES «BLASPHÈMES»

Vol aux Égyptiens de leur vaisselle

XX. 1. Mais ces hérétiques, de vraies seiches – car c'est en les préfigurant que la loi a retranché aussi des aliments ce plat de poisson[a] –, dès qu'ils se sentent découverts, vomissent autour d'eux les ténèbres de leur blasphème, et ils brisent l'étreinte, déjà toute proche, de chaque poursuivant en lançant à tous les échos des affirmations de nature à noircir l'éclatante bonté du Créateur. Mais jusqu'au milieu de ces nuages, nous poursuivrons leur malice et tirerons au jour ces esprits de ténèbres[3] : ce qu'ils objectent peut-être plus que tout au Créateur, c'est la fameuse tromperie et le vol des objets

(cf. *infra* II, 25, 1), prennent l'allure de blasphèmes. En *Lév.* 11, 10 (*Deut.* 14, 10) la LXX se contente d'une désignation générique sans faire mention expresse de la seiche : cette mention se trouve, par contre, dans l'*Épître de Barnabé* 10, 5 (*SC* 172, p. 150-152) qui l'assortit d'une interprétation symbolique, admise aussi par Tert. : interdiction de fréquenter des «hommes fondamentalement impies et déjà condamnés à mort». Or tel est bien le cas des hérétiques aux yeux de notre auteur. Sur l'idée que les hérésies et hérétiques étaient déjà annoncés dans l'A. T., cf. *infra* II, 26, 2. La description du comportement des seiches devant l'attaque paraît tributaire de PLINE, *H. N.* 9, 45 (*ubi* sensere *se adprehendi, effuso atramento quod pro sanguine his est,* infuscata *aqua absconduntur*). Le verbe *interuomere* est repris de LUCRÈCE 6, 894 (aucune autre attestation).

rapinam auri et argenti, mandata ab illo Hebraeis in
10 Aegyptios[b]. **2.** Age, infelicissime haeretice, te ipsum
expostulo arbitrum, cognosce in utramque gentem prius,
et ita de auctore praecepti iudicabis. Reposcunt Aegyptii
de Hebraeis uasa aurea et argentea. Contra Hebraei mutuas
petitiones instituunt, adlegantes sibi quoque eorundem
15 patrum nomine ex eodem scripturae instrumento mercedes
restitui oportere illius operariae seruitutis pro lateris
deductis, pro ciuitatibus et uillis aedificatis[c]. **3.** Quid
iudicabis, optimi dei elector? Hebraeos fraudem agnoscere
debere an Aegyptios compensationem? Nam et aiunt ita
20 actum per legatos utrimque, Aegyptiorum quidem repetentium uasa, Iudaeorum uero reposcentium operas suas.
Et tunc uasa ista renuntiauerunt sibi Aegyptii; hodie
aduersus Marcionitas amplius adlegant Hebraei, negantes
compensationi satis esse quantumuis illud auri et argenti,
25 <si> sexcentorum milium[d] operae per tot annos uel
singulis nummis diurnis aestimentur. **4.** Quae autem
pars maior, repetentium uasa an incolentium uillas et
urbes? Querela ergo maior Aegyptiorum an gratia

XX, 9 mandata θ : -datas R_2 *(coni.)*   -datam R*ig. Kr. Mor. Ev.* * ||
11 cognosce : et cognosce *X* || 16 lateris *M Kr.* : laternis *F*   laterinis *X*
R Mor. Ev. * || 22 tunc *scripsi* : tamen *codd. edd.* * || uasa ista *scripsi* : has
iustitia θ   uasis istis *Lat.*   uasis iustitia *Oehler Ev.*   has iniustitia *Kr.*
Mor. * || sibi θ *Kr. Mor.* : ibi *Oehler Ev.* || Aegyptii θ *Mor. Ev.* : -tiis *Kr.* ||
25 si sexcentorum R_3 *Kr. Mor. Ev.* : sexcentorum Mγ R_1R_2

XX. b. Cf. Ex. 3, 22; 11, 2; 12, 35-36 || c. Cf. Ex. 1, 11; 1, 13-14;
5, 6-17 || d. Cf. Ex.12, 37

---

1. Sur la critique marcionite de cet épisode de l'*Exode* et sur la
justification donnée ci-après (sources, argumentation, présentation rhétorique), voir la note complémentaire 28 (p. 224). Sur le problème
textuel, voir Notes critiques, p. 200.

d'or et d'argent, choses qu'il a ordonnées aux Hébreux à l'encontre des Égyptiens[b1]. **2.** Allons, très infortuné hérétique[2], je te prends toi-même pour arbitre, enquête d'abord sur chacun des deux peuples et ensuite tu prononceras ton jugement sur l'auteur de l'ordre en question. Les Égyptiens redemandent aux Hébreux leur vaisselle d'or et d'argent. Les Hébreux, en revanche, dressent des réclamations inverses, prétendant au nom de leurs pères et d'après le même document scripturaire qu'à eux aussi il faudrait rendre le salaire que leur laborieux esclavage méritait pour la fabrication de briques[3], pour la construction de villes et de palais[c]. **3.** Quel sera ton jugement, ô sectateur d'un dieu très bon[4]? Que les Hébreux doivent reconnaître qu'il y a eu tromperie de leur part, ou que les Égyptiens doivent admettre qu'il s'agissait là d'un dédommagement? Car c'est ainsi qu'on plaida, dit-on, de part et d'autre par l'intermédiaire d'envoyés : les Égyptiens redemandaient leur vaisselle, les Juifs réclamaient le prix de leur main-d'œuvre. Et alors, les Égyptiens renoncèrent à leurs droits sur cette vaisselle; et aujourd'hui, les Hébreux, eux, contre les marcionites, prétendent à davantage[5] : ils affirment que cette quantité d'or et d'argent, si grande fût-elle, n'était pas un dédommagement suffisant pour la main-d'œuvre de six cents mille hommes[d] pendant tant d'années, même estimée à un sesterce par jour et par individu. **4.** Qui l'emporte en grandeur, le nombre de ceux qui redemandent leur vaisselle, ou de ceux qui habitent palais et villes? Qui l'emporte en grandeur, la plainte des Égyptiens ou le titre

2. Allusion ironique, du même type que celle de I, 2, 1 (*naufragii sui*) : l'attaque contre le Créateur va tourner à la confusion de l'hérésiarque.

3. Sur la leçon adoptée, voir Notes critiques, p. 200.

4. Cf. *supra* II, 17, 3 et 19, 4 (p. 124, n. 2). *Elector* n'est attesté que depuis Tert. La périphrase a valeur d'argument, les Hébreux étant présentés comme les innocentes victimes de maîtres impitoyables.

5. Voir Notes critiques, p. 201.

Hebraeorum? Vt solo iniuriarum iudicio Hebraei Aegyp-
30 tios repercuterent, liberi homines in ergastulum subacti, ut
solas scapulas suas scribae eorum apud subsellia sua
ostenderent flagellorum contumeliosa atrocitate lacera-
tas[e] : non paucis lancibus et scyphis pauciorum utique
diuitum [ubique], sed totis et ipsorum facultatibus et
35 popularium omnium conlationibus satisfaciendum Hebraeis pronuntiasset. Igitur si bona Hebraeorum causa,
bona iam et causa, id est mandatum, Creatoris, qui et
Aegyptios gratos fecit nescientes et suum populum in
tempore expeditionis angusto aliquo solatio tacitae com-
40 pensationis expunxit. Plane minus exigi iussit. Hebraeis
enim etiam filios[f] Aegyptii restituere debuerant.

XXI. 1. Sic et in ceteris contrarietates praeceptorum ei
exprobras ut mobili et instabili, prohibenti sabbatis operari[a] et iubenti arcam circumferri per dies octo, id est etiam
sabbato, in expugnatione ciuitatis Iericho[b]. Nec sabbati

XX, 33 pauciorum utique : paucoriumque *X* ‖ 34 ubique *secl. Mor.* :
post totis *transt. Kr.* * ‖ 36 pronuntiasset θ *Ev.* (*scil. iudex*) : -tiasses *R₂*
(*coni.*) *Vrs. Mor.*　　-tiassent *Kr.* * ‖ 41 enim *M R₃ Kr. Mor.* : *om.* γ *R₁R₂*
Ev.
XXI, 2-3 prohibenti ... iubenti *Leopoldus Kr. Mor.* : -bentis ... -bentis
θ *Ev.* ‖ 4 Iericho *Mγ Kr. Mor.* : Hiericho *R Ev.*

XX. e. Cf. Ex. 5, 14-16 ‖ f. Cf. Ex. 1, 16; 1, 22
XXI. a. Cf. Ex. 20, 8-11 ‖ b. Cf. Jos. 6, 3-4

---

1. Voir Notes critiques, p. 202.
2. Le développement sur les *praecepta* contradictoires du Créateur est
introduit par une transition où l'expression *sic et in ceteris* suggère ce qui
sera dit en *Marc.* V, 13, 6 : l'ordre de voler les Égyptiens contredit
l'interdiction du vol du Décalogue (voir note complémentaire 28,
p. 224).
3. Sur les contradictions et les incohérences que Marcion reprochait
au dieu de l'A. T., qualifié de *mobilis, instabilis, leuis, diuersus*, et opposé

des Hébreux à la reconnaissance? Supposons que les
Hébreux, en retour, eussent intenté aux Égyptiens un
procès pour le seul fait des dommages qu'ils leur avaient
causés, eux qui, hommes libres, avaient été soumis à des
corvées d'esclaves, supposons que leurs scribes n'eussent
montré devant leur tribunal que leurs épaules déchirées
cruellement par des verges ignominieuses[e], ce n'est pas à
un petit nombre de plats et de coupes, propriété d'un
nombre encore plus petit de riches, mais à toutes les
ressources de ces mêmes riches et à des contributions de
tous les gens de ce peuple que la sentence aurait fixé le
montant de la réparation due aux Hébreux[1]! Si donc la
cause des Hébreux est bonne, dès lors est bonne aussi la
cause du Créateur, c'est-à-dire son ordre : il a rendu les
Égyptiens reconnaissants sans le savoir et il a payé son
peuple, dans le moment critique de son dégagement
d'Égypte, en lui donnant une consolation, celle d'un
dédommagement tacite. Pour sûr, ce qu'il a ordonné de
prendre en échange est inférieur à la dette : car les
Égyptiens auraient dû aussi rendre aux Hébreux leurs fils[f].

Contradictions
avec sa Loi
a) Sabbat

XXI. 1. De même aussi, pour le
reste, tu lui reproches les contradictions de ses ordres[2] : mobile et
inconstant[3], il interdit de travailler
les jours de sabbat[a] et il ordonne de promener l'arche huit
jours durant, c'est-à-dire même le jour du sabbat, lors de la
prise de la ville de Jéricho[b4]. C'est que tu n'examines pas la

au dieu suprême dont la sagesse est invariable, voir HARNACK, *Marcion*,
p. 268* s. (avec renvoi à IRÉNÉE, *Haer.* 3, 25, 3 et JEAN CHRYSOSTOME,
Hom. 42 [41],2 *In Ioh.*). Chez Tert. ce grief a déjà été rappelé en I, 16, 4
et II, 7, 3 ; il reviendra en II, 28, 1 (*mutauit sententias suas*) ; IV, 27, 1 ;
V, 4, 7.

4. La contradiction dénoncée par les marcionites entre la loi du
sabbat posée au Décalogue et l'infraction à cette loi lors de la prise de

5 enim inspicis legem, opera humana, non diuina prohi-
bentem. Siquidem : *Sex,* inquit, *diebus operare et facies omnia*
opera tua, septima autem die sabbata Domino Deo tuo ; non
facies in ea omne opus[c]. Quod? Vtique tuum. Consequens
enim est, ut ea opera sabbato auferret, quae sex diebus
10 supra indixerat, tua scilicet, id est humana et cotidiana.
2. Arcam uero circumferre neque cotidianum opus uideri
potest neque humanum, sed et rarum et sacrosanctum et ex
ipso tunc Dei praecepto utique diuinum. Quod et ipse quid
significaret edissererem, nisi longum esset figuras argu-
15 mentorum omnium Creatoris expandere, quas forsitan nec
admittis. Sed plus est, si de absolutis reuincamini, simplici-
tate ueritatis, non curiositate, sicut et nunc certa distinctio
est sabbati humana, non diuina opera prohibentis. Ideoque
qui sabbatis lignatum egerat morti datus est[d]. Suum enim
20 opus fecerat, lege interdictum. Qui uero arcam sabbatis

XXI, 9 auferret R *Kr. Mor. Ev.* : auferet Mγ ‖ 13 ipse θ *Mor. Ev.* :
ipsum *Kr.* ‖ 19 lignatum egerat (igerat *F*) Mγ *Mor.* : lignatum ierat R
Ev. (*prob.* HOPPE, *Beiträge, p. 42*)   ligna tum legerat *Kr.* *

XXI. c. Ex. 20, 9-10 ‖ d. Cf. Nombr. 15, 32-36

Jéricho ne se rencontre, semble-t-il, que chez Tert. Pour l'inclusion du
sabbat dans les sept jours de la circumduction de l'arche, voir *Iud.* 4, 9.
    1. La réponse de Tert. s'en tient, comme il le dit au § 2, à
l'interprétation littérale. Ainsi entendu, le sabbat concerne les travaux
«humains et quotidiens», non les œuvres de Dieu : il ne s'applique donc
pas à la circumduction de l'arche entreprise par l'ordre de Dieu,
comme il ne s'appliquera pas non plus aux guérisons du Christ
(cf. *Marc.* IV, 12, 3 et 12). Son explication s'inspire d'IRÉNÉE,
Haer. 4, 8, 2-3 (*SC* 100, p. 468-476, notamment l. 34-39 et l. 79-83).
    2. Cf. *Iud.* 4, 1 où le travail interdit à l'homme est qualifié de *seruile,* le
travail licite étant «celui qui concerne l'âme» (cf. *Marc.* IV, 30, 1). Mais
ici Tert. s'en tient à l'opposition *opus humanum/opus diuinum.*
    3. Explication un peu différente en *Iud.* 4, 8-10 : la circumduction de
l'arche au septième jour est alléguée comme preuve que le repos du
sabbat prescrit par Moïse n'avait qu'une valeur temporaire.

loi du sabbat : elle interdit les travaux humains, non les
travaux divins[1]. Elle dit en effet : «Travaille pendant six
jours, et tu feras tous tes travaux; mais le septième jour, le
sabbat est pour le Seigneur ton Dieu; tu ne feras en
ce jour aucun travail[c].» Lequel? Évidemment le tien.
Il est logique de sa part de retrancher du sabbat les travaux
qu'il avait préalablement prescrits pour les six jours, les
tiens bien entendu, c'est-à-dire les travaux humains et
quotidiens[2]. **2.** Mais promener l'arche ne peut passer
pour un travail ni quotidien ni humain; c'est un travail
exceptionnel, sacrosaint et évidemment divin en vertu de
l'ordre même donné alors par Dieu[3]. Quel peut en être
aussi le sens, je l'expliquerais bien moi-même s'il n'était
trop long de décrypter les figures de toutes les actions
symboliques du Créateur, que peut-être tu n'admets même
pas[4]. Mais il est plus important de vous convaincre par des
moyens indiscutables, par la vérité toute simple, et non pas
celle qu'on trouve à force de recherches[5]; c'est le cas
maintenant de cette définition précise du sabbat : il est une
interdiction des travaux humains, non des travaux divins.
C'est pourquoi celui qui s'était occupé à ramasser du bois[6]
le jour du sabbat fut mis à mort[d]; car il avait fait son
travail, ce qui était interdit par la Loi[7]. Mais ceux qui

4. Cf. *supra* II, 19, 2 (et p. 119, n. 4). Sur le littéralisme de Marcion
dans son interprétation de l'A. T., voir HARNACK, *Marcion*, p. 66 s. Une
interprétation figurée et «spirituelle» du passage de *Josué* est donnée par
ORIGÈNE, *Hom. Jos.* 7, 1-3 (*SC* 71, p. 194-204) : Jéricho figure le monde
païen, l'arche l'A. T., les trompettes la prédication évangélique.

5. Sur *simplicitas ueritatis* désignant le sens littéral, cf. *supra* II, 19, 2 et
p. 119, n. 5. Par opposition, *curiositas* vise la recherche du sens caché,
profond. Ce terme n'a pas une connotation forcément péjorative chez
notre auteur : cf. *An.* 58, 9.

6. Voir Notes critiques, p. 202.

7. Cf. IRÉNÉE, *Haer.* 4, 8, 3 (l. 81-83). Le pluriel *sabbata* est un
biblisme : cf. LXX σάββατα, ἡ ἡμέρα τῶν σαββάτων (*Ex.* 20, 8-10;
Nombr. 15, 32-33).

circumtulerant, impune gesserunt. Non suum enim sed
Dei opus, ex praecepto scilicet ipsius, administrauerant.

XXII. 1. Proinde et similitudinem uetans fieri omnium,
quae in caelo et in terra et in aquis[a], ostendit et causas,
idolatriae scilicet quae substantiam cohibent. Subicit enim :
Non adorabitis ea neque seruietis illis[b]. Serpentis autem aenei
effigies postea praecepta Moysi a Domino non ad idolatriae
titulum pertinebat, sed ad remediandos eos, qui a serpen-
tibus infestabantur[c]. Et taceo de figura remedii. **2.** Sic et
Cherubin et Seraphin aurea in arcae figuratum exemplum
certe simplex ornamentum[d]. **(2)** Adcommodata suggestui,

XXI, 21-22 sed dei opus *M Kr. Mor.* : o. s. d. β *Ev.*
XXII, 3 quae θ *Mor.* : *om. Pam. Rig. Kr. Ev.* caecae *Oehler* ‖
cohibent *R*₃ *(coni.) Mor.* : cohibentes θ *Kr. Ev.* ‖ 5 effigies *R edd.* : efficies
*M*γ

XXII. a. Cf. Ex. 20, 4 ‖ b. Ex. 20, 5 ‖ c. Cf. Nombr. 21, 8-9; Jn
3, 14-15 ‖ d. Cf. Ex. 25, 18

---

1. Cf. *Id.* 4, 1 : *Idolum tam fieri quam coli Deus prohibet.* L'interdit
lui-même est éclairé par son objectif (lutte contre l'idolâtrie). La citation
d'*Ex.* 20, 5, légèrement inexacte (le texte a la seconde personne du
singulier), a dû être faite de mémoire.
2. L'apparente contradiction entre *Ex.* 20, 4 et l'ordre donné à Moïse
de représenter un serpent pour lutter contre les morsures des reptiles au
désert (*Nombr.* 21, 8-9) − ressentie déjà à l'intérieur du judaïsme
(cf. JUSTIN, *Dial.* 94, 4) − avait sans doute été relevée par Marcion dans
un sens antinomiste : cf. *Id.* 5, 3. Tert. se place sur le même terrain de
l'exégèse littéraliste pour évacuer la contradiction : il le fait en opposant
à la finalité anti-idolâtrique de l'interdit le but «charitable» de l'opération ordonnée à Moïse (considération à valeur d'argument pour un
optimi dei elector; cf. *supra* II, 20, 3). En *Id.* 5, 4, il concilie ces deux
passages autrement : on doit respecter la Loi, en ne faisant, comme
Moïse, de représentation figurée que sur l'ordre de Dieu.
3. L'interprétation cachée et figurée du serpent d'airain comme
annonce du salut par la croix du Christ remonte à *Jn* 3, 14; elle

avaient promené l'arche le jour du sabbat ont agi impunément; car ce n'est pas leur travail qu'ils avaient accompli, mais celui de Dieu, et en vertu assurément de son ordre à lui.

b) Représentations figurées

XXII. 1. Pareillement, quand il défend la représentation figurée de tous les êtres célestes, terrestres et aquatiques[a], il montre aussi pourquoi : ces raisons, bien sûr, sont de réprimer l'essence de l'idolâtrie. Car il ajoute : «Vous ne les adorerez pas et vous ne les servirez pas[b1].» Mais plus tard, la figure du serpent d'airain commandée à Moïse par le Seigneur ne se référait pas au chef d'idolâtrie; elle visait à porter remède à des hommes en butte aux serpents[c2]. Et sur le sens figuratif du remède, je garde le silence[3]! **2.** De la même façon, les chérubins et séraphins d'or entrent, pour sûr, comme simple ornement dans le symbole figuratif de l'arche[d4]. **(2)** Adaptés à l'appareil de

---

est largement attestée dans le christianisme ancien (cf. *Barn.* 12, 5-7; JUSTIN, *I Apol.* 60, 2-3; *Dial.* 94, 1-3; 112, 1-3; IRÉNÉE, *Haer.* 4, 2, 7; 4, 24, 1) et exposée par notre auteur en *Id.* 5, 4; *Iud.* 10, 10 et *Marc.* III, 18, 7; voir J. DANIÉLOU, *Sacramentum futuri*, Paris 1950, p. 144-145. Dans le même épisode, l'allégorèse de PHILON avait vu enseigner la maîtrise de soi (*Leg.* II, 79 s.; *Agric.* 95-98).

4. Le texte de l'*Exode* ne parle que de deux chérubins d'or. La mention des séraphins semble provenir d'*Is.* 6, 2 (où ils surmontent le trône d'Adonaï). Influence possible aussi d'*Apoc.* 4, 8 (les «quatre vivants»). Les marcionites avaient-ils relevé comme inconséquence cette représentation figurée ordonnée par le dieu des juifs pour l'arche? ou Tert. leur a-t-il prêté cette objection? Il est impossible de le dire. En tout cas, comme pour ce qui précède, il s'interdit de rappeler l'interprétation «cachée» de l'arche, qu'il connaît apparemment (d'où *exemplum figuratum*). Sur cette interprétation, voir PHILON, *Mos.* II, 97-99; CLÉMENT ALEX., *Str.* 5, 35, 6-7; ORIGÈNE, *Hom. Ex.* 9, 4. C'est au sens littéral qu'ici encore, Tert. se tient : les chérubins sont un ornement destiné à protéger le propitiatoire (cf. *Ex.* 25, 20).

10 longe diuersas habendo causas ab idolatriae condicione, ob
quam similitudo prohibetur, non uidentur similitudinum
prohibitarum legi refragari, non in eo similitudinis statu
deprehensa, ob quem similitudo prohibetur.

Diximus de sacrificiorum rationali institutione, auocante
15 scilicet ab idolis ad Deum officia ea, quae si rursus eiecerat
dicens : *Quo mihi multitudinem sacrificiorum uestrorum*[e] *?,* hoc
ipsum uoluit intellegi, quod non sibi ea proprie exegisset.
Non enim bibam, inquit, *sanguinem taurorum*[f], quia et alibi
ait : *Deus aeternus non esuriet nec sitiet*[g]. **3.** Nam etsi ad
20 oblationes Abelis aduertit[h] et holocausta Noë odoratus est
libenter[i], quae iocunditas siue uiscerum uerbecinorum siue
nidoris ardentium uictimarum? Sed animus simplex et
Deum metuens offerentium ea quae a Deo habebant et
pabuli et suauis olentiae, gratiae apud Deum deputabatur,
25 non quae fiebant exigentem, sed illud, propter quod

XXII, 14 auocante *Pam. Kr. Ev.* : -cantis *M*γ *Rig. Mor.*   -canti R ||
20 Abelis *M Kr. Mor.* : Abel β *Ev.* || aduertit *R₂ edd.* : -tis *M*γ *R₁R₂* ||
21 uerbecinorum *scripsi* (cf. *An.* 50, 4 et *Marc.* IV, 40, 1) : berbicinorum
*M*γ *Kr.*   ueruecinorum R *Mor. Ev.* * || 25 exigentem *van der Vliet Kr.*
Mor. : -gentis θ *Ev.*

XXII. e. Is. 1, 11 || f. Is. 1, 11 ; Ps. 50, 13 || g. Is. 40, 28 || h. Cf.
Gen. 4, 4 || i. Cf. Gen. 8, 21

---

1. Reprise appuyée de l'argumentation précédente : ces représentations ornementales de l'arche sainte ne peuvent qu'être exemptes de
caractère idolâtrique.
2. Cf. *supra* II, 18, 3 : *ut ab ea (sc. superstitione saeculi) auocaret illos.*
3. Pour expliquer la contradiction relevée par les marcionites (ou
qu'il leur prête?) entre l'nstitution des cérémonies mosaïques et leur
rejet chez les prophètes, Tert. suit la tradition apologétique qui oppose
aux sacrifices «charnels» d'Israël le sacrifice spirituel et intérieur du culte
chrétien : cf. *Barn.* 2, 5 ; 15, 8 ; JUSTIN, *I Apol.* 13, 1 ; 37, 5 ; IRÉNÉE,

celle-ci, ayant une raison d'être tout à fait étrangère à la condition de l'idolâtrie, pour laquelle est porté l'interdit de toute représentation, ils n'apparaissent pas en infraction à l'égard de la loi qui interdit les représentations ; car on ne découvre pas que, dans leur cas, la représentation ait le sens pour lequel la représentation est interdite[1].

c) Sacrifices   De l'institution des sacrifices, conforme à la raison, nous avons déjà parlé[2] : elle détourne évidemment, des idoles vers Dieu, les obligations religieuses. Si, inversement, il a rejeté celles-ci en disant : « Que me fait la foule de vos sacrifices[e] ? », c'est qu'il a voulu faire comprendre qu'il ne les avait pas réclamées pour lui en propre. « Je ne boirai pas, dit-il en effet, le sang des taureaux[f] », parce qu'il dit aussi ailleurs : « Le Dieu éternel n'aura ni faim ni soif[g][3]. » **3.** Car, bien qu'il ait tourné son regard vers les offrandes d'Abel[h] et qu'il ait respiré volontiers les holocaustes de Noë[i], quel agrément trouverait-il soit à des entrailles de mouton[4], soit au fumet des victimes en train de brûler ? Mais dans ces hommes qui offraient des dons de nourriture et de suave odeur[5] qu'ils tenaient de Dieu, c'est leur cœur simple et craignant Dieu qui trouvait grâce auprès de Dieu : il n'exigeait pas les sacrifices qu'ils accomplissaient, mais ce pour quoi ils les accomplissaient, c'est-à-dire

---

Haer. 4, 17, 1 ; CLÉMENT ALEX., *Paed.* 3, 90, 3. Voir aussi chez notre auteur *Or.* 28, 1 ; *Iud.* 5, 6 ; *Scor.* 1, 8 ; *Id.* 14, 6 ; *Marc.* IV, 12, 4 et 13 ; V, 4, 6. Voir *supra* II, 18, 3 et p. 117, n. 4.

4. Voir Notes critiques, p. 203.

5. Pour l'expression biblique ὀσμὴ εὐωδίας (cf. *Gen.* 8, 21 ; *Ex.* 29, 18 etc...), l'équivalent latin habituel est *odor suauitatis*, que l'on rencontre en *Mart.* 2, 4 ; *olentia* est un hapax (cf. HOPPE, *Beiträge*, p. 138). *Pabuli* et *olentiae* sont à comprendre comme génitifs de définition.

fiebant, ob honorem Dei scilicet. Si cliens diuiti aut regi
nihil desideranti tamen aliquid uilissimi munusculi obtu-
lerit, quantitas et qualitas muneris infuscabit diuitem et
regem, an delectabit titulus officii? **4.** At si cliens ei
30 munera ultro uel etiam dicto ordine suo offerat et sollemnia
regis obseruet, non ex fide tamen nec corde puro nec pleno
circa cetera quoque obsequio, nonne consequens, ut rex
ille uel diues exclamet : 'Quo mihi multitudinem munerum
tuorum? Plenus sum[j].' Et *sollemnitates et dies festos et uestra*
35 *sabbata[k]* dicendo − quae secundum libidinem suam, non
secundum religionem Dei celebrando sua iam, non Dei
fecerant −, condicionalem idcirco et rationalem demonstrauit recusationem eorum, quae administranda praescrip-
serat.

XXIII. 1. Si uero etiam circa personas aut leuem uultis
intellegi, cum reprobat aliquando probatos, aut im-
prouidum, cum probat quandoque reprobandos, quasi

XXII, 26 Dei scilicet *M Kr.* : *inu.* β *Mor. Ev.* ‖ 28-29 infuscabit ...
delectabit *R edd.* : -auit ... -auit *M*γ ‖ 29 titulus *R edd.* : -los *M*γ ‖ At :
Aut *X* ‖ 30 dicto β (*cf. Pat.* 3,7) : dicta *M*   edicta *Rig. Mor.*   indicta
Kr. Ev.   indicto *R₂ (coni.)*   edicto *Lat.* (*qui* etiam *in* ex *uertit*) * ‖
32 obsequio *van der Vliet Kr. Mor.* : obsequia θ *Ev.* ‖ 34 plenus : *lacunam
ante sign. Kr.* ‖ 35-37 quae — fecerant *parenthesin signaui* * ‖ 36 celebrando *R₃ Kr. Mor. Ev.* : celebrabant (-brant *X*) deo *M*γ *R₁R₂* *
XXIII, 1 aut *M Kr. Mor.* : *om.* β *Ev.* ‖ leuem : legem *M*γ *R₁*

XXII. j. Cf. Is. 1, 11 ‖ k. Is. 1, 13-14

---

1. Même insistance sur la *fides*, l'*oboedientia* et la *simplicitas*, que Dieu
requiert de ses fidèles quand ils lui font des offrandes, chez IRÉNÉE,
Haer. 4, 17, 4; 18, 3 (avec l'exemple d'Abel); 18, 4.
2. Développement de l'idée par une comparaison empruntée aux
réalités politiques et sociales (ici rapports des *clientes* avec rois ou riches
patroni) : cf. I, 4, 1 et t. 1, p. 114, n. 2.

l'honneur rendu à Dieu[1]. Si à un riche ou à un roi qui n'a besoin de rien, un client pourtant apporte quelque petit présent de très peu de valeur, est-ce que la quantité et la qualité du présent assombriront le riche ou le roi, ou ne sera-t-il pas plutôt charmé au titre de l'obligation dont on s'acquitte[2]? 4. Mais si le client, spontanément ou sur ordre, offre des présents quand vient son tour[3], et observe les règles des solennités royales, sans cependant agir par loyauté ni avec un cœur pur ni avec une pleine obéissance à tous ses autres devoirs, n'est-il pas logique que ce roi ou ce riche s'écrie : «Que me fait la foule de tes présents? J'en suis rassasié[j 4]»? Et en disant : «vos solennités, vos jours de fête et vos sabbats[k]» – de ces cérémonies qu'ils célébraient pour Dieu selon leur fantaisie et non selon la religion de Dieu, ils avaient fait désormais leurs cérémonies, qui n'étaient plus celles de Dieu –, il a montré par là[5] que son refus des rites dont il avait prescrit la pratique s'accordait à la circonstance et à la raison.

**Versatilité à l'égard des personnes
a) Choix et rejets**

XXIII. 1. A l'égard des personnes aussi, vous voulez lui prêter de la légèreté quand il réprouve ceux qu'il a autrefois approuvés, ou de l'imprévoyance quand il approuve ceux qu'il aura

---

3. Voir Notes critiques, p. 203.

4. Ce développement de la comparaison s'ajuste au rejet des sacrifices juifs par le Créateur et permet de rejoindre le texte d'Isaïe, cité au § 2, qui est maintenant adapté (*munerum tuorum*) et augmenté (de *plenus sum*, sans son complément *holocaustomatum arietum* comme chez IRÉNÉE, *Haer.* 4, 17, 1 = *SC* 100, p. 578)

5. Le texte d'*Is.* 1, 13-14 fournit un dernier argument : la valeur appuyée de *uestra* montre bien que le peuple juif avait détourné les sacrifices mosaïques de leur véritable destinataire et maître, Dieu. En récusant les rites jadis prescrits, celui-ci a donc agi selon la condition présente (l'attitude d'Israël) et selon la raison. Sur la ponctuation, voir Notes critiques, p. 204.

iudicia sua aut damnet praeterita aut ignoret futura, atquin
5 nihil tam bono et iudici conuenit quam pro praesentibus
meritis et reicere et adlegere. Adlegitur Saul[a], sed nondum
despector prophetae Samuelis[b]. Reicitur Salomon, sed iam
a mulieribus alienis possessus et idolis Moabitarum et
Sidoniorum mancipatus[c]. **2.** Quid faceret Creator, ne a
10 Marcionitis reprehenderetur? Bene adhuc agentes prae-
damnaret iam propter futura delicta? Sed Dei boni non
erat nondum merentes praedamnare. Proinde peccantes
nunc non recusaret propter pristina benefacta? Sed iusti
iudicis non erat rescissis iam bonis pristinis scelera donare.
15 Aut quis hominum sine delicto, ut eum Deus semper
adlegeret, quem numquam posset recusare? **3.** Vel quis
item sine aliquo bono opere, ut eum Deus semper recusaret, quem numquam posset adlegere? Exhibe bonum
semper, et non recusabitur; exhibe malum semper, et
20 numquam adlegetur. Ceterum si idem homo, ut in utroque
pro temporibus, in utroque dispungetur a Deo et bono et

XXIII, 6 adlegere *M Kr. Mor. Ev.* : eligere (eleg- *F*) β *et sic infra*
l. 6.16.18 ‖ 19 semper[2] : *om.* γ R₁R₂

XXIII. a. Cf. I Sam. 9, 16-17 ‖ b. Cf. I Sam. 15, 10-23 ‖ c. Cf. III
Rois 11, 1-11

---

1. Le grief de *mobilitas* est étendu aux attitudes prétendûment
contradictoires du Créateur à l'égard de tel ou tel personnage de
l'histoire d'Israël. La réponse s'inspire de considérations éthiques très
générales sur les bonnes ou mauvaises actions (*merita*) du moment
présent (*praesentia*) qui expliquent le choix ou le rejet de ces person-
nages. C'est à tort qu'on a cherché ici une «théologie du mérite» :
cf. G. HALLONSTEN, *Meritum bei Tertullian*, Gleerup 1985, p. 101-103.
2. Chiasme, parallélisme, antithèses dans la disposition des deux
exempla tirés des *Rois*. *Despector*, néologisme de notre auteur (cf. HOPPE,
Beiträge, p. 135) est resté un mot très rare.

à réprouver un jour, comme s'il condamnait ses jugements passés ou ignorait ses jugements futurs? Rien pourtant ne convient mieux à un Dieu bon et justicier que de rejeter ou de faire choix en considération des mérites actuels[1]. Il fait choix de Saül[a], mais quand il n'avait pas encore bafoué le prophète Samuel[b]. Il rejette Salomon, mais quand il était déjà sous l'empire de ses femmes étrangères et la domination des idoles de Moab et de Sidon[c2]. **2.** Qu'aurait dû faire le Créateur pour éviter les reproches des marcionites? Condamner d'avance ceux qui vivaient encore dans le bien, à cause de leurs crimes à venir? Mais il n'appartenait pas au Dieu bon de condamner d'avance ceux qui ne le méritaient pas encore. Pareillement, ne pas rejeter ceux qui étaient maintenant pécheurs, à cause de leur bonne conduite de jadis? Mais il n'appartenait pas à un juste juge, dès lors que la bonne conduite de jadis était reniée, de pardonner des crimes[3]. Ou alors, y eut-il un homme assez exempt de péché pour que Dieu fît choix de lui toujours sans pouvoir jamais le rejeter? **3.** Inversement, y eut-il un homme assez dépourvu de bonne action pour que Dieu le rejetât toujours sans pouvoir jamais faire choix de lui? Montre quelqu'un qui soit toujours bon, et il ne sera pas rejeté! Montre quelqu'un qui soit toujours méchant, et il ne sera jamais l'objet d'un choix[4]! Mais s'il est vrai qu'il en est toujours ainsi de l'homme, qu'il est dans le bien et dans le mal selon les circonstances, il sera traité[5] dans l'un et dans

---

3. Retour, après les exemples, à la généralisation : *bene adhuc agentes, peccantes.*

4. Ce deuxième argument, tiré de la fragilité morale de l'homme telle que l'atteste l'expérience commune, est développé avec des artifices rhétoriques : interrogations oratoires, défis à l'adversaire (*exhibe*), anaphores, etc.

5. Sur ce sens de *dispungere* (= *repensare*), voir *TLL* V, 1, c. 1437, l. 30 s. (plusieurs emplois de notre auteur).

iudice, qui non leuitate aut improuidentia sententias uertit
sed censura grauissima et prouidentissima merita temporis
cuiusque dispensat.

XXIV. 1. Sic et paenitentiam apud illum praue inter-
pretaris, quasi proinde mobilitate uel improuidentia, immo
iam ex delicti recordatione paeniteat, quoniam quidem
dixerit : *Paenituit, quod regem fecerim Saul*[a], praescribens
5 scilicet paenitentiam confessionem sapere mali operis alicuius uel erroris. Porro non semper. Euenit enim in bonis
factis paenitentiae confessio, ad inuidiam et exprobrationem eius, qui beneficii ingratus extiterit.   **2.** Sicut et
tunc circa personam Saulis onerandam adnuntiatur a Crea-
10 tore, qui non deliquerat, cum Saulem adsumit in regnum et
Sancto Spiritu auget[b]; optimum enim adhuc qualis, inquit,
non erat in filiis Israhelis[c], dignissime adlegerat. Sed

XXIV, 2 mobilitate *R Kr. Mor. Ev.* : immobilitate (inmo- γ) *M*γ
fortasse in mobilitate *legendum* || 9 onerandam *Kr. Mor.* (*cf. infra l. 16*) :
honorandam θ *Ev.* || 12 adlegerat *M R Kr. Mor. Ev.* : elegerat (elig- *F*) γ

XXIV. a. I Sam. 15, 11 || b. Cf. I Sam. 9, 16-17 || c. Cf. I Sam. 9, 2

---

1. La critique marcionite s'appuyait sans doute sur le postulat
philosophique de l'immutabilité divine : cf. *Deus Christ.*, p. 57-59. C'est
en se référant aux attributs divins de bonté et de justice, qui ont été
précédemment démontrés (cf. *supra* II, 11, 3-12, 3), que Tert. justifie le
Créateur d'avoir changé d'avis (*sententias uertere*) suivant les variations
morales des individus : cf. *infra* II, 24, 8.
2. Cas particulier de *mobilitas* (d'où la liaison par *sic*), le repentir du
Créateur est l'objet d'une longue analyse : le procédé du dialogue avec
l'adversaire lui donne un tour vif (nombreuses interrogations) et permet
de marquer nettement les étapes : *inquis* au § 2, *dices* au § 6; l'interlocuteur est le marcionite, plutôt que Marcion lui-même, nommé au § 3. Sur
les définitions, les objections scripturaires et l'argumentation, voir la
note complémentaire 29 (p. 228).

l'autre cas par un Dieu à la fois bon et justicier, qui ne change pas d'avis par légèreté ou par imprévoyance, mais édicte une sanction pleine de sérieux et de prévoyance et départit à chacun selon la circonstance ce qu'il mérite[1].

b) Repentirs :
– Saül

XXIV. 1. De même tu interprètes de travers le repentir qu'on trouve chez lui, comme si, pareillement, il se repentait par mobilité d'humeur ou par imprévoyance, mieux même par suite du souvenir d'une faute[2]. Certes il a bien dit : « Je me suis repenti d'avoir élevé Saül à la royauté[a 3]. » Et toi, évidemment, tu avances cette objection de principe que repentir signifie aveu de quelque mauvaise action ou de quelque erreur. Or ce n'est pas toujours le cas. Il arrive qu'après de bonnes actions, on fasse l'aveu d'un repentir pour montrer du mécontentement et de la réprobation à celui qui s'est révélé ingrat à l'égard d'un bienfait. **2.** En l'occurrence c'est pour accabler la personne de Saül que le Créateur fait la déclaration en question. Il n'avait pas commis de faute en élevant Saül au trône et en le remplissant de l'Esprit-Saint[b]; car il était encore un homme excellent, tel que, déclare-t-il, il n'y en avait pas parmi les fils d'Israël[c 4] : il avait donc été tout à fait digne de lui d'en faire choix[5]. Mais il n'ignorait pas

---

3. Dans cette citation de *I Sam.* 15, 11, *paenituit* répond au parfait παρακέκλημαι de la LXX; la Vulgate traduit par *paenitet*. Le passif παρακαλεῖσθαι a été utilisé dans la LXX pour rendre le nifal du verbe hébreu *nḥm* non seulement lorsqu'il signifie «réconforter», «consoler», mais aussi parfois lorsqu'il prend le sens de «se repentir» (ainsi en *Deut.* 32, 36; *Jug.* 2, 18; 21, 6.15; *I Sam.* 15, 11; *II Sam.* 24, 16), bien que παρακαλεῖσθαι n'ait pas ce dernier sens (voir *TWNT* 5, p. 775-776 [O. Schmitz]).

4. Saül est «excellent», *optimus*, chez Tert. Il est qualifié d'ἀγαθός (répété) dans la LXX et de *bonus ... melior* dans la Vulgate. Les traductions modernes de l'hébreu parlent de «beauté».

5. Reprise du motif de θεοπρεπές : cf. Introduction, t. 1, p. 46.

nec ignorauerat ita euenturum. Nemo enim te sustinebit
improuidentiam adscribentem deo ei, quem deum non
15 negans confiteris et prouidum. Haec enim illi propria
diuinitas constat. Sed malum factum Saulis, ut dixi, one-
rabat paenitentiae suae professione, quam uacante delicto
circa Saulis adlectionem consequens est inuidiosam potius
intellegi, non criminosam.

20   Ecce, inquis, criminosam eam animaduerto circa
Niniuitas, dicente scriptura Ionae : *Et paenituit Dominum de
malitia, quam dixerat facturum se illis, nec fecit*[d]. Sicut et ipse
Ionas ad Deum : *Propterea praeueni profugere in Tharsos, quia
cognoueram te esse misericordem et miserescentem, patientem et
25 plurimum misericordiae, paenitentem malitiarum*[e]. **3.** Bene
igitur, quod praemisit optimi dei titulum, patientissimi
scilicet super malos et abundantissimi misericordiae et
miserationis super agnoscentes et deplangentes delicta sua,
quales tunc Niniuitae[f]. Si enim optimus qui talis, de isto
30 prius cessisse debebis, non competere in talem, id est in
optimum, etiam malitiae concursum; et quia et Marcion
defendit arborem bonam malos quoque fructus non licere

XXIV, 13 nec R *edd.* : ne M γ ‖ 31-34 concursum; et quia ... . Sed ... .
Numquid ... *sic distinxi* : concursum. Et quia ... , sed ... , numquid ...
dist. edd. *

XXIV. d. Jonas 3, 10 ‖ e. Jonas 4, 2 ‖ f. Cf. Jonas 3, 8

---

1. Nouvelle réponse à l'objection habituelle sur l'*impraescientia* du
Créateur : cf. *supra* II, 5, 4; 7, 3-4; 23, 1 (*quasi ... ignoret futura*). Ce
développement (jusqu'à *prouidum*) s'écarte de la ligne générale de la
démonstration : ajout de la dernière édition?
    2. Argument tactique, tiré du statut de dieu (*diuinitas*) que Marcion
reconnaît au Créateur (cf. I, 2, 1). Sur la *praescientia* reconnue aussi par
l'hérétique comme attribut normal de la divinié, cf. *supra* II, 5, 1.
    3. Argument préalable à l'examen de la question : la qualification du

non plus comment il tournerait[1]. Car personne ne suppor-
tera que tu attribues l'imprévoyance à ce dieu dont tu
avoues, en ne niant pas qu'il soit dieu, qu'il est aussi
prévoyant. Cette divinité en effet, il est bien établi à tes
yeux qu'il la possède en propre[2]. Mais c'est la mauvaise
action de Saül, comme j'ai dit, qu'il voulait accabler en
proclamant son repentir. Puisqu'il n'y a aucune faute dans
le choix de Saül, il est donc logique de l'interpréter plutôt
comme un repentir de mécontentement, et non comme un
repentir de culpabilité.

– **Les Ninivites**   Mais voici que j'observe, dis-tu,
un repentir de culpabilité à propos
des Ninivites, puisque le livre de Jonas dit : «Et le
Seigneur se repentit du mal qu'il avait dit qu'il leur ferait ;
et il ne le fit pas[d]» ; et de même Jonas, précisément, dit à
Dieu : «Voilà pourquoi je suis venu d'avance chercher
refuge à Tarsis, parce que je te savais miséricordieux et
compatissant, patient et abondant en miséricorde, et te
repentant des maux[e].» **3.** Voilà donc une bonne chose
qu'il ait mis en premier le titre de Dieu très bon, c'est-à-
dire très patient à l'égard des méchants et très abondant en
miséricorde et compassion pour ceux qui reconnaissent et
pleurent leurs péchés, comme alors les Ninivites[f3]. Si en
effet un être tel est un être très bon, tu devras, pour
commencer, faire une concession sur ce point[4] : il n'entre
pas dans le caractère d'un tel être, c'est-à-dire très bon, ne
serait-ce que de concourir à un mal ; et cela, parce que
même Marcion a défendu l'idée que le bon arbre ne peut

Créateur par *Jon.* 4, 2 permet de lui attribuer le titre de *deus optimus*
(cf. *supra* II, 19, 4) et de contester qu'il soit l'auteur de maux.
  4. Même emploi de *cedere* (= *concedere*), avec infinitif, en *Id.* 17, 3 et
An. 24, 1 ; cf. *TLL* III, c. 728, l. 39 s. Sur la ponctuation de cette phrase
et des suivantes, voir Notes critiques, p. 204.

producere[g]. Sed malitiam tamen nominauit, quod optimus
non capit. Numquid aliqua interpretatio subest earum
35 malitiarum intellegendarum, quae possint et in optimum
decucurrisse? Subest autem. 4. Dicimus denique malitiam nunc significari non quae ad naturam redigatur
Creatoris, quasi mali, sed quae ad potestatem, quasi
iudicis; secundum quam enuntiarit : *Ego sum qui condo*
40 *mala*[h], et : *Ecce ego emitto in uos mala*[i], non peccatoria, sed
ultoria, quorum satis diluimus infamiam ut congruentium
iudici. Sicut autem, licet mala dicantur, non reprehen-
duntur in iudice nec hoc nomine suo malum iudicem
ostendunt, ita et malitia haec erit intellegenda nunc, quae
45 ex illis malis iudiciariis deputata cum ipsis competat iudici.
5. Nam et apud Graecos interdum malitiae pro uexatio-
nibus et laesuris, non pro malignitatibus ponuntur, sicut et
in isto articulo. Atque adeo si eius malitiae paenituit
Creatorem quasi creaturae reprobandae scilicet et delicto
50 iudicandae, atqui nec hic ullum admissum criminosum
reputabitur Creatori, qui iniquissimam ciuitatem digne
meritoque decreuerat abolendam. 6. Ita quod iuste desti-
nauerat, non male destinans, ex iustitia, non ex malitia

XXIV, 49 creaturae θ *Ev.* (*sed pro genitiuo intellegendum*) : creaturam
Kr. Mor. * || delicto *scripsi* : delictum θ *Mor.*   ob delictum R₁ (*coni.*)
deletui R₂ (*coni.*) R₃ *Ev.*   de delicto *Oehler* (*prob. Ev.*) * || 50 iudicandae
Kr. Mor. (*prob. Ev.*) : uindicandae (inindic- *F*) θ *Ev.* *

XXIV. g. Cf. Matth. 7, 17-18; Lc 6, 43 || h. Is. 45, 7 || i. Jér. 18, 11

---

1. Rétorsion, au bénéfice du Créateur, d'un argument scripturaire
cher à Marcion : cf. I, 2, 1; II, 4, 2.
2. Le sujet de *nominauit* nous paraît être Jonas : cf. Notes critiques,
p. 205. Mais on pourrait penser aussi qu'il s'agit du Créateur (dont
Jonas est le *prophète*), comme on le voit à la reprise de *nominauit malitiam*
au § 6.
3. Cf. *supra* II, 14, 2-3.

donner aussi de mauvais fruits[81]. Mais cependant Jonas[2] a utilisé le terme de mal ce qui est incompatible avec un être très bon. N'y a-t-il donc pas une interprétation qui permette de comprendre les maux en question de telle sorte qu'ils soient conciliables même avec un être très bon? Oui, il y en a une. **4.** Nous disons en effet que le sens de mal ici n'est pas à rapporter à la nature du Créateur en tant qu'il serait mauvais, mais à sa puissance en tant que juge. C'est conforme à ce qu'il a énoncé : «C'est moi qui crée les maux[h]»; et : «Voici que j'envoie sur vous des maux[i]» : non pas les maux du péché, mais ceux de la punition; et nous les avons suffisamment disculpés de leur mauvaise réputation en montrant qu'ils conviennent à un juge[3]. On a beau les appeler maux, on n'en fait pas de reproche au juge, et ce nom qui est le leur n'implique pas que le juge soit mauvais. De la même façon, on devra comprendre dans ce sens le mal ici en question : en rapport avec ces maux découlant de la justice, il entre, en même temps qu'eux, dans la fonction du juge. **5.** Chez les Grecs aussi, par «maux» on entend quelquefois, non pas des méchancetés, mais des châtiments et des dommages[4], comme c'est le cas dans ce passage. Et précisément si le Créateur s'est repenti de cette sorte de mal, comme d'avoir eu évidemment à réprouver et condamner pour son péché sa créature[5], on ne lui imputera pourtant, ici non plus, aucune conduite coupable[6] : sa décision de faire disparaître la cité la plus impie était digne et méritée. **6.** Ainsi cette décision, juste et non mauvaise, qu'il avait prise, il l'avait prise conformément à la justice, et non au mal; mais il a donné le

---

4. Sur ce sens de χαχία = «peine», «souffrance», cf. *Matth.* 6, 34 et *TWNT* 3, p. 484 s.

5. Pour l'établissement et le sens, voir Notes critiques, p. 205.

6. Reprise du terme que le marcionite avait souligné au début de la seconde objection : *Ecce ... criminosam eam* (§ 2).

destinarat; sed poenam ipsam malitiam nominauit ex malo
55 et merito passionis ipsius.

Ergo, dices, si malitiam iustitiae nomine excusas, quia
iuste exitium destinarat in Niniuitas, sic quoque culpandus
est, qui iustitiae utique non paenitendae paenitentiam
gessit. Immo nec iustitiae, inquam, paenitebit Deum, et
60 superest iam agnoscere, quid sit paenitentia Dei. Non
enim, si hominem ex recordatione plurimum delicti,
interdum et ex alicuius boni operis ingratia paenitet, ideo
et Deum proinde.   7. In quantum enim Deus nec malum
admittit nec bonum damnat, in tantum nec paenitentiae
65 boni aut mali apud eum locus est. Nam et hoc tibi eadem
scriptura determinat, dicente Samuhele Sauli : *Discidit
Dominus regnum Israhelis de manu tua hodie et dabit illud
proximo tuo, optimo super te, et scindetur Israhel in duas
partes, et non conuertetur neque paenitentiam aget, quia non
70 sicut homo est ad paenitendum*[j]. 8. Haec itaque definitio
in omnibus aliam formam diuinae paenitentiae statuit, quae
neque ex improuidentia neque ex leuitate neque ex ulla
boni aut mali operis damnatione reputetur, sicut humana.
Quis ergo erit mos paenitentiae diuinae? Iam relucet, si
75 non ad humanas condiciones eam referas. Nihil enim aliud
intellegetur quam simplex conuersio sententiae prioris,
quae etiam sine reprehensione eius possit admitti, etiam in

XXIV, 55 passionis *VL R₃ Kr. Mor. Ev.* : et passionis *Mγ R₁R₂*
expansionis *R₃ (coni.)* ‖ 59 inquam : unquam *coni. R₁R₂*

XXIV. j. I Sam. 15, 28-29

---

1. Objection destinée à faire rebondir le débat, pour aboutir à sa
solution (nature véritable du repentir divin).
2. Traduction littérale de la LXX. Le texte hébreu de *I Sam.* 15, 29
est différent; la *TOB* le rend ainsi : «La Splendeur d'Israël ne se dément
pas et ne se repent pas, car Il n'est pas un homme et n'a pas à se

nom de mal au châtiment lui-même d'après le mal mérité du traitement qu'aurait à souffrir cette cité.

– Ce qu'est le repentir de Dieu Ainsi donc, diras-tu, si tu excuses le mal au titre de la justice, parce que le Créateur avait décidé une juste destruction contre les Ninivites, il faut, dans ce cas aussi, le tenir pour coupable puisqu'il s'est repenti d'un acte de justice dont assurément on ne doit pas se repentir[1]. – Non pas; Dieu, dis-je, ne se repentira pas non plus d'un acte de justice; c'est qu'il reste maintenant à voir ce qu'est le repentir de Dieu. Ce n'est pas en effet parce que l'homme se repent le plus souvent au souvenir d'une faute, parfois aussi par suite de l'ingratitude où est tombée une bonne action, qu'il en est de même pour Dieu. **7.** Dans la même mesure où Dieu ni n'admet le mal ni ne condamne le bien, le repentir du bien ou du mal n'a pas non plus de place en lui. C'est ce que te précise le même livre de l'Écriture, quand Samuel dit à Saül : « Aujourd'hui le Seigneur a retiré de ta main la royauté d'Israël, et il la donnera à ton prochain, qui est meilleur que toi, et Israël sera divisé en deux, et il ne reviendra pas là-dessus et n'en aura pas de repentir parce qu'il n'est pas comme un homme pour se repentir[j][2]. » **8.** Cette déclaration a fixé pour tous les cas une forme différente du repentir divin : on ne peut attribuer celui-ci ni à l'imprévoyance ni à la légèreté ni à la condamnation d'une action bonne ou mauvaise, comme le repentir humain. Quel sera donc le mode du repentir divin? Il apparaît au grand jour dès lors qu'on ne le réfère plus aux conditions humaines : on n'y verra rien d'autre que la simple modification d'une décision antérieure, modification qui peut se produire même sans critique de

repentir. » Elle y voit (note *g*) une «précision théologique qui s'inspire de *Nomb*. 23, 19 et apporte un correctif aux v. 11 et 35».

homine, nedum in Deo, cuius omnis sententia caret culpa.
Nam et in Graeco sono paenitentiae nomen non ex delicti
80 confessione, sed ex animi demutatione compositum est,
quam apud Deum pro rerum uariantium sese occursu regi
ostendimus.

XXV. 1. Iam nunc, ut omnia eiusmodi expediam, ad
ceteras pusillitates et infirmitates et incongruentias, ut
putatis, interpretandas purgandasque pertendam. Inclamat
Deus : *Adam, ubi es*[a]*?* Scilicet ignorans ubi esset; et causato
5 nuditatis pudore[b], an de arbore gustasset interrogat[c],
scilicet incertus. Immo nec incertus admissi nec ignorans
loci. Enimuero oportebat conscientia peccati delitiscentem
euocatum prodere in conspectum Domini, non sola
nominis inclamatione, sed cum aliqua iam tunc admissi
10 suggillatione.   2. Nec enim simplici modo, id est interrogatorio sono legendum est : *Adam, ubi es*[a]*?,* sed impresso
et incusso et imputatiuo : *Adam, ubi es*[a]*!,* id est in

XXIV, 81 occursu regi *Rig. Ev.* : occursu rei (occursu, rei R) θ
occursu fieri *Ciacconius Vrs. Kr. Mor.*   occursu inueniri R_2 (*coni.*)
occursura R_2 (*coni.*)

XXV, 7 delitiscentem M (cf. *Apol.* 21, 31 etc.) : delitescentem β *Kr.
Mor. Ev.* ‖ 8 prodere Mγ *Rig.* : prodire R *Kr. Mor. Ev.* ‖ 11 Adam ubi
es M *Rig. Kr. Mor.* : u. e. A. β *Ev.*

XXV. a. Gen. 3, 9 ‖ b. Cf. Gen. 3, 10 ‖ c. Cf. Gen. 3, 11

---

1. Sur μετάνοια, terme habituel pour «repentir» et «pénitence», voir
TWNT 4, p. 973 s.
2. Cf. *supra* II, 23, 3.
3. Cf. *infra* II, 27, 1 : *pusilla et infirma et indigna.* Vont être évoqués
successivement l'ignorance, les serments, la cruauté du Créateur, avec
des arguments tirés de l'A. T.
4. Dans les *Antithèses* de Marcion, le Créateur qui ignorait où se
trouvait Adam, était opposé au Christ, qui connaissait même les pensées
des hommes : cf. ADAMANTIUS, *Dial.* 1, 17; HARNACK, *Marcion*, p. 89 et
p. 269*. Dans sa reprise ironique de l'argument marcionite, Tert. joint à

cette décision; cela arrive même chez l'homme, à plus forte raison en Dieu dont toute décision est exempte de faute. Car, dans sa forme grecque[1], le nom de repentir vient non de l'aveu d'une faute, mais du changement d'état d'esprit. Or en Dieu, nous l'avons montré[2], ce changement se règle d'après le cours d'évènements historiques qui varient eux-mêmes.

Faiblesses et petitesses
a) Ignorances

XXV. 1. Et maintenant, pour en finir avec toutes les questions de ce genre, je vais passer à l'explication et à la justification de ce que vous pensez être des petitesses, des faiblesses et des traits indignes de Dieu[3]. – Dieu s'écrie : «Adam, où es-tu[a]?» C'est, évidemment, qu'il ignorait où il était! Et comme Adam avait mis en avant la honte de sa nudité[b], il lui demande s'il n'aurait pas goûté du fruit de l'arbre[c]. C'est, évidemment, qu'il en était incertain![4] – Que non pas : ni incertitude sur la faute ni ignorance du lieu. C'est qu'il fallait faire paraître sous les yeux de son Seigneur, en l'appelant, celui qui se cachait par conscience de son péché; et l'appel du nom ne suffisait pas, il devait être accompagné, dès ce moment-là, d'un blâme de la faute. **2.** On ne doit pas lire en effet de façon naïve, c'est-à-dire sur un ton interrogatif la question : «Adam, où es-tu[a]?», mais sur un ton pressant, appuyé, accusateur[5] : «Adam, où es-tu[a]!», c'est-à-dire : «Tu es perdu, tu n'es

---

Gen. 3, 9 la question de *Gen.* 3, 11 sur la faute commise : c'était un moyen de mieux étayer son explication du tour interrogatif comme expression du blâme et du reproche. Sur les sources et l'originalité du développement, voir Note complémentaire 30 (p. 230). L'emploi passif de *causari* est unique chez notre auteur : cf. *TLL* III, c. 706, l. 67.

5. L'adjectif *interrogatorius* est un doublet rarissime de *interrogatiuus* (cf. *TLL, s.u.*); *incussus* (au sens de *timorem incutens, uehemens, grauis*) n'est attesté qu'ici (cf. *TLL* VII, 1, c. 1102, l. 42), de même que *impressus* (= *acer, grauis*) : cf. *TLL, ibid.* c. 684, l. 8); *imputatiuus* (= *imputans, accusans, uituperans*) est un hapax (cf. *TLL, s.u.*).

perditione es, id est iam hic non es, ut et increpandi et
dolendi exitus uox sit. Ceterum qui totum orbem compre-
15 hendit manu uelut nidum[d], cuius caelum thronus et terra
scabellum[e], nimirum huius oculos aliqua paradisi portio
euaserat, quominus illi, ubicumque Adam, ante euoca-
tionem uiseretur, tam latens quam de interdicta fruge
sumens! 3. Speculatorem uineae uel horti tui lupus aut
20 furunculus non latet : Deum puto, de sublimioribus ocula-
tiorem, aliquid subiecti praeterire non posse[f]. Stulte, qui
tantum argumentum diuinae maiestatis et humanae instructionis naso agis! Interrogat Deus quasi incertus, ut, et
hic liberi arbitrii probans hominem in causa aut negationis
25 aut confessionis, daret ei locum sponte confitendi delictum
et hoc nomine releuandi. Sicut de Cain sciscitatur, ubinam

XXV, 19 lupus θ *Mor. Ev.* : lepus *Kr.* ‖ 20 Deum puto θ *Mor. Ev.* : et
deum puta *Eng. Kr.* ‖ 24 probans R_3 *edd.* : improbans $M\gamma$ R_1R_2 ‖ 25 aut
R_2R_3 *edd.* : aut ut $M\gamma R_1$

XXV. d. Cf. Is. 10, 14 ‖ e. Cf. Is. 66, 1 ‖ f. Cf. Is. 2, 11 (*sec.* LXX)

---

1. Même rapprochement de textes et même citation adaptée en
Prax. 16, 6, dans une description du Père invisible. Pareillement,
ORIGÈNE (*Orat.* 23, 3) cite *Is.* 66, 1 pour faire apparaître invraisem-
blable et absurde l'interprétation littéraliste de *Gen.* 3, 8-9 que donnent
certains adversaires de l'A. T.
2. Sur la coutume de construire une « guette » (*specula*) dans les vignes
pour la saison des vendanges, coutume attestée aussi par Ps.-CYPRIEN,
De montibus Sina et Sion (*CSEL* 3, 3) 15, voir A. STUIBER, « Die
Wachhütte im Weingarten », *JAC* 2, 1959, p. 86-89; J. DANIÉLOU, « La
littérature latine avant Tertullien », *REL* 48, 1970, p. 373. La mention
de *lupus* surprend de prime abord et l'on est tenté de corriger en *lepus*
(Kroymann). Mais en associant ici *lupus* à *furunculus*, Tert. a dû avoir en
tête le proverbe grec attesté par ARISTOTE (*Mor. Eud.* 7, 1, 5) : « le
voleur reconnaît le voleur et le loup le loup ». Même alliance *lupus/fur*
chez TIBULLE, *Éleg.* I, 1, 33 et *Pan. in Mess.* 187.

déjà plus ici!» ainsi la voix doit-elle traduire le reproche et
la douleur. D'ailleurs, celui qui saisit dans sa main le
monde entier comme un nid[d], celui qui a pour trône le ciel
et pour marche-pied la terre[e1], est-il croyable qu'un coin
du paradis aurait échappé à ses yeux, sans que, avant de
l'appeler, il eût pu voir Adam, où qu'il fût, en train de se
cacher comme de prendre du fruit défendu? **3.** Au guet-
teur de ta vigne ou de ton jardin le loup ou le voleur
n'échappent pas[2] : de Dieu qui a meilleure vue regardant
de plus haut, j'imagine que rien de ce qui est en bas ne peut
passer inaperçu[f3]! Insensé, qui tournes en dérision[4] un si
grand symbole de la majesté divine et de l'enseignement
apporté à l'homme! Dieu interroge comme s'il était
incertain pour mettre, ici encore, à l'épreuve, dans le cas
d'une négation ou d'un aveu, le libre arbitre de l'homme[5],
et lui offrir l'occasion d'avouer spontanément sa faute et, à
ce titre, de s'en relever. C'est de la même façon qu'il
cherche à savoir de Caïn où est son frère[g], comme s'il

3. Allusion à *Is.* 2, 11 (selon la LXX) qui est traduit littéralement
en *Praes.* 3, 1 : *Sed oculi ... domini alti*; voir A. VACCARI, *Scritti di
erudizione e di filologia* II, Roma 1958, p. 4-5. Si *oculatus* (= *oculis
praeditus*) se rencontre dès Plaute, le comparatif *oculatior* ne se lit
qu'ici (cf. *TLL* IX, 2, c. 440, l. 16); en *Marc.* IV, 35, 12, dans un emploi
figuré, Tert. préfèrera *melius oculatam*.

4. L'expression habituelle est *naso deridere* (*inridere*) : cf. *Marc.*
IV, 42, 4; *Pud.* 2, 7. Après l'ironie qui a marqué le développement
(depuis *Ceterum*), le ton monte maintenant, avec l'interpellation de
l'adversaire et la qualification de *stultus*.

5. La correction *probans* (contre *improbans* des mss) est justifiée
par le contexte, comme par la réminiscence probable de THÉOPHILE,
(*Autol.* 2, 25) : voir note complémentaire 30 (p. 233). Nous comprenons
liberii arbitrii («dans son libre arbitre») comme génitif de relation
(cf. HOPPE, *SuS, trad. it.*, p. 59-60) et nous donnons à *probare* le sens de
«éprouver», à cause du contexte (*daret locum, haberet potestatem*);
Moreschini et Evans comprennent, avec génitif de qualification et verbe
esse sous-entendu : «prouvant que l'homme possède le libre arbitre».

frater eius[g], quasi non iam uociferatum a terra sanguinem
Abelis audisset[h], sed ut et ille haberet potestatem ex eadem
arbitrii potestate sponte negandi delicti et hoc nomine
30 grauandi, atque ita nobis conderentur exempla confitendorum potius delictorum quam negandorum, ut iam tunc
initiaretur euangelica doctrina : *Ex ore tuo iustificaberis et ex
ore tuo damnaberis*[i]. 4. Nam etsi Adam propter statum
legis deditus morti est, sed spes ei salua est, dicente
35 Domino : *Ecce Adam factus est tamquam unus ex nobis*[j], de
futura scilicet adlectione hominis in diuinitatem. Denique
quid sequitur? *Et nunc, ne quando extendat manum et sumat de
ligno uitae et uiuat in aeuum*[k]. Interponens enim 'et nunc',
praesentis temporis uerbum, temporalem et ad praesens
40 dilationem uitae fecisse se ostendit. 5. Ideoque nec maledixit ipsum Adam nec Euam, ut restitutioni candidatos, ut
confessione releuatos[l], Cain uero et maledixit[m] et cupidum
morte luere delictum mori interim uetuit[n], ut praeter

XXV, 32 iustificaberis : coniust- X R₁R₂ || 39 temporalem R₃ *edd.* :
-rale Mγ R₁R₂ || 41 restitutioni Mγ R₁R₂ : -tionis R₃ Kr. Mor. Ev. *

XXV. g. Cf. Gen. 4, 9 || h. Cf. Gen. 4, 10 || i. Matth. 12, 37 ||
j. Gen. 3, 22 || k. ibid. || l. Cf. Gen. 3, 12-13 || m. Cf. Gen. 4, 11 ||
n. Cf. Gen. 4, 13-15

---

1. Voir IRÉNÉE, *Haer.* 3, 23, 4 et surtout THÉOPHILE, *Autol.* 2, 29
(voir Note complémentaire 30, p. 230). La différence soulignée entre le
cas d'Adam (*hoc nomine releuandi*) et celui de Caïn (*hoc nomine grauandi*)
vise à sauvegarder la prescience du Créateur.

2. Parole de Jésus, interprétée comme signifiant que même les
paroles seront retenues pour ou contre l'homme au Jugement : cf. *Id.*
20, 1 (*cum conuersatio diuinae disciplinae* non factis tantum, uerum etiam
·uerbis *periclitetur*). Même interprétation chez CLÉMENT ALEX.,
Paed. 2, 53, 1.

3. Il s'agit de la loi posée en *Gen.* 2, 17 : cf. *supra* II, 4, 5-6.

n'avait pas entendu le sang d'Abel crier de la terre[h]; mais c'est qu'il voulait lui laisser le pouvoir, d'après le même pouvoir de libre arbitre, de nier spontanément sa faute et de l'aggraver à ce titre[1] : de la sorte s'établiraient pour nous des exemples destinés à montrer qu'il faut avouer ses fautes plutôt que les nier, pour amorcer déjà alors l'enseignement évangélique : «Tu seras justifié d'après tes paroles et condamné d'après tes paroles[i2].» **4.** Car, Adam a beau, en vertu de la disposition de la loi[3], être voué à la mort, l'espérance lui est conservée puisque le Seigneur dit : «Voici qu'Adam est devenu comme l'un d'entre nous[j]» : il parlait de l'élection future de l'homme à la condition divine[4]. Car qu'y a-t-il ensuite? «Et maintenant, qu'il n'étende pas la main et ne prenne pas à l'arbre de vie et ne vive pas éternellement[k].» En ajoutant «et maintenant», terme qui désigne le moment présent, il montre que c'est pour un temps et pour le moment que le don de la vie lui est différé. **5.** Et c'est pourquoi il n'a pas non plus maudit Adam lui-même ni Ève, les considérant comme candidats à leur restauration, comme relevés par leur aveu[15]. En revanche, il a maudit Caïn[m] et comme ce dernier voulait laver sa faute par la mort, il lui a interdit de mourir pour le moment[n], parce que, en plus de son crime,

---

4. Cf. Irénée, *Haer.* 3, 23, 4-5 (opposition à Caïn maudit d'Adam sauvé); 23, 6. (La mort, en intervenant, arrête la transgression de l'homme); 4, 38, 4 (divinisation de l'homme).

5. Le terme *restitutio* (pour le problème textuel, voir Notes critiques, p. 206) se réfère peut-être ici, plus précisément qu'à la grâce, au paradis même : cf. *Paen.* 12, 9 : *Adam ... restitutus in paradisum suum*; sur Adam modèle du pénitent, cf. *ibid.* (éd. Munier, *SC* 316, p. 239). Influence possible d'apocryphes juifs sur cette conception, selon Daniélou, *Origines du christianisme latin*, p. 145-146 (qui marque une rencontre caractéristique entre l'exégèse de *Gen.* 3, 22 ici donnée et celle d'*Apocalypse de Moïse* 28, 3).

admissum etiam negationis eius oneratum. Haec erit igno-
45 rantia dei nostri, quae ideo simulabitur, ne delinquens
homo quid sibi agendum sit ignoret. **6.** Sed ad
Sodomam et Gomorram descendens : *Videbo,* ait, *si
secundum clamorem peruenientem ad me consummantur, si uero
non, ut agnoscam*°, et hic uidelicet ex ignorantia incertus et
50 scire cupidus. An hic sonus pronuntiationis necessarius,
non dubitatiuum sed comminatiuum exprimens sensum
sub sciscitationis obtentu ? Quodsi descensum quoque Dei
inrides, quasi aliter non potuerit perficere iudicium, nisi
descendisset, uide, ne tuum aeque deum pulses. Nam et ille
55 descendit, ut quod uellet efficeret.

XXVI. 1. Sed et iurat Deus. – Numquid forte per
deum Marcionis ? – Immo, inquis, multo uanius, quod per
semetipsum[a]. – Quid uelles faceret, si alius deus non erat in

---

XXV, 45 simulabitur *M Kr. Mor.* : simulabatur β *Ev.* ‖ 54 aeque
deum : *inu.* X
    XXVI, 2 inquis *scripsi* : inquit *codd. edd.* * ‖ 3 uelles *Vrs. Kr. Mor.* :
uellet θ *Ev. (qui tamen* uelles *prob.)* ‖ faceret *M*γ *R, Kr. Mor.* : -cere *R₂R₃*
B Pam. Ev. *

XXV. o. Gen. 18, 21
XXVI. a. Cf. Is. 45, 23

---

1. Par la volonté d'établir une symétrie antithétique avec Adam, le
sens de *Gen.* 4, 13-15 est un peu forcé. Il n'est pas sûr que Caïn, au v. 13,
demande à Yahvé de ne pas le laisser vivre. Comprendre *negationis*
comme génitif du délit : cf. HOPPE, *SuS (trad. it.),* p. 60.
    2. Deuxième argument scripturaire des marcionites pour prouver
l'ignorance du Créateur : cf. ORIGÈNE, *Hom. Gen.* 4, 6 («Voilà que le
dieu de la Loi aurait ignoré ce qui se passait à Sodome s'il n'était pas
descendu pour le voir et n'avait pas dépêché des envoyés pour
l'apprendre.»). Traduction littérale de *Gen.* 18, 21 selon la LXX ;
consummantur (= συντελοῦνται) présente le sens affaibli de *facere, agere* :
cf. *TLL* IV, c. 603, l. 13.

il était coupable de l'avoir nié[1]. Telle sera «l'ignorance» de notre dieu : une ignorance simulée, faite pour empêcher l'homme qui pèche d'ignorer ce qu'il doit faire. **6.** Mais voici que, en descendant vers Sodome et Gomorre, il s'écrie : « Je verrai s'ils se conduisent conformément au cri qui parvient à moi; sinon, pour que je le sache°»; et ici, apparemment, l'ignorance le rend incertain et désireux de savoir[2]. – N'est-ce pas ici le ton nécessaire au prononcé d'une sentence, et qui exprime une idée non pas dubitative, mais comminatoire sous l'apparence d'une interrogation[3]? Que si tu ris aussi de cette descente de Dieu[4], comme s'il ne pouvait, autrement qu'en étant descendu, exécuter son jugement, prends garde de ne pas rejeter pareillement ton propre dieu. Lui aussi, il est descendu pour accomplir ce qu'il voulait[5].

b) Serments sur lui-même   **XXVI. 1.** Mais Dieu fait aussi des serments! – Sur le dieu de Marcion peut-être? – Que non, dis-tu, c'est beaucoup plus saugrenu, il les fait sur lui-même[a][6].

---

3. Reprise paresseuse de l'explication du § 2 ; seul le vocabulaire est varié : *comminatiuus*, non attesté avant Tert. est peut-être un terme des grammairiens (cf. *TLL* III, *s.u.*); *sciscitatio* (déjà dans PÉTRONE, *Sat.* 24, 5) est un mot rare; autre exemple de *an = nonne* plus bas : II, 27, 3.

4. Fin brusquée : coupant court au problème envisagé, Tert. se tourne vers une autre objection que pourrait susciter le texte, par une interprétation littéraliste de la «descente» de Dieu. Cet anthropomorphisme biblique avait donné lieu à des attaques dans le monde grec : de la même manière ORIGÈNE répond aux railleries de Celse (*C. Cels.* 4, 12 et 14).

5. Procédé de la rétorsion, pour conclure brutalement le chapitre sans entrer dans les explications qu'aurait nécessitées un adversaire païen (cf. *infra* II, 27, 2). Sur la «descente» du dieu suprême de Marcion, cf. I, 11, 8 ; 14, 2 ; 19, 2.

6. L'argument marcionite, tiré des serments que le Créateur fait sur lui-même (*Is.* 45, 23 ; cf. *Gen.* 22, 16 ; *Deut.* 32, 40 ; *Is.* 62, 8), ne semble pas attesté ailleurs.

conscientia eius, hoc cum maxime iurantis alium absque se
5 omnino non esse[b]? Igitur peierantem deprehendis an uane
deierantem? Sed non potest uideri peierasse qui alium esse
non scit, ut dicitis. Quod enim scit, hoc deierans uere, non
peierauit.   2. Sed nec uane deierat alium deum non esse.
(2) Tunc enim uane deieraret, si non fuissent qui alios deos
10 crederent, tunc quidem simulacrorum cultores, nunc uero
et haeretici. Iurat igitur per semetipsum, ut uel iuranti Deo
credas alium deum omnino non esse. Hoc ut Deus faceret,
tu quoque, Marcion, coegisti. Iam tunc enim prouidebaris.
Proinde si et in promissionibus aut comminationibus iurat,
15 fidem in primordiis arduam extorquens, nihil Deo indignum est, quod efficit Deo credere.

3. Satis et tunc pusillus deus in ipsa etiam ferocia sua,
cum ob uituli consecrationem efferatus in populum de
famulo suo postulat Moyse : *Sine me, et indignatus ira*
20 *disperdam illos et faciam te in nationem magnam*[c]. Vnde
meliorem soletis adfirmare Moysen deo suo, deprecatorem,
immo et prohibitorem irae[d]. *Non facies* enim, inquit, *istud*,

---

XXVI, 5 an R_3 *edd.* : ad $M\gamma$ R_1R_2 || 11 haeretici R_3 *edd.* : -cos $M\gamma$
R_1R_2 || igitur : ergo F || 14 si et : si X || 19 indignatus ira β *edd.* : in ira M
|| 22 immo et : immo X || inquit : *om.* β

XXVI. b. Cf. Is. 45, 21 || c. Ex. 32, 10 || d. Cf. Ex. 32, 11-14

---

1. Sur l'ignorance du Créateur à l'égard du dieu suprême, cf. I, 11, 9
et t. 1, p. 153, n. 7. Pour le problème textuel et le procédé du dialogue
avec l'adversaire pour introduire son objection, voir Notes critiques,
p. 207.
2. Cf. *supra* II, 2, 4 et p. 26, n. 2.
3. Reprise de l'argument de θεοπρεπές : cf. Introduction, t. 1, p. 46.
Exemples de serment à l'appui d'une promesse en *Ex.* 13, 5 ; 33, 1 ;
Nombr. 11, 12 ; à l'appui d'une menace en *Nombr.* 32, 10 ; *Deut.* 1, 34.

– Qu'aurais-tu voulu lui voir faire si, à sa connaissance, il n'y avait pas d'autre dieu[1]? Lui qui, précisément, fait ce serment qu'en dehors de lui il n'y en a pas d'autre du tout[b]! De quoi donc le prends-tu en flagrant délit, de parjure ou de serment saugrenu? Mais il ne peut passer pour commettre un parjure puisque, selon vos dires, il ne sait pas qu'il existe un autre dieu. Jurant, en toute vérité, ce qu'il sait, il n'a donc pas commis de parjure.   **2.** Mais il ne fait pas non plus de serment saugrenu en assurant qu'il n'y a pas d'autre dieu. **(2)** Car il aurait fait un serment saugrenu dans le cas où il n'y aurait pas eu d'hommes pour croire en d'autres dieux : or c'était le cas alors des adorateurs d'idoles, c'est celui maintenant des hérétiques. Il jure donc sur lui-même pour amener à croire, au moins sur le serment de Dieu, qu'il n'y a pas d'autre dieu du tout. Toi aussi, Marcion, tu as forcé Dieu à agir de la sorte. Car, déjà alors, il te prévoyait[2]. Pareillement, s'il appuie aussi par des serments ses promesses ou ses menaces, arrachant une foi difficile dans les débuts, c'est qu'aucune tactique n'est indigne de Dieu quand elle réussit à faire croire en Dieu[3].

c) Infériorité par rapport à Moïse   **3.** Voici encore ce dieu assez petit jusque dans sa férocité lorsque, fou de rage contre son peuple à cause de la consécration du veau d'or, il demande à son serviteur Moïse : «Laisse-moi faire, et indigné par la colère, je les exterminerai et je ferai de toi une grande nation[c][4].» D'où chez vous l'habitude d'affirmer que Moïse est meilleur que son dieu, lui qui intercède auprès de lui, mieux encore qui lui interdit la colère[d] : «Tu ne le feras pas, dit-il, ou alors

---

4. L'accusation de *ferocia* (cf. *ferus* en I, 6, 1 ; voir aussi II, 11, 1 et p. 80, n. 1) se combine ici avec celle de *pusillitas*; elle s'appuie sur l'épisode du veau d'or, où les marcionites voyaient l'aveu d'une *colère* de Yahvé, retenue par Moïse.

aut et me una cum eis impende[e]. **4.** Miserandi uos quoque
cum populo, qui Christum non agnoscitis, in persona
25 Moysi figuratum, Patris deprecatorem et oblatorem animae
suae pro populi salute. Sed sufficit, si et Moysi proprie
donatus est populus, ad praesens. Quod ut famulus postu-
lare posset a Domino, id Dominus a se postulauit. Ad hoc
enim famulo dixit : *Sine me, et disperdam illos*[c], ut ille
30 postulando et semetipsum offerendo non sineret, atque ita
disceres, quantum liceat fideli et prophetae apud Deum.

XXVII. 1. Iam nunc, ut et cetera compendio absoluam,
quaecumque adhuc ut pusilla et infirma et indigna colligitis
ad destructionem Creatoris, simplici et certa ratione pro-
ponam Deum non potuisse humanos congressus inire, nisi
5 humanos et sensus et adfectus suscepisset, per quos uim
maiestatis suae, intolerabilem utique humanae mediocri-
tati, humilitate temperaret, sibi quidem indigna, homini

XXVII, 2 colligitis : collegitis F   collegistis X ‖ 4 potuisse R *edd.* :
potius se Mγ

XXVI. e. Cf. Ex. 32, 32

---

1. Les hérétiques sont associés aux juifs dans cette interpellation
indignée parce qu'ils refusent, comme eux, l'interprétation «mystique»
et figurative de l'A. T. Sur Moïse comme «type» du Christ médiateur
s'offrant pour le salut de tous, cf. *Fug.* 11, 1 : «Moïse, alors que le Christ
Seigneur ne s'était pas encore révélé et que lui, Moïse, en présentait déjà
la figure, s'écria : Si tu anéantis ce peuple, anéantis-moi aussi en même
temps que lui.» Même interprétation dans QUODVVLTDEVS, *Liber
promissionum* II, 6, l. 20 s. (*SC* 101, p. 306).
2. Retour à l'interprétation «simple» et obvie, dont sera dégagé un
sens moral (cf. *supra* II, 19, 1-2). Hyperbate de *ad praesens* que nous
rapportons à *sufficit* (comme Moreschini et Evans) : MEIJERING (p. 155)
le rapporte à *donatus est*.
3. Pensée subtile qui vise à sauvegarder la Toute-Puissance divine :
Dieu n'aurait pas fait solliciter la grâce du peuple par Moïse s'il ne
l'avait, d'abord, sollicitée (et obtenue) de lui-même.

sacrifie-moi avec eux en même temps[e].» **4.** Misérables
que vous êtes, vous aussi, avec ce peuple, puisque vous ne
reconnaissez pas, figuré dans la personne de Moïse, le
Christ intercesseur auprès du Père et qui offre sa vie pour le
salut du peuple[1]. Mais, pour le moment, il me suffit[2] que la
grâce du peuple ait été accordée personnellement à Moïse.
Cette grâce, pour que le serviteur pût la demander au
Seigneur, le Seigneur se l'est demandée à lui-même[3]. C'est
pourquoi il dit à son serviteur : «Laisse-moi faire, et je les
exterminerai[c]», précisément pour que ce dernier, en faisant
la demande et en s'offrant lui-même, ne le laissât pas faire,
et pour qu'on apprît ainsi quel est le pouvoir, auprès de
Dieu, d'un croyant et d'un prophète[4].

XXVII. 1. Maintenant, pour en
finir brièvement[5] avec les autres
traits aussi, quels qu'ils soient encore, de petitesse, de faiblesse et
d'indignité que vous relevez chez le
Créateur pour le démolir, je vais, utilisant un argument
simple et précis, avancer cette proposition : Dieu ne
pouvait entrer en contact avec les hommes sans prendre
des sentiments et des affections d'homme, qui lui permet-
taient d'atténuer la force de sa majesté – insoutenable au
demeurant pour la faiblesse humaine – par un abaissement,
indigne de lui certes, mais nécessaire pour l'homme, et par

Justification abrégée :
les indignités
sont à rapporter
au Fils

---

4. Interprétée comme un moyen de provoquer la supplique de Moïse,
la parole du Créateur est rapportée à sa volonté «pédagogique», de la
même façon que les questions à Adam et Caïn (*supra* II, 25, 3 et 5).

5. Recours à un argument abrégé (*compendium*) qui vise à écarter
toute discussion scripturaire pour s'en tenir à une démonstration
rationnelle (*ratio*) : cf. FREDOUILLE, *Conversion*, p. 218 et 220. Sur le
changement de tactique, voir MOINGT, *TTT* 1, p. 260 et 262. L'argumentation va se fonder à nouveau sur le présupposé théologique de
l'infinie distance entre Créateur et créature : cf. I, 3, 2 ; 4, 2 et t. 1,
p. 116, n. 3.

autem necessaria, et ita iam Deo digna, quia nihil tam
dignum Deo quam salus hominis. **2.** De isto pluribus
10 retractarem, si cum ethnicis agerem, quamquam et cum
haereticis non multo diuersa congressio stet. Quatenus et
ipsi Deum in figura et in reliquo ordine humanae condicionis deuersatum iam credidistis, non exigetis utique
diutius persuaderi Deum conformasse semetipsum huma-
15 nitati[a], sed de uestra fide reuincimini. Si enim deus, et
quidem sublimior, tanta humilitate fastigium maiestatis
suae strauit, ut etiam morti subiceretur, et morti crucis[b],
cur non putetis nostro quoque deo aliquas pusillitates
congruisse, tolerabiliores tamen Iudaicis contumeliis et
20 patibulis et sepulcris? **3.** An hae sunt pusillitates, quae
iam hinc praeiudicare debebunt Christum humanis passio-
nibus obiectum eius dei esse, cui humanitates exprobrantur
a uobis? Nam et profitemur Christum semper egisse
in Dei Patris nomine, ipsum ab initio conuersatum, ipsum

XXVII, 11 diuersa : *om*. β ‖ congressio stet. Quatenus *Mγ Mor.* : stet
congressio. Quatenus *R Ev.*   congressio — sed quatenus *Kr.*

XXVII. a. Cf. Phil. 2, 7 ‖ b. Cf. Phil. 2, 8

---

1. Expliquées comme abaissement nécessaire à Dieu dans sa révélation aux hommes, les «petitesses» reprochées au Créateur sont ainsi
disculpées du grief d'indignité. Formulation paradoxale, avec reprise du
motif de θεοπρεπές (voir Introduction, t. 1, p. 46) et rappel de la *sententia*
de II, 26, 2 (*nihil deo indignum quod efficit deo credere*).
2. Renoncement tout provisoire (comme le montre la fin de la
phrase) à l'attitude polémique habituelle d'assimilation du marcionisme
et du paganisme (cf. I, 4, 1; 5, 1; 8, 2; 13, 3; etc.). Même motif en
Res. 3, 3.
3. Tert. ici tire habilement parti de la doctrine marcionite selon
laquelle le dieu suprême était descendu (cf. I, 19, 2; II, 25, 6) afin de
sauver l'homme en mourant pour lui (cf. *Carn.* 5, 2; *Marc.* III, 11, 7 s.;
ORIGÈNE, *Hom. Éz.* 1, 4). Malgré son docétisme, Marcion avait conçu

là même digne de Dieu : car rien n'est aussi digne de Dieu que le salut de l'homme[1]. **2.** Sur ce point, je m'étendrais avec plus de détails si j'avais affaire à des païens[2]; mais le débat avec des hérétiques ne présente pas grande différence. Dans la mesure où vous croyez déjà vous-mêmes aussi que Dieu s'est abaissé jusqu'à prendre la forme et tout le reste de la condition humaine, vous n'exigerez pas, pour sûr, qu'on vous persuade plus longuement que Dieu s'est rendu conforme à l'humanité[a], et c'est votre propre foi qui sert à vous convaincre. Si en effet un dieu, et un dieu plus élevé, a abaissé la hauteur de sa majesté en s'humiliant jusqu'à se soumettre à la mort, et à la mort de la croix[b], pourquoi ne penseriez-vous pas que notre dieu aussi s'est accommodé de certaines petitesses, plus tolérables tout de même que les outrages, les gibets et les tombeaux des juifs[3]? **3.** Est-ce que ces petitesses ne devront pas dès maintenant faire préjuger que le Christ, qui a été en butte aux souffrances humaines, était bien celui du dieu auquel vous reprochez les marques de la faiblesse humaine[4]? Car, nous le professons, c'est le Christ qui a toujours agi au nom de Dieu le Père, c'est lui qui a eu une activité familière dès le commencement du monde, qui a approché les

cette mort sur la croix comme bien réelle et accompagnée de souffrances physiques véritables : cf. A. ORBE, «La Pasión según los Gnósticos», *Gregorianum* 56, 1975, p. 16-18.

4. Argument logique (*praeiudicare*) qui établit un rapport de convenance entre les «souffrances humaines» du Christ (cf. *Prax.* 16, 4 où ces *passiones* sont éclairées par *et sitim et esuriem et lacrimas et ipsam natiuitatem ipsamque mortem*) et les «faiblesses» reprochées au Créateur. La question (sur *an* = *nonne*, cf. *supra* II, 25, 6) souligne indirectement l'illogisme de Marcion selon qui, sans préparation aucune, le dieu suprême est descendu comme Christ pour sauver les hommes.

25 congressum cum patriarchis et prophetis, Filium Creatoris,
sermonem eius, quem ex semetipso proferendo filium fecit
ut exinde omni dispositioni suae uoluntatique praefecit,
diminuens illum modico citra angelos, sicut apud eum
scriptum est[c].   4. Qua diminutione in haec quoque dispo-
30 situs est a Patre, quae ut humana reprehenditis, ediscens
iam inde a primordio, iam ante hominem quod erat futurus
in fine. Ille est qui descendit[d], ille qui interrogat[e], ille qui
postulat[f], ille qui iurat[g]. Ceterum quia Patrem nemini
uisum etiam commune testabitur euangelium, dicente
35 Christo : *Nemo cognouit Patrem nisi Filius*[h].   5. Ipse enim
et ueteri testamento pronuntiarat : *Deum nemo uidebit et*

XXVII, 27 ut θ *Mor.* : et *Lat. Kr. Ev.* * ‖ 28 eum θ *Kr. Mor.* : Dauid
Lat. Ev. ‖ 29 haec R_2 *edd.* : hac Mγ R_1R_2 ‖ 31 iam ante hominem
Reitzenstein Mor. : iam inde hominem θ   iam inde hominem <indutus,
id esse> *Ev. secl. Kr.* * ‖ 33 quia θ *Kr.* : *secl. Pam. Mor. Ev.* *

XXVII. c. Cf. Ps. 8, 6 ‖ d. Cf. Gen. 18, 21 (cf. supra II, 25, 6) ‖
e. Cf. Gen. 3, 9 (cf. supra II, 25, 2-3) ‖ f. Cf. Is. 45, 23 (cf. supra
II, 26, 1-2) ‖ g. Cf. Ex. 32, 10 (cf. supra II, 26, 3) ‖ h. Lc 10, 22 (cf.
Matth. 11, 27)

---

1. Conformément à la doctrine commune du christianisme prénicéen,
les théophanies de l'A. T. sont rapportées au Verbe-Fils, Christ préexis-
tant, qui ainsi a assuré la révélation et préparé sa future incarnation «en
sauvegardant l'invisibilité du Père» : cf. *Prax.* 16, 2-7 (voir éd. Scarpat,
Turin 1985, p. 103-107); JUSTIN, *Dial.* 56-62 et 126-129; *I Apol.* 63
(voir PRIGENT, *Justin et l'A. T.*, p. 127 s.); IRÉNÉE, *Haer.* 4, 10, 1;
20, 7-8; THÉOPHILE, *Autol.* 2, 10 et 22; voir MOINGT, *TTT* 1, p. 255-
263; B. STUDER, «*Ea specie uideri quam uoluntas elegerit, non natura
formauerit*», *VetChr.* 7, 1970, p. 125-154 (notamment p. 127 s.).

2. Sur le Logos et sa «prolation» par laquelle il devient définitivement Fils, cf. *Ap.* 21, 11; *Prax.* 7, 1 (éd. Scarpat, p. 72); voir *Deus
Christ.*, p. 294-297; MOINGT, *TTT* 3, p. 1052-1060.

3. Voir Notes critiques, p. 208.

patriarches et les prophètes[1], lui, le Fils du Créateur, son Verbe, qu'il a fait son Fils en le proférant de lui-même[2], comme il l'a préposé[3] ensuite à toute l'œuvre de son économie et de sa volonté, en l'abaissant un peu au-dessous des anges, comme il est écrit dans son livre[c4]. **4.** En vertu de cet abaissement, il a été mis par le Père également dans ces situations que vous lui reprochez comme trop humaines : il faisait l'apprentissage, déjà dès l'origine, déjà avant son humanité, de ce qu'il devait être à la fin[5]. C'est lui qui descend[d], lui qui interroge[e], lui qui demande[f], lui qui jure[g6]. D'ailleurs, que personne n'ait vu le Père[7], même l'évangile qui nous est commun avec vous l'attestera par la parole du Christ : «Personne n'a connu le Père, sinon le Fils[h8].» **5.** Car, c'est lui qui, dans l'Ancien Testament, avait proclamé : «Personne ne pourra voir

---

4. A la suite de *Hébr.* 2, 7-9, l'antithèse de *Ps.* 8, 6-7 est régulièrement appliquée par Tert. au Fils (incarnation et résurrection) : cf. *Iud.* 14, 2 et 5 ; *Carn.* 14, 4-5 ; 15, 3 et 5 ; *Cor.* 14, 4 ; *Prax.* 9, 2 ; 16, 4-5 ; 23, 5.

5. Cf. *Marc.* III, 9, 6 ; *Carn.* 6, 8 ; *Prax.* 16, 3. Pour le problème textuel, voir Notes critiques, p. 208.

6. Renvoi aux manifestations divines critiquées et défendues *supra* II, 25, 6 (descente) ; 25, 1-3 (interrogation d'Adam et de Caïn) ; 26, 3-4 (demande à Moïse) ; 26, 1-2 (serments). Ce type d'énumération, qu'on retrouve en *Prax.* 16, 4 (*interrogans ... paenitens ... temptans ... offensus, reconciliatus*), a pu être inspiré par IRÉNÉE, *Haer.* 4, 10, 1 (*loquens ... dans ... quaerens ... inducens*).

7. C'est à la sauvegarde de l'invisibilité divine (cf. IRÉNÉE, *Haer.* 4, 20, 7) que visait la doctrine des théophanies rapportées au Verbe-Fils. Sur le maintien de *quia*, voir Notes critiques, p. 209.

8. Cf. *Marc.* IV, 25, 2 (*nemo scit qui sit pater nisi filius*). Mais ici la parole du Christ est citée d'après *Matth.* 11, 27 ; et la citation comporte un parfait *cognouit*, de même qu'en *Praes.* 21, 2 et en *Prax.* 8, 3 (*nouit*). Apparemment notre auteur est indifférent au problème textuel soulevé par IRÉNÉE, *Haer.* 4, 6, 1, qui défendait un présent (*cognoscit*) contre le parfait préféré par les hérétiques comme étayant leur thèse d'un dieu inconnu avant Jésus-Christ : voir *SC* 100, p. 207-208.

uiuet[1], Patrem inuisibilem determinans, in cuius auctoritate
et nomine ipse erat deus qui uidebatur, Dei Filius. Sed et
penes nos Christus in persona Christi accipitur, quia et hoc
40 modo noster est. **6.** Igitur quaecumque exigitis Deo
digna, habebuntur in Patre inuisibili incongressibilique et
placido et, ut ita dixerim, philosophorum deo, quaecumque autem ut indigna reprehenditis, deputabuntur in
Filio et uiso et audito et congresso, arbitro Patris et
45 ministro, miscente in semeptipso hominem et deum, in
uirtutibus deum, in pusillitatibus hominem, ut tantum
homini conferat quantum deo detrahit. **7.** Totum denique dei mei penes uos dedecus sacramentum est humanae
salutis. Conuersabatur Deus ut homo diuine agere doce-
50 retur. Ex aequo agebat Deus cum homine, ut homo ex

XXVII, 39 Christus θ *Kr. Mor.* : deus *coni. Ev.* * ‖ Christi θ *Kr. Mor.*
Ev. : dei *coni. Quispel* * ‖ 45 miscente R_2R_3 *edd.* :-tem Mγ R_1 ‖
49 conuersabatur R_1 (*coni.*) R_2R_3 : conseruabatur Mγ R_1 humane *add.*
Kr. Ev.

XXVII. i. Ex. 33, 20

---

1. Attestation scripturaire de l'invisibilité du Père : cf. *Iud.* 9, 22;
Marc. IV, 22, 14; V, 19, 3; *Prax.* 14, 1 s.; 15, 2; 24, 5; IRÉNÉE,
Haer. 4, 20, 5; CLÉMENT ALEX., *Str.* 5, 7, 7.
2. Avec Evans et Moreschini (*Trad.*), nous comprenons *Dei Filius*
comme apposition à *deus qui uidebatur*, et non comme attribut de *qui*. En
Prax. 14, 6, Tert. devait préciser que le Fils n'est visible qu'en tant que
Fils : comme Verbe et Esprit de Dieu, il partage l'invisiblité du Père.
3. Phrase obscure et discutée, dont nous proposons le transport au
§ 7, après *humanae salutis* : voir Notes critiques, p. 209.
4. Pour une juste appréciation de l'argument où POHLENZ, *Vom
Zorne Gottes*, p. 28 s., voulait trouver une «capitulation» de Tert. devant
Marcion et sa doctrine de l'*apatheia* divine, voir R. CANTALAMESSA, *La
cristologia di Tertulliano*, Fribourg 1962, p. 40 s.; FREDOUILLE, *Conversion*,
p. 161 s.; MOINGT, *TTT* 2, p. 418 (qui montre bien que le Père n'est pas
un «dieu oisif»). Sur l'hapax *incongressibilis*, voir *Deus Christ.*, p. 56, n. 3.

Dieu et vivre[11] » : par là il définissait comme invisible le
Père sous l'autorité et au nom duquel il était lui-même le
dieu que l'on voyait, le Fils de Dieu[2]. Mais aussi bien, chez
nous, dans la personne du Christ, ce que nous comprenons,
c'est le Christ < c'est-à-dire l'Oint >, car de cette manière
aussi il est nôtre[3].   **6.** Ainsi donc, tout ce que vous exigez
comme digne de Dieu se rencontrera dans le Père invisible,
inapprochable, pacifique, et, pour m'exprimer ainsi, dieu
des philosophes[4]; mais tout ce que vous critiquez en lui
comme indigne de Dieu sera attribué au Fils qui a
été vu, entendu, approché, lui, l'agent et le serviteur
du Père, mêlant en lui l'humanité et la divinité, dieu
dans ses miracles, homme dans ses petitesses, pour donner
à l'homme tout ce qu'il retire au dieu[5].   **7.** Car tout ce qui
est chez vous déshonneur de mon dieu est mystère sacré du
salut de l'homme[6]. Dieu avait une activité familière[7] pour
que l'homme fût instruit à agir en dieu. Dieu agissait à
égalité avec l'homme pour que l'homme pût agir à égalité

L'adjectif *placidus* et l'expression *philosophorum deus* (sans autre exemple)
renvoient aux définitions du dieu suprême de Marcion (cf. I, 25, 3;
II, 16, 2-3; *Praes.* 7, 3) comme de la divinité épicurienne (*Ap.* 47, 6;
Val. 7, 4).

5. Sur *arbiter et minister* comme qualifications du Verbe-Fils (déjà
dans *Herm.* 22, 5), voir Cantalamessa, *o.c.*, p. 46, n. 3. Sur la formule
homo deo mixtus définissant l'Incarnation comme en *Ap.* 21, 14 et
Carn. 15, 6, mais qui devait être écartée en *Prax.* 27, 10-11, voir *Deus
Christ.*, p. 313-315.

6. Formule choc qui fait écho à celle du § 1 : *nihil tam dignum Deo
quam salus hominis*; *totum dedecus* (= *omnia indigna*) vise la critique des
théophanies de l'A. T., mais également l'interprétation marcionite de
l'Incarnation (refus d'une chair humaine venue par la naissance).

7. La restitution ici de *humane* (Kroymann, suivi par Evans), justifiée
peut-être par la symétrie et le parallélisme, n'est cependant pas nécessaire. Moreschini ne l'admet pas non plus. L'emploi absolu de *conuersabatur* est repris du § 3 (cf. aussi *Prax.* 15, 6); il peut comporter l'idée de
« commerce humain et familier » qu'exprime *conuersatio* (cf. TLL IV,
c. 850, l. 23 s.).

aequo agere cum Deo posset. Deus pusillus inuentus est, ut
homo maximus fieret. Qui talem deum dedignaris, nescio
an ex fide credas deum crucifixum. Quanta itaque peruersitas uestra erga utrumque ordinem Creatoris? 8. Iudi-
55 cem eum designatis, et seueritatem iudicis secundum
merita causarum congruentem pro saeuitia exprobratis;
deum optimum exigitis, et lenitatem eius benignitati
congruentem, pro captu mediocritatis humanae deiectius
conuersatam, ut pusillitatem depretiatis. Nec magnus uobis
60 placet nec modicus, nec iudex nec amicus. Quid, si nunc
eadem et in uestro deprehendantur? Iudicem quidem et
illum esse iam ostendimus in libello suo et de iudice
necessarie seuerum et de seuero scilicet saeuum, si tamen
saeuum.

XXVIII. 1. Nunc et de pusillitatibus et malignitatibus
ceterisque notis et ipse aduersus Marcionem antithesis

XXVII, 55 iudicis θ *Kr. Mor. Ev.* : iudici *Vrs.* ‖ 60 nunc *Iun. Kr.
Mor. Ev.* : non θ   enim *Lat.* ‖ 61 deprehendantur : repr- *X* ‖ 63 scilicet
Lat. Kr. Mor. : sicut θ   sic et *Oehler Ev.*
XXVIII, 2 ipse *R₃ Kr. Mor. Ev.* : ipsum *Mγ R₁R₂*

---

1. L'antithèse qui domine ce développement s'inspire de la conception d'IRÉNÉE sur la divinisation de l'homme : cf. *Haer.* 3, 10, 2
(*SC* 211, p. 116, l. 44 s.); 3, 19, 1 (*ibid.*, p. 374, l. 23 s.); 5, Pr. (*SC* 153,
p. 14, l. 36 s.).
2. Cf. § 2 et p. 160, n. 3. La seconde personne du singulier, excep-
tionnelle dans ce chapitre, confère peut-être un ton encore plus grave à
la remarque : appel à la bonne foi de chaque marcionite.
3. Développement polémique de conclusion, sur les contradictions
de l'adversaire, avec reprise du motif de sa *peruersitas* (cf. I, 26, 1 ; 27, 5 ;
28, 1). *Vterque ordo* désigne le binôme bonté/justice, sur lequel Marcion
fonde son dithéisme et que notre auteur a montré à l'œuvre en même
temps dans le Créateur : cf. *supra* II, 15-16.
4. Cf. *supra* II, 11, 1 ; 14, 3. La construction de *congruere* avec *secundum*

avec Dieu. Dieu s'est laissé voir petit pour que l'homme
devînt très grand[1]. Toi qui méprises un tel dieu, je ne sais
si en toute bonne foi tu peux croire à un dieu crucifié[2]!
Quelle n'est pas votre absurdité à l'égard des deux aspects
généraux du Créateur[3]! **8.** Vous le classez comme juge,
et cette sévérité de juge, en rapport avec ce que méritent les
différents cas, vous la lui reprochez comme une cruauté[4].
Vous exigez un dieu très bon, et cette mansuétude, en
accord avec sa bonté, quand elle se rend plus bassement
familière pour s'adapter à la faiblesse humaine, vous la
dénigrez sous le nom de petitesse. Il ne vous plaît ni grand
ni petit ni juge ni ami. Que diriez-vous si, maintenant,
nous relevions les mêmes griefs au compte de votre dieu
aussi? Mais dans le livre que nous lui avons consacré, nous
avons déjà montré qu'il était juge lui aussi, et de juge, il
s'ensuit forcément qu'il est sévère, et de sévère, qu'il est
évidemment cruel, si toutefois cruauté il y a[5].

Péroraison
a) Les
«Contre-Antithèses»

XXVIII. 1. Et maintenant, sur
ces petitesses, ces méchancetés et
autres marques d'infamie, je vais
faire moi-même aussi, contre Mar-
cion, des «Antithèses» concurrentes[6]. Mon Dieu a ignoré

(+ accusatif) est attestée aussi chez Marius Victorinus : cf. *TLL* IV,
c. 302, l. 65.

5. Renvoi à I, 26, 5, qui permet de couper court à la «rétorsion»
annoncée. L'enchaînement *iudex-seuerus-saeuus* est une reprise de l'argument adverse (cf. *supra* II, 11, 1) : d'où la réserve sur le bien-fondé du
troisième terme.

6. Ce premier développement conclusif dresse la liste de dix «antithèses» opposées à celles de Marcion (cf. I, 19, 4) : la rétorsion, à peine
esquissée à la fin du chapitre précédent, est ici systématiquement
exploitée, pour permettre la reprise de divers arguments du livre I
comme du livre II. Des moyens stylistiques de *uariatio* évitent la
monotonie d'un parallélisme trop strict.

aemulas faciam. Si ignorauit deus meus esse alium super se,
etiam tuus omnino non sciit esse alium infra se. Quod enim
5 ait Heraclitus ille tenebrosus, *eadem uia sursum et deorsum*[a].
Denique si non ignorasset, et ab initio ei occurrisset.
Delictum et mortem et ipsum auctorem delicti diabolum et
omne malum, quod deus meus passus est esse, hoc et tuus,
qui illum pati passus est. Mutauit sententias suas deus
10 noster. Proinde quam et uester. Qui enim genus humanum
tam sero respexit, eam sententiam mutauit, qua tanto aeuo
non respexit. **2.** Paenituit in aliquo deum nostrum[b].
Sed et uestrum. Eo enim, quod tandem animaduertit
ad hominis salutem, paenitentiam dissimulationis pristinae
15 fecit, debitam malo facto. Porro malum factum deputa-
bitur neglegentia salutis humanae, non nisi per paenitentiam emendata apud deum uestrum. Mandauit fraudem
deus noster, sed auri et argenti[c]. Quanto autem homo
pretiosior auro et argento, tanto fraudulentior deus uester,
20 qui hominem domino et factori suo eripit. Oculum pro
oculo reposcit deus noster[d]. Sed et uester uicem prohibens
iterabilem magis iniuriam facit. Quis enim non rursus

XXVIII, 3 esse alium : *inu. X* ‖ 4 sciit *M Kr. Mor.* : sciuit β *Ev.* ‖
8 quod *Vrs. Kr. Mor. Ev.* : quem θ   quae *Pam.* ‖ 10 quam *Mγ R, Kr.
Mor.* : quâ R₂R₃   qua *Ev.* ‖ 12 in aliquo *M Kr. Mor.* : mali quo γ R₁R₂
mali in aliquo *G R₃ Ev.* ‖ 14 pristinae *Lat. Kr. Mor. Ev.* : -nam θ

XXVIII. a. Héraclite, Fragm. 60 (Diels) ‖ b. Cf. Gen. 6, 6; I Sam.
15, 11; Jonas 3, 10 (cf. supra II, 24, 1-3) ‖ c. Cf. Ex. 3, 22; 11, 2;
12, 35-36 (cf. supra II, 20, 1) ‖ d. Cf. Ex. 21, 24 (cf. supra II, 18, 1)

---

1. Cf. I, 11, 9; II, 26, 1.
2. Même expression, qui se réfère au surnom d'Héraclite (cf. ARIS-
TOTE, *Mund.* 5, 5), en *An.* 2, 6. La citation (cf. DIOGÈNE LAËRCE 9, 9)
sert plaisamment à illustrer l'idée que ce qui vaut pour le dieu inférieur
vaut aussi pour le dieu supérieur.

qu'il y en avait un autre au-dessus de lui[1]. Le tien non plus
n'a pas su du tout qu'il y en avait un autre au-dessous de
lui. Car, comme dit Héraclite[2] l'obscur, «même voie vers le
haut et vers le bas[a]». Si en effet il ne l'avait pas ignoré, dès
le début il se serait opposé à lui[3]. Le péché, la mort, même
l'auteur du péché, le diable, et tout le mal, dont mon dieu a
souffert l'existence[4], ont vu aussi leur existence soufferte
par le tien; car il a souffert qu'il le souffrît[5]. Notre dieu a
changé d'avis[6]. Tout de même que le vôtre : lui qui a jeté si
tard les yeux sur le genre humain, il a, en cela, changé
d'avis puisqu'il est resté un si long temps sans jeter les yeux
sur lui[7]. **2.** Notre dieu s'est repenti en quelque circonstance[b][8]. Mais le vôtre aussi : car en s'avisant enfin de faire
le salut de l'homme, il a eu le repentir de son abstention
antérieure, repentir dû à une mauvaise action. Assurément
on réputera mauvaise action sa négligence du salut de
l'homme, qui n'a été corrigée chez votre dieu que par le
repentir[9]. Notre dieu a commandé une tromperie, mais qui
ne concernait que de l'or et de l'argent[c][10]. Or, dans la
mesure où l'homme est plus précieux que l'or et l'argent,
dans la même mesure votre dieu est plus trompeur
puisqu'il enlève l'homme à son maître et créateur[11].
Notre dieu réclame œil pour œil[d]. Mais votre dieu,
en interdisant la riposte, facilite la récidive de l'injustice :

3. Cf. I, 17, 4.
4. Cf. *supra* II, 5, 1 ; 10, 1.
5. Cf. I, 22, 3-10.
6. Cf. *supra* II, 23.
7. Cf. I, 25, 4-5.
8. Cf. *supra* II, 25.
9. Cf. I, 22, 3-10. Renvoi à la définition «marcionite» de la pénitence : cf. *supra* II, 24, 1 et note complémentaire 29 (p. 228).
10. Cf. I, 20.
11. Cf. I, 23.

percutiet non repercussus? Nescit deus noster, quales
adlegeret. Ergo nec uester. Iudam traditorem adlegisset[e],
25 si praescisset? Si et mentitum alicubi dicis Creatorem,
longe maius mendacium est in tuo Christo, cuius corpus
non fuit uerum. **3.** Multos saeuitia dei mei absumpsit.
(3) Tuus quoque deus quos saluos non facit utique in
exitium disponit. Deus meus aliquem iussit occidi. Tuus
30 semetipsum uoluit interfici, non minus homicida in semetipsum quam in eum a quo uellet occidi. Multos autem
occidisse deum eius probabo Marcioni. Nam fecit homi-
cidam, utique periturum, nisi si populus nihil deliquit in
Christum.

XXIX. 1. Ceterum ipsas quoque antithesis Marcionis
comminus cecidissem, si operosiore destructione earum
egeret defensio Creatoris — sed expedita uirtus ueritatis

XXVIII, 23 Nescit θ *Mor. Ev.* : nesciit *Vrs. Kr.* ‖ 24 adlegeret *M R
Kr. Mor. Ev.* : elegeret (eli- *F*) γ ‖ adlegisset *M Rig.* : non adlegisset
(eleg- *X* elig- *F*) β *Kr. Mor. Ev.* * ‖ 25 praescisset : *interrogationem
signaui* * ‖ 31 eum R₂R₃ *Mor. Ev.* : eo Mγ R₁ *Kr.* ‖ 34 *Verba* Sed
expedita — necessaria, *quae in cap. XXIX, l. 3-4, transtuli, in codd. edd.
leguntur hic post* Christum *
XXIX, 1 Ceterum : -ras *X* ‖ 3 egeret R *edd.* : ageret Mγ ‖ 3-4 sed
expedita — necessaria : *Haec uerba quae post* Christum *(XXVIII, 34)
inueniuntur, huc transtuli et parenthesin signaui* *

XXVIII. e. Cf. Lc 6, 16 (Matth. 10, 4; Mc 3, 19)

---

1. Cf. *supra* II, 18, 1 et note complémentaire 27 (p. 223).
2. Cf. *supra* II, 23, 1; 24, 1.
3. Cf. IV, 41, 1. Pour le texte, voir Notes critiques, p. 210.
4. Les trois dernières «antithèses» (mensonge, cruauté, homicide)
sont détachées par le passage à la deuxième personne du singulier (*meus*
opposé à *tuus*).
5. Cf. I, 24, 5 (thème abondamment développé au livre III). Mais les
«mensonges» du Créateur n'ont pas fait l'objet d'une mention spéciale
au cours du livre II.

car ne frappera-t-on pas à nouveau si l'on n'est pas frappé
en retour[1] ? Notre dieu n'a pas su ce qu'étaient ceux dont il
faisait choix[2]. Eh bien, votre dieu non plus : aurait-il fait
choix de Judas le traître[c] s'il l'avait su d'avance[3] ? Si,
d'après toi[4], le Créateur également a menti en quelque
occasion, beaucoup plus grand est le mensonge qu'on
trouve dans ton Christ puisqu'il n'a pas eu un corps
véritable[5].   **3.** La cruauté de mon dieu a fait beaucoup de
victimes[6]. **(3)** Mais ton dieu aussi voue assurément à la
perdition ceux qu'il ne sauve pas[7]. Mon dieu a ordonné
la mort de quelqu'un[8]. Le tien a voulu être mis à
mort lui-même, non moins homicide contre lui-même
que contre celui par lequel il voulait être tué. Or que son
dieu ait tué beaucoup de gens, je vais le prouver à
Marcion : il a fait < du peuple juif > un homicide,
évidemment destiné à périr, à moins que ce peuple n'ait en
rien péché contre son Christ[9].

b) Les *Antithèses* plaident pour le Créateur	**XXIX. 1.** D'ailleurs j'aurais aussi abattu en un corps à corps les *Antithèses* mêmes de Marcion si la défense du Créateur en requérait une des-

truction plus laborieuse – mais, dans son aisance, la force

---

6. Cf. *supra* II, 14, 4. Sur le reproche de *saeuitia*, cf. *supra* II, 11, 1.

7. Cf. I, 24, 2 (il s'agit des juifs et des «chrétiens du Créateur», exclus
par Marcion du salut qu'apporte le dieu suprême).

8. Cf. *supra* II, 21, 2 (à propos de *Nombr.* 15, 35-36).

9. Reprise du grief d'«homicide» (I, 29, 8), avec allusion à la christo-
logie modaliste de Marcion. L'intention caricaturale est évidente, et
soulignée par le changement de ton (troisième personne : *probabo
Marcioni*). Voulue par le dieu suprême, la mise à mort de son Christ
(c'est-à-dire de lui-même) devient une sorte de suicide, en même temps
qu'elle est cause de la mort des juifs qui l'ont crucifié (cf. *supra* II, 27, 2)
et qui en sont punis sur eux-mêmes et leurs fils (cf. *supra* II, 15, 3
et n. 3). La dernière proposition reprend, sous forme ironique, celle qui
termine *Ap.* 26, 3, (à propos aussi du peuple juif).

paucis amat, multa mendacio erunt necessaria – tam
5 boni quam et iudicis secundum utriusque partis exempla
congruentia Deo, ut ostendimus. Quodsi utraque pars,
bonitatis atque iustitiae, dignam plenitudinem diuinitatis
efficiunt omnia potentis, compendio interim possum antithesis retudisse, gestientes ex qualitatibus ingeniorum siue
10 legum siue uirtutum discernere atque ita alienare Christum
a Creatore, ut optimum a iudice et mitem a fero et
salutarem ab exitioso. 2. Magis enim eos coniungunt,
quos in eis diuersitatibus ponunt, quae Deo congruunt.
Aufer titulum Marcionis et intentionem atque propositum
15 operis ipsius, et nihil aliud praestat quam demonstrationem
eiusdem dei, optimi et iudicis, quia haec duo in solum
Deum competunt. Nam et ipsum studium in eis exemplis
opponendi Christum Creatori ad unitatem magis spectat.

XXIX, 4 mendacio : -cia γ R_1R_2 || 15 praestat R_2 (*coni.*) R_3 : praestare
Mγ R_1R_2 praestet R_2 (*coni.*)   praestabit *Iun.*   praestaret *Oehler Ev.*
post praestare *lacunam sign. Kr.*   praestare <poteris> *Mor.*   praestare
<poterit> *Knecht*

---

1. Second développement conclusif. Revenant aux *Antithèses* mêmes
de Marcion, l'auteur renonce par souci de brièveté à les réfuter
davantage, et il se limite à des considérations générales : l'«antithèse»
plaide pour le Créateur, juste et bon à la fois, et même elle convient à lui
seul, dieu «jaloux», qui a fait son univers d'éléments opposés entre eux.
L'expression *comminus caedere* sera reprise en *Marc.* IV, 1, 2 (voir aussi
III, 5, 1); sur ces métaphores «agonistiques» (ainsi I, 1, 7; 3, 1; 6, 7),
voir O'MALLEY, *Tertullian and the Bible*, p. 108-109.
2. *Sententia* à antithèses, à rapprocher de *An.* 2, 7 (*certa semper in
paucis*) et de *Val.* 1, 4 (*Veritas docendo persuadet, non suadendo docet*).
Cf. JÉRÔME, *Epist.* 34, 5. Pour le déplacement que nous avons jugé
nécessaire dans le texte, voir Notes critiques, p. 210.
3. Cf. *supra* II, 12, 1-3; 13, 5; 27, 7 (*utrumque ordinem Creatoris*).
L'expression *omnia potens* joue le rôle d'adjectif dérivé de *omnipotens*;
cf. *Deus Christ.*, p. 100.

de la vérité aime à user de peu de mots[1], c'est le mensonge
qui rendra nécessaires les longs discours[2] –, Créateur à la
fois bon et juge conformément à ces exemples de l'un et
l'autre aspect qui conviennent à Dieu comme nous l'avons
montré. Que si les deux aspects de bonté et justice réalisent
la digne plénitude de la divinité toute-puissante[3], je peux
pour l'instant, d'un argument abrégé[4], détruire ses *Antithèses* qui s'évertuent , d'après les qualités de leurs dispositions morales, ou de leurs lois, ou de leurs miracles, à
distinguer et ainsi à séparer du Créateur le Christ dont la
toute bonté serait étrangère à ce juge, la douceur à
ce sauvage, la fonction salvatrice à cet exterminateur[5] !
2. En réalité elles ne font que conjoindre davantage ceux
qu'elles mettent ainsi en opposition, puisque ces oppositions sont en harmonie avec Dieu[6]. Supprime le titre de
Marcion, l'intention et l'objet de son ouvrage, et il n'offre[7]
rien d'autre qu'une démonstration de l'identité du dieu très
bon et du dieu juge; car c'est à Dieu seul que conviennent
ces deux attributs. Il n'est pas jusqu'à son application à
opposer par les exemples le Christ au Créateur qui ne fasse

---

4. Cf. *supra* II, 27, 1 et p. 159, n. 5.

5. Définition des «antithèses» comme en I, 19, 4 (voir aussi IV, 1, 1
et 10). L'opposition des *ingenia* reprend les expressions de I, 6, 1, avec un
renchérissement : *salutaris* (cf. I, 19, 2) est opposé à *exitiosus* (sur la
cruauté reprochée au Créateur, voir *supra* II, 14, 4 et 28, 3).

6. Résumé de la démonstration de II, 11-14 : l'antithèse de bonté et
justice se résout en réalité en une *societas et conspiratio* (II, 12, 1) de ces
deux attributs, qui est digne de Dieu (cf. Introduction, t. 1, p. 46) et
prouve l'identité des deux dieux distingués par Marcion.

7. Nous accueillons ici, comme l'aménagement le plus simple, la
correction de R₂, *praestat*, contre *praestare* des mss qu'on ne peut
conserver qu'à condition de restituer un verbe ou d'admettre une
lacune. Dans tout le développement, jusqu'à *indomitis*, Marcion est
attaqué à la troisième personne.

3. Adeo enim ipsa et una erat substantia diuinitatis, bona
20 et seuera, in eisdem exemplis et in similibus argumentis ut
bonitatem suam uoluerit ostendere, in quibus praemiserat
seueritatem, quia nec mirum erit diuersitas temporalis, si
postea Deus mitior pro rebus edomitis, qui retro austerior
pro indomitis. Ita per antithesis facilius ostendi potest ordo
25 Creatoris a Christo reformatus quam repercussus, et red-
ditus potius quam exclusus, praesertim < cum > deum
tuum ab omni motu amariore secernas, utique et ab
aemulatione Creatoris scilicet. **4.** Nam si ita est, quomodo eum antithesis singulas species Creatoris aemulatum
30 demonstrant? Agnoscam igitur et in hoc per illas deum
meum zeloten, qui res suas arbustiores in primordiis bona,
ut rationali, aemulatione maturitatis praecurauerit suo
iure, cuius antithesis etiam ipse mundus eius agnoscet,
ex contrarietatibus elementorum, summa tamen ratione,

XXIX, 19 diuinitatis *Kr. Ev.* (*coni. R_1R_2*) : -tatibus θ *Mor.* ‖ 20 in[1]
scripsi : et θ *Mor. Ev.*   ut *Kr.* * ‖ ut θ *Mor. Ev.* : et *Kr.* * ‖ 22 erit *M Rig.*
Kr. Mor. : erat β *Ev.* ‖ 25 quam *Leopoldus Kr. Mor. Ev.* : quo θ   et *Lat.* ‖
26 praesertim < cum > *Leopoldus Kr. Mor. Ev.* : quum praesertim *Lat.* ‖
32 maturitatis θ *Ev.* : -tati *Kr. Mor.* *

---

1. Allusion à la méthode des parallèles antithétiques de Marcion : elle
est retournée ainsi contre son objet. Pour le texte, voir Notes critiques,
p. 210.

2. Cf. *supra* II, 15, 2 ; 18, 1 ; 19, 1 (avec les notes). Marqué désormais
par l'influence montaniste, Tert. est disposé à admettre une *diuersitas
temporalis* dans la révélation divine : conception qui se précisera plus
tard par la distinction de plusieurs étapes (cf. *Virg.* 1, 4-7 ; *Mon.* 5).

3. Nouvelle utilisation de la notion d'«antithèse» pour faire pièce à
l'adversaire : reprise et adaptation de I, 25, 6-7 (un dieu sauveur ne peut
être exempt d'*aemulatio*). Le passage à la seconde personne souligne la
progression.

4. Reprise de l'expression biblique (rendue aussi par *aemulator*), dont
Marcion se servait pour déprécier le Créateur : cf. IV, 27, 8 : *zelotes
qualem arguunt Marcionitae.* Voir *Deus Christ.*, p. 118-119.

éclater davantage leur unité! **3.** La substance de la divinité était si manifestement une seule et même substance, bonne et sévère, que dans des exemples identiques et des preuves semblables, elle a voulu marquer sa bonté là où elle avait, préalablement, montré sa sévérité[1]; car il n'y aura pas non plus à s'étonner de cette diversité temporelle : Dieu, par la suite, se fait plus doux pour s'adapter à l'état de soumission de sa créature, lui qui, préalablement, avait été plus rude en face de son insoumission[2]. Ainsi, grâce aux *Antithèses*, on peut plus facilement montrer que le Christ a réformé le plan du Créateur que montrer qu'il l'a répudié, et rétabli que rejeté; étant donné surtout que tu écartes ton dieu de tout mouvement un peu âpre, et assurément aussi de toute opposition à l'égard, bien sûr, du Créateur[3]. **4.** S'il en est ainsi, comment se fait-il que tes *Antithèses* le montrent en opposition avec chacun des aspects du Créateur? Grâce à elles, je reconnaîtrai donc en cela aussi mon dieu, qui est un dieu jaloux[4] : lui qui, des plants de son domaine trop sauvages au commencement, a pris soin de bonne heure, selon son droit, par une volonté jalouse de leur maturation, volonté bonne puisque raisonnable[5]. Et ses «Antithèses» à lui, même l'univers, son œuvre, les reconnaîtra, étant formé d'éléments contraires qu'harmonise pourtant la plus haute raison[6]. C'est pour-

---

5. Nouvelle justification des «sévérités» du dieu de l'A. T., auteur et maître de l'homme (*res suas*), et qui a usé d'un droit légitime (*suo iure*) dans son œuvre «pédagogique». L'idée est traduite par le moyen d'une métaphore agricole (*arbustiores, maturitatis*) à mettre en liaison avec le thème biblique d'Israël comme «vigne du Seigneur» (cf. *Is.* 5, 1-7; *Jér.* 2, 21; *Éz.* 15, 2-8). Pour le texte et l'interprétation, voir Notes critiques p. 211.

6. Cf. I, 16, 2 et la note complémentaire 14, t. 1, p. 301 (*concordia discors*). Argument repris en IV, 1, 10.

35 modulatus. Quam ob rem, inconsiderantissime Marcion, alium deum lucis ostendisse debueras, alium uero tenebrarum, quo facilius alium bonitatis alium seueritatis persuasisses. Ceterum eius erit antithesis, cuius est et in mundo.

EXPLICIT ADVERSVS MARCIONĒ LIB̄ II *M* Explicit aduersus Marcionem liber secundus *F om. X*

---

1. Forme superlative de *inconsideratus* (cf. *Ap.* 7, 11 ; 46, 6), qui paraît attestée uniquement ici (cf. *TLL* VI, 1, c. 1008, l. 60 s.) : peut-être volonté caricaturale marquée par la néologie (cf. I, 29, 8 : *dee*).

quoi, extravagantissime[1] Marcion, tu aurais dû nous montrer un dieu de la lumière et un dieu des ténèbres[2] : tu nous aurais ainsi plus facilement convaincus que l'un est dieu de bonté et l'autre de sévérité. Au reste, l'«antithèse» sera l'apanage du dieu dont elle est l'apanage aussi dans l'univers[3].

2. Ironie qui souligne l'illogisme du système marcionite où le dualisme est moins radical que celui de la religion iranienne par exemple. Motif repris en IV, 11.

3. Reprise, dans la *sententia* finale, du thème polémique du livre I sur l'absence de *conditio* et de *mundus* propre au dieu de Marcion (cf. *supra* I, 11, 3 ; etc.).

NOTES CRITIQUES

II, 1, 2 *demerendum magis quam retractandum, uel quia timendum ob seueritatem.* (l. 18-19)

Le texte transmis a *uel quam timendum*, qui est difficilement intelligible. Van der Vliet propose la suppression de tout le membre de phrase, de *uel* à *seueritatem*; il est suivi par Kroymann et Moreschini. Evans, dont la traduction ne tient pas compte de *quam* devant *timendum*, suggère dans l'apparat une restitution *uel <amandum propter bonitatem> quam timendum ob seueritatem.* Aucune de ces solutions ne paraît satisfaisante. Il suffit, selon nous, d'une légère correction, celle de *quam* en *quia*, pour rendre le texte parfaitement intelligible. Tert. utilise ici un argument *ad hominem* ou plutôt *ad Marcionitam* : la discussion du livre I ayant fait apparaître l'inexistence du dieu de ces hérétiques, il ne reste plus en scène que le Créateur, quel qu'il soit (*qualemcumque*) même s'il est aussi sévère (cf. I, 6, 1) que le prétend Marcion; plus que les autres, les marcionites devraient donc gagner sa faveur (*demerendum*) puisqu'ils l'estiment sévère et qu'à ce titre ils doivent le craindre. *Vel quia* («quand ce ne serait que parce que») est usuel chez notre auteur; *quia*, sans verbe exprimé, est très fréquent chez lui (cf. CLAESSON, *Index Tert.* 3, p. 1334-1335). On expliquera enfin sans difficulté que, sous l'influence des deux *quam* de cette phrase, *quia* se soit aussi altéré en *quam*.

II, 2, 2 *iam nec illius alterius solis, si qui fuisset, radios sustinere potuisses, utique maioris.* (l. 15-17)

Tel est le texte des mss. Depuis la troisième édition de Rhenanus, on corrige généralement *illius* en *ullius*. Mais nous pensons qu'il faut maintenir *illius*, ce pronom renvoyant à cet *alium solem ... mitiorem et salubriorem* dont il a été question à la fin de 2, 1, où commence la comparaison entre le dieu et le soleil. D'ailleurs la précision finale *utique maioris* prouve bien qu'il s'agit de «cet autre soleil» (et non d'«aucun autre soleil»). L'hypothétique *si qui fuisset*, qui a peut-être conduit Rhenanus à corriger, ne fait pourtant pas difficulté après *illius* : on trouve un tour semblable en I, 22, 4 : *Qui per bonitatem reuelari haberet, si qui fuisset*, où il s'agit également d'un dieu bien déterminé, celui de Marcion (EVANS, p. 59, traduit l'hypothétique : «if such a one had existed»).

II, 2, 4 *Ipse iam [apostolus] tunc prospiciens haeretica corda : Quis, inquit, cognouit* (l. 28-29)

Les mss sont partagés : *Ipse iam apostolus tunc prospiciens*, dans *M* ; *Ipse iam apostolus prospiciens*, dans *X* ; *Ipse enim apostolus prospiciens*, dans *F*. Ces mots, qui introduisent la citation d'*Is*. 40, 13-14 reprise par *Rom*. 11, 34-35, ont suscité diverses émendations. Latinius a corrigé *ipse* en *Esaias*. Il est suivi par Evans qui lit *Esaias iam tum apostolus prospiciens* ..., et traduit : «Anticipating the apostle, and having foresight of heretical hearts, Isaiah ...» La correction, qui consiste à transposer après *iam* l'adverbe *tum* (= *tunc* du texte de *M*), et surtout l'interprétation paraissent forcées. Kroymann, suivi par Moreschini, ajoute *Isaias* après *Ipse* et retranche *apostolus*, ce qui aboutit à une interprétation satisfaisante, mais au prix d'une double intervention (addition et suppression). Notre solution, qui est aussi celle de LUISELLI (p. 407-408), consiste à retrancher *apostolus* (qui a pu être le fait d'un copiste savant croyant identifier la citation comme étant celle de *Rom*. 11, 34-35) et à comprendre *ipse* comme étant le Créateur, auteur de l'A. T., donc des paroles des prophètes en général et d'Isaïe en particulier. Luiselli, pour cet usage, renvoie à *Marc*. IV, 13, 1 et 15, 11. On peut même se demander si Tert. ne considère pas que c'est Dieu lui-même qui parle ici. On peut le déduire du rapprochement avec *Prax*. 19, 2 où on lit, selon la tradition manuscrite (corrigée à tort par

Ursinus et Engelbrecht) : *et si dixit : Quis cognouit ... consilio fuit,
utique praeter sophiam ait quae illi aderat.* Il nous paraît clair que
Tert. rapporte *Is.* 40, 13 à Dieu comme étant le locuteur. En
aucun des autres passages où il a utilisé cette citation scripturaire
(*Herm.* 17, 1 ; 45, 5 ; *Scorp.* 7, 6 ; *Marc.* V, 6, 9 ; 14, 10 ; 18, 3), il ne
dit précisément que c'est Isaïe qui parle.

II, 2, 4   *aut quis illi consiliarius fuit?* (l. 29-30)

Avec Kroymann et Moreschini, nous suivons ici le texte de *M*.
Evans adopte celui de β, qui porte *consiliarius eius* au lieu de *illi
consiliarius*, manifestement d'après la Vulgate. La leçon de *M*
reçoit d'autre part l'appui d'autres passages de notre auteur où *Is.*
40, 13 est également cité : *Herm.* 17, 1 ; *Scorp.* 7, 6 ; *Marc.* V, 6, 9
et enfin *Prax.* 19, 2 (avec substitution de *consilio* à *consiliarius*).

II, 2, 7 — 3, 1   *quem a primordio sui et bonum et optimum inuenerat et ipse, si forte, iudicem fecerat. A primordio igitur oportebit ineuntes examinationem* (c. 2, l. 62 — c. 3, l. 1)

Le maintien du premier *et*, que retranche J. de Pamèle, suivi
par Evans, ne fait pas difficulté : attesté par toute la tradition et
conservé par la plupart des éditeurs, *et* doit être ici maintenu dans
ce groupement de qualificatifs à valeur ascendante. La reprise des
deux mots *a primordio* plus loin pose un problème plus délicat.
Dans les mss et les premières éditions, ces deux mots sont
rattachés à *iudicem fecerat*. Mais, avec cette ponctuation, le texte
laisse une impression de maladresse. Si l'auteur avait voulu
produire un effet rhétorique par une reprise en chiasme, il semble
qu'il aurait plutôt écrit *a primordio sui* (ou *a sui primordio*). On
observera que Moreschini, qui conserve le texte avec la ponctuation traditionnelle, traduit comme s'il en était ainsi : «dalla
propria origine» les deux fois. Plus radical, Kroymann retranche
la reprise *a primordio*; il est suivi par Evans. Nous avons préféré
la solution de Junius, qui consiste à rattacher ces deux mots à la
phrase suivante, par laquelle commence le chapitre 3. Ils assu-

rent, nous semble-t-il, une liaison toute naturelle entre l'idée sur laquelle se clôt le chapitre 2 (Adam a éprouvé *a primordio sui* la bonté du Créateur) et celle qui marque le début du ch. 3 (il faut faire partir *a primordio* l'examen de cette bonté). La place de *igitur* ne fait aucune difficulté : les emplois de cette conjonction en tête de phrase et en deuxième position (troisième, en cas de mots non séparables) sont à peu près égaux en nombre chez Tert.

II, 3, 3 *non utique repentinam, nec obuenticiae [bonitatis] nec prouocaticiae animationis* (l. 19-20)

Le retranchement du mot *bonitatis* de la tradition manuscrite a été proposé par Kroymann, que suit Moreschini; il n'est pas admis par Evans. Et pourtant, dans toute cette fin de phrase qui est une longue détermination de *bonitatem* (un génitif de qualité vient varier la série des appositions et épithètes à l'accusatif), on voit mal comment Tert. aurait pu utiliser ce génitif *obuenticiae bonitatis* pour qualifier *bonitatem* ! Comme le fait valoir Kroymann, on retrouvera plus bas (§ 5) ces trois prédicats à propos de la bonté du Créateur, en tour négatif : *nec poterit repentina uel obuenticia et prouocaticia reputari.*

II, 3, 5 *de inmensa et interminabili aet < ernit > ate censebitur* (l. 29-30)

Le texte des mss, jusqu'ici conservé, porte *aetate*. Ce qui nous a conduit à proposer de le corriger en *aeternitate*, c'est l'étude de l'*usus auctoris* concernant le terme *aetas* : Tert. l'affecte exclusivement au concept de «temps de la vie humaine», «âge», «ce qui est atteint par le vieillissement». Un tel usage est cohérent à l'idée qu'il a exprimée plus haut (I, 8, 3) : «L'éternité ne comporte pas le temps (*tempus*). Elle est elle-même la totalité du temps... Est exempt d'âge (*aetate*) ce qui ne peut naître... Dieu est aussi étranger au commencement et à la fin qu'au temps, juge et mesure du commencement et de la fin.» Nous comprenons mal qu'après avoir souligné que l'incréé est exempt d'*aetas*, notre auteur se serve ici de ce même mot pour désigner l'éternité sans mesure qui est le *census* de Dieu. Rappelons trois passages qui éclairent celui-ci et justifient notre conjecture : 1) *Herm.* 4, 1 : *Quis enim alius dei census quam aeternitas?* – 2) *Ap.* 48, 11 (où à *temporali aetate* est opposé *in infinitam aeternitatem*) – 3) *Ap.* 48, 12 (où à *in isto aeuo* est opposé *in immensam aeternitatis perpetuitatem*). Notre étude des 100 occurrences de *aetas* (dont 90 au singulier) nous met en mesure d'affirmer que le présent passage est le seul où ce mot servirait à désigner l'éternité. Remarquons pour finir qu'une très banale haplographie rend compte de la corruption que nous avons supposée ici.

II, 3, 5   bonitatem dei Marcionis, non dico initiis et temporibus, sed ipsa malitia Creatoris posteriorem, si tamen malitiam potuit a bonitate committere. (l. 34-36)

Toute la tradition manuscrite porte ici *malitia²* et *committere*, ce qui rend le texte inintelligible. Depuis R_2, c'est *committere* qui a été corrigé en *committi*. Nous préférons, pour notre part, conserver *committere* et corriger *malitia²* en *malitiam*, ce qui est beaucoup plus économique, la disparition d'un tilde étant courante dans les mss. Il convient alors de faire de *Creator* le sujet de *potuit*, ce qui est normal puisque cette remarque est destinée à corriger l'interprétation marcionite d'un Créateur «méchant» et punissant l'homme. *A bonitate* sera à comprendre comme complément de provenance («à partir de», «sur un fonds de»). On peut penser que notre auteur a en tête *Lc* 6, 43-45, dont se réclamait Marcion, sur le bon arbre qui ne peut produire de mauvais fruits ; ce texte sera rappelé juste après (4, 2). Cf. aussi *Marc.* IV, 17, 11 : *sic nec Marcion aliquid boni de thesauro Cerdonis malo protulit.* Ainsi *a bonitate* rappelle *de thesauro bono* de *Lc* 6, 45.

II, 4, 2   Imperitissimus rusticus quidem in malam bonam inseruit. (l. 11-12))

Tel est le texte de la tradition manuscrite et Evans a raison de le conserver. Kroymann, le premier, y a vu une faute qu'il a corrigée en *malam in bonam inseruit*; Moreschini s'en inspire pour proposer : *in bonam malam inseruit*. Mais ces corrections paraissent gratuites : le verbe *inserere* «greffer» (cf. *TLL* VII, 1, c. 1876, l. 35 s.) exprime indifféremment les notions de *immittere* (*surculum*) et de *implere (arborem)*. C'est cette notion qu'on trouve ici, comme en *An.* 21, 5 («*Non dabit arbor mala bonos fructus si non inseratur*»). Le complément *in malam* sert donc à marquer le résultat de l'opération, sur le modèle de *mutare* ou *uertere in* + acc. (cf. *Cult.* 1, 5, 1) : c'est un exemple d'expression abrégée, dans le goût de Tert., équivalent à *bonam inseruit ut in malam transmutaretur*. L'expression pleine se lit chez IRÉNÉE, *Haer.* 5, 10, 1.

II, 5, 1   *Iam hinc ad quaestiones omnes. O canes, quos foras apostolus expellit, latrantes in Deum ueritatis, haec sunt argumentationum ossa quae obroditis :* (l. 1-3)

A la suite des éditions anciennes (*Pam., Rig.*), nous avons préféré placer une ponctuation forte après *omnes* et une simple virgule après *ueritatis*. Les trois derniers éditeurs font le contraire. En fait, la première proposition, sous sa forme elliptique, se suffit à elle-même pour marquer l'entrée dans le vif du sujet, les *quaestiones* marcionites sur le Créateur. On rapprochera de ce tour plein de vivacité (où il est gratuit de supposer une lacune, comme fait Kroymann) d'autres transitions tout aussi abruptes : *Marc.* I, 9, 2 (*Age, igitur, ad lineas rursum et in gradum!*); *Nat.* 1, 12, 4 (*Ad manifesta iam*). Vient ensuite l'apostrophe aux marcionites, assimilés aux chiens d'*Apoc.* 22, 15 (avec jeu sur le thème du «cynisme» de Marcion) : cette apostrophe est plus en relief si elle ouvre une nouvelle phrase où la comparaison initiale est habilement filée (*ossa ... obroditis*) et soulignée en même temps par la structure chiastique.

II, 5, 6   *sed in ea substantia, quam ab ipso Deo traxit, id est anima, ad formam dei spondentis et arbitrii sui libertate et potestate, signatus est.* (l. 41-43)

Le texte de *M* porte ici *anima*, tandis que le second rameau a *animam* que R_3 a corrigé en *animae*. C'est cette dernière leçon qu'adoptent Moreschini et Evans. Evans corrige, après Latinius, le *spondentis* de la tradition en *respondentis* et il comprend en faisant de *ad formam dei* le complément de ce participe («the soul which corresponds to the form of God»). On lui opposera cette objection : aucune des occurrences de *respondere* (= «correspondre», «être en rapport à») que présente notre auteur ne comporte *ad* + acc.; c'est régulièrement le datif qu'on rencontre. Moreschini, qui garde *spondentis*, comprend comme Evans («anima, che corrispondeva alla forma di Dio»); mais on ne trouve ni chez Tert. ni dans la langue latine cet emploi de *spondere* au sens de «correspondre». L'étude sémantique et syntaxique de *respondere* chez notre auteur conduit donc à écarter la correction de Latinius. Kroymann a eu raison de conserver *spondentis* et de le rapporter à *dei*. Mais nous nous écartons de lui quand il corrige les deux ablatifs *libertate* et *potestate* pour en faire des accusatifs complétant *spondentis*. Le texte des mss (avec la leçon *anima* de *M*) nous paraît pouvoir s'interpréter aisément ainsi : c'est dans la substance tirée de Dieu – son âme – que l'homme a été marqué du libre arbitre à l'effigie de Dieu, qui est son répondant (son garant). Tout s'éclaire dès lors qu'on remarque que *signare* sert précisément à désigner la frappe de la monnaie (à l'effigie du souverain notamment) : cf. *imagine signatus nummus* (*Ap.* 10, 8); voir aussi *Marc.* IV, 38, 3 et surtout *Fug.* 12, 10 où l'*homo christianus* est appelé *imaginem et monetam ipsius* (= *Dei*) *inscriptam nomine eius*. *Spondere*, employé ici absolument, est le terme par lequel s'exprime la garantie apportée par l'état romain ou par le souverain à sa monnaie (cf. A. BOUCHÉ-LECLERCQ, *Manuel des institutions romaines*, Paris 1931, p. 576 s.)

II, 5, 7   *auocante Deo, et minante, exhortante* (l. 51-52)

C'est le texte de la tradition manuscrite et, comme l'a bien vu Moreschini, il n'y a pas lieu de corriger *exhortante* en *et hortante* (Junius, que suit Kroymann) ou en *et exhortante* (Gelen, que suit Evans). On connaît le goût de Tert. dans les énumérations à trois termes, pour l'asyndète des deux derniers.

II, 6, 3 *Oportebat igitur imaginem et similitudinem Dei*
liberi arbitrii et suae potestatis institui, in qua hoc ipsum
imago et similitudo Dei deputaretur, arbitrii scilicet libertas
et potestas; (l. 17-20)

Le texte de la tradition est légèrement corrigé par Moreschini
qui retranche *in* devant *qua* et comprend ce dernier mot comme la
conjonction causale («perché»). La correction, quoique peu
coûteuse (une dittographie du *i* final d'*institui* aurait pu être à
l'origine de l'altération), nous semble cependant inutile. On
comprendra fort bien le texte, comme Evans, en faisant de *in qua*
un relatif, dont l'antécédent est *imaginem et similitudinem dei* : dans
cette image et ressemblance, c'est précisément le libre arbitre qui
devait être tenu pour l'image et la ressemblance. La valeur finale
de la proposition relative n'est pas douteuse non plus.

II, 6, 4 *aliud sibi ratio defendat in eiusmodi institutionem.*
(l. 28)

L'interprétation de Kroymann, qui comprenait *institutionem*
comme une apposition à *aliud* et faisait de *in eiusmodi* (= *in talem*
statum) le complément de *institutionem*, a été écartée à juste titre
par les deux derniers éditeurs. L'idée est en effet que la raison a
d'autres arguments à faire valoir (que la bonté) à l'égard d'une
création de cette sorte (comme celle de l'homme). Mais il est
inutile, pensons-nous, de corriger *institutionem* en *institutione*
comme fait Moreschini : sur la confusion de l'ablatif et de
l'accusatif après *in*, voir V. BULHART, *CSEL* 76, *Praef.* § 59,
p. XXXI. Quant à *defendat*, on peut y voir un subjonctif de
concession ou un potentiel.

II, 6, 5 *ex libertate scilicet arbitrii, [non] fauente institu-*
tioni, non seruiente (l. 42-43)

Le retranchement du premier *non* a été proposé par Ursinus;
Evans l'admet aussi et il nous paraît indispensable d'après le

contexte. Tert. entend démontrer que l'homme, s'il n'est pas comme Dieu *natura bonus*, a été créé avec une disposition au bien (*in bonum dispositus institutione*) et qu'il lui appartient de faire ce bien sien (*proprium*) par l'exercice de sa volonté. En faveur de la correction d'Ursinus plaide aussi la formule qu'on lit dans la suite de cette phrase : *secundum institutionem quidem, sed ex uoluntate* («conformément à sa création, mais en vertu de sa volonté») dont le premier membre reprend *fauente institutioni* et le second *non seruiente (institutioni)*.

II, 6, 7 *aliter quam Deo deceret* (l. 67)

La leçon des mss *deo*, qu'on trouve aussi dans R_1, se trouve corrigée en *deum* à partir de R_2. Kroymann et Moreschini sont revenus à *deo*. Nous faisons comme eux, quoiqu'il n'y ait pas chez notre auteur d'autre exemple du datif avec *decet* (on y relève 6 emplois de l'accusatif). Cependant cette construction avec le datif est largement attestée dans la prose impériale (cf. *LHS* § 64b, p. 88).

II, 6, 8 *se potius ream ostendit* (l. 74-75)

La lecture des mss et de R est *ostendit*, que Latinius a corrigé en *ostendet* dans un souci d'harmonisation avec le verbe coordonné qui précède, *persuadebit*. Malgré l'accord des trois derniers éditeurs qui ont adopté cette correction, nous avons préféré garder la forme de la tradition manuscrite : l'auteur a pu vouloir créer un effet de dissymétrie. Ainsi, plus bas (7, 2), on lit dans des propositions parallèles : *quis permittet ...? quis ... praestat ...?* De même en 27, 2 : *non exigetis ... sed ... reuincimini*. Dans ce même passage, Engelbrecht, que suit Kroymann, a proposé d'ajouter *eius* après *ostendit* pour constituer l'antécédent de *quod*. Mais l'absence de démonstratif devant le relatif (à un autre cas) est un fait de langue ancienne que l'époque impériale et tardive a repris ; voir *LHS* § 298, p. 555-556.

II, 7, 1   *ut desinas* (l. 4-5)

La tradition manuscrite est unanime pour porter *et desinas*. Mais malgré MORESCHINI qui défend cette leçon («Prolegomena», 1967, p. 236 : ce subjonctif exhortatif introduirait dans le texte un ton vif et discursif), nous avons préféré adopter la correction *ut desinas* proposée par Latinius, avec Kroymann et Evans.

II, 7, 1   *Tenens enim grauitatem et fidem Dei, bonis et rationalibus institutionibus eius uindicandas* (l. 6-7)

Le texte des mss porte *dei boni sed rationalibus*. Kroymann, en rapprochant de la formule finale du chapitre (7, 5 : *institutionibus ... et rationalibus et bonis*), a proposé la correction que nous avons admise. De fait, on explique mal ici la présence de *sed* : on ne voit pas pourquoi, après avoir mentionné la gravité et la fidélité du «Dieu bon», Tert. introduirait par *sed* la revendication de ces qualités pour ses créations «raisonnables». D'autre part le mécanisme de la faute est aisément repérable : une mauvaise coupe *boni set* et la confusion, fréquente, de *set* et de *sed*.

II, 9, 9   *Quodsi ita se habent* (l. 64)

Tel est le texte de toute la tradition manuscrite et des anciennes éditions. Avec Evans, nous le conservons, contre la correction de Leopoldus (*Quod si ita se habet*), adoptée par Kroymann et Moreschini. A côté des formules traditionnelles *res ita se habet, res ita habet, res ita (sic) se habent, res ita (sic) habent* (cf. *TLL* VI, 3, c. 2449, l. 84; c. 2450, l. 1; c. 2452, l. 14), il a dû exister des variantes, comme celle de *Val.* 14, 1 : *dum ita rerum habet*. On peut donc admettre qu'ici *res* (pluriel) est sous-entendu.

II, 10, 1   *Sed et si nunc* (l. 1)

Les mss et les deux premières éditions de Rhenanus ont *Sed et si non* qui est évidemment fautif. Mais, plutôt que de retrancher *non* comme font les trois derniers éditeurs (à la suite de R$_3$), nous jugeons préférable d'adopter la conjecture de R$_2$ et de Junius, *nunc* : elle a l'avantage d'expliquer la faute (une mélecture de *nunc* a pu produire le *non* du texte transmis); et cet adverbe est tout à fait habituel dans les formules de transition.

II, 10, 3   *In personam enim principis Sor ad diabolum pronuntiatur :* (l. 16-17)

Tel est le texte des mss et des premières éditions. J. de Pamèle a corrigé *In personam* en *In persona*, et les trois derniers éditeurs le suivent. Sans doute lit-on plus bas (§ 4, l. 41) : *auctor delicti in persona peccatoris uiri denotabatur.* Mais nous avons attiré l'attention sur la grande variété d'expressions où entre ce mot *persona* servant, dans son sens de «personnage», «personne», aux besoins de l'exégèse figurative. (cf. *Deus Christ.*, p. 210 s.). Ici *in* + acc. est parfaitement justifié par la valeur de *pronuntiatur* (prononcé d'une sentence de condamnation); avec *denotabatur* («qui était stigmatisé»), l'ablatif de *in persona* est également normal. Il n'y a aucune raison de vouloir harmoniser entre eux ces tours qui se conforment chacun à une signification propre.

II, 10, 3   *Cum Cherubin posui te ... cum Cherubin positus* (l. 29.36)

Le texte de la tradition manuscrite et des éditions anciennes, que nous conservons avec Engelbrecht, a été corrigé par Oehler en *Cum Cherub imposui te* et *cum Cherub impositus* (correction adoptée par Kroymann, Moreschini et Evans). Il est bien certain que le texte de la LXX, suivi ici assez fidèlement par Tert. porte, pour *Éz.* 28, 14 : μετὰ τοῦ χερουϐ. Mais l'emploi de *Cherubin* (comme singulier) n'est pas ignoré des *Veteres Latinae* : cf. *TLL*, Suppl. II, 3, c. 390, l. 5 s. La seule autre attestation que notre auteur ait de ce mot, plus bas (22, 1), ne permet pas de déterminer s'il en fait un singulier ou un pluriel. En revanche, dans cette traduction littérale de la LXX, on peut penser que *posui* (*positus*) s'autorise mieux que *imposui* (*impositus*) de la forme verbale qui est ἔθηκα dans ce même verset. C'est ce qui nous conduit à maintenir sans changement le texte des mss. En revanche, nous avons, à la différence de tous les éditeurs, modifié la ponctuation transmise, pour rester fidèle au texte grec (comme à la Vulgate) : nous rattachons ainsi le premier *ex qua die conditus es* à ce qui précède, et non à ce qui suit (cf. JÉRÔME, *In Ez.* 9, 28 = *CCL* 75, p. 390, l. 166 s.).

II, 12, 2   *inter arborem agnitionis – mortis – et uitae* (l. 15)

Le texte transmis a fait difficulté. Dans cette série d'antithèses où il s'appuie sur les deux premiers chapitres de la *Genèse* pour mettre en évidence les séparations opérées par l'œuvre créatrice, Tert. arrive à *Gen.* 2, 9 qui mentionne d'une part l'arbre de vie, d'autre part l'arbre de la connaissance du bien et du mal. Il appelle ce dernier *arbor agnitionis boni et mali* en *Iei.* 3, 2 conformément à la Bible (cf. aussi *An.* 38, 2); Evans, qui conserve le texte transmis, traduit : «between the tree of knowledge of death and of life»; mais cette traduction est ambiguë (arbre de la connaissance de la mort et arbre *de la connaissance* de la vie? ou ne faut-il rapporter «de la vie» qu'à «arbre»?). Kroymann, suivi par Moreschini, retranche *mortis*; si le texte alors est bien conforme au verset biblique, en revanche toute antithèse disparaît, au détriment de la logique du développement. Pour notre part, nous avons conservé la leçon des mss en comprenant *mortis* non pas comme un génitif objectif complétant *agnitionis*, mais comme une apposition à ce mot, comme une sorte de commentaire, destiné à établir l'antithèse avec *uitae* : entre l'arbre de la connaissance (c'est-à-dire l'arbre de mort) et l'arbre de vie. En surajoutant aux deux expressions proprement bibliques l'expression «arbre de mort» qui ne l'est pas (mais qui est conforme au contexte de la Bible; cf. *Gen.* 2, 16-17), Tert. assure tout son relief à l'antithèse qu'il veut trouver dans le passage en question. On observera enfin que *mortis* compris comme complément de *agnitionis* ne correspond pas à la lettre ni à l'esprit des deux premiers chapitres de la *Genèse*.

II, 13, 1   *aliud quoque negotium eadem illa iustitia Dei nacta est, iam secundum aduersationem dirigendae bonitatis* (l. 2-4)

La tradition manuscrite et les anciennes éditions portent *secundum aduersionem* qu'Evans admet en lui donnant le sens de *animaduersionem* («guiding goodness along the path of the censure and correction»). Mais le *TLL* I, c. 847, l. 42, qui n'enregistre qu'un seul autre exemple de *aduersio*, (chez Maxime de Turin), lui donne le sens de *animi intentio*. Il se déduit du contexte que l'expression employée ici répond à *cum aduersario agere* («avoir affaire à un antagoniste») qu'on lit au début de cette phrase. Moreschini accueille la correction de Scaliger *auersionem*, mot dont notre auteur a 5 autres occurrences et qui convient assez à l'idée («dirigere la sua bontà al distogliere il male»), mais qui présente l'inconvénient de ne pas faire jeu avec *aduersario*. C'est ce qui nous a conduit à préférer la conjecture d'Engelbrecht, adoptée aussi par Kroymann : *aduersationem*; cf. *Scor.* 5, 4 (*aduersatio idololatriae atque martyrii*).

II, 13, 3   *Hanc bonum negabis, quae bono prospicit? Non qualem oportet Deum uelles? Qualem malis expediret? Sub quo delicta gauderent? Cui diabolus inluderet?* (l. 23-26)

Ce passage, d'établissement et d'interprétation malaisés, se présente sans variante dans la tradition manuscrite où on lit *quae bono non prospicit, qualem oportet* et *qualem malles expediret*. Sous cette forme, il est inintelligible. Une première correction a été introduite par *R₃* : la suppression de *non* devant *prospicit*. Mais toutes les difficultés ne disparaissent pas pour autant. Quel rapport faut-il établir grammaticalement entre *oportet* et *uelles*? Faut-il maintenir *malles* ou le corriger? Moreschini, qui s'en tient au texte transmis avec la seule correction de *R₃*, comprend *uelles* comme dépendant de *oportet*; il traduit : «Come dovresti volere Dio?» Evans fait de même. Mais on s'explique mal le subjonctif imparfait dans ce tour. Il comprend la proposition suivante (avec *malles*) ainsi : «Come sarebbe utile che tu lo desiderassi.» Evans traduit le même texte de la façon suivante : «What sort of god would it be profitable for you to prefer?» Ce sens ne nous paraît pas bien satisfaisant et l'opposition entre *uelle* et *malle* ici n'est pas claire. Notre solution du problème posé par ce texte consiste à combiner une correction de Rigault (le déplacement de *non*, dépourvu de sens devant *prospicit*, après ce verbe) et une correction de Kroymann (*malis* au lieu de *malles*, la même expression *expedit malis* se rencontrant dans un contexte identique plus bas, en 16, 7). Nous faisons alors de *uelles* le verbe principal servant de support aux quatre interrogatives. *Non qualem oportet (sc. Deum esse)* est en rapport d'opposition avec *qualem malis expediret*, et le rapport est encore souligné par l'asyndète : «Tu ne voudrais pas Dieu tel qu'il doit être (c'est-à-dire juste)? Tu le voudrais tel qu'il fût avantageux aux méchants?» Les deux dernières propositions, de compréhension aisée, prolongent *Qualem malis expediret*. C'est au prix de ces deux interventions, au demeurant légères, qu'on peut donner un sens à ce passage obscur à force de concision.

II, 15, 3 ***Hoc itaque omnibus prouidentia Dei censuit, quod iam audierat.*** (l. 24-25)

Si la tradition manuscrite présente des variantes pour le premier mot (Hoc *M*, Hac *F*, Hãc *X*), elle est unanime à attester *omnis* que conserve Evans («God's foresight *in its fullness*»). Mais cette interprétation semble bien forcée et *omnis prouidentia* a paru suspect à Engelbrecht qui a proposé : *homini prouidentia*. Kroymann et Moreschini le suivent, quoique la traduction de ce dernier («fu in tutto et per tutto la previdenza di Dio a stabilire») repose sur le texte traditionnel. Nous pensons cependant qu'une correction *omnibus*, tout en satisfaisant à l'exigence du sens, trouverait plus de support dans la leçon des mss (*oms̃*).

II, 16, 3 ***uiuentem in aeuo aeuorum.*** (l. 24)

La leçon transmise *aeuo* a été également maintenue par Moreschini et Evans, contre la correction arbitrairement norma-

lisante de Kroymann, *aeua*. En fait, le biblisme, utilisé ici par
l'auteur, en dehors de toute citation scripturaire précise, peut
s'autoriser d'exemples comme *Dan*. 3, 90 et 7, 18 ou *Éphés*. 3, 21
où le singulier αἰών est suivi du génitif pluriel d'intensité
(cf. Á.P. ORBÁN, *Les dénominations du monde chez les premiers
auteurs chrétiens*, Nimègue 1970, p. 109 et 123). Sur la confusion
de l'ablatif et de l'accusatif après *in*, voir plus haut, note critique
sur 6, 4 (p. 186).

II, 16, 5   *et hominis imaginem Deo imbuas potius quam Dei homini.* (l. 45-46)

Tous les mss portent ici *deum*[1]; *imbuas* est attesté dans *M, X* et
R, seul *F* lit *induas*; *imaginem* est également donné par tous nos
mss, tandis que *R* porte *imagine*; de même *homini* se lit dans toute
la tradition manuscrite, cependant que *R* a *hominem*. Les trois
derniers éditeurs ont en commun de retenir la leçon, pourtant
isolée, de *F* : *induas*. Ils se partagent pour le reste : Kroymann,
gardant *imaginem* et *homini* de la tradition manuscrite, préfère
corriger *deum* en *deo*, ce qui n'est en effet qu'une intervention
légère; d'autre part la construction *induere aliquid alicui* («faire
revêtir quelque chose à quelqu'un») est attestée chez notre
auteur (*Ap*. 35, 4; cf. *TLL* VII, 1, c. 1265, l. 56). Moreschini et
Evans suivent le texte de *R*, sauf pour le verbe; ils lisent : *hominis
imagine deum induas potius quam dei homine*. Leur interprétation
suppose la construction *induere aliquem aliqua re*, qui ne paraît pas
utilisée ailleurs par Tert. (du moins d'après *TLL* VII, 1, c. 1265,
l. 78 - c. 1266, l. 47). Pour notre part, il nous a semblé possible
de conserver le texte des mss, avec *imbuas*, en n'apportant que la
légère correction *deo* proposée par Kroymann. Malgré les doutes
de *TLL* VII, 1, c. 427, l. 53-60 et c. 429, l. 46, il convient
d'admettre, sur la foi de traditions manuscrites unanimes,
l'existence de l'expression *imbuere aliquid alicui* au sens de «attribuer (imposer) quelque chose à quelqu'un», du moins chez
Tert. : exemples non douteux en *Iud*. 3, 7 (*circumcisio carnalis ...
imbuta est in signum populo contumaci ut spiritalis data est in
salutem populo obaudienti*), en *Carn*. 19, 1 («*illud semen arcanum*

electorum ... quod sibi imbuunt», cf. éd. Mahé, *SC* 217, p. 412 où
la leçon *imbuunt* est défendue contre la correction *induunt*), en *Iei.*
1, 2 («*disciplinam* ... gulae frenos imbuentem» qu'on rapprochera
de *frenos gulae impositos* en *Marc.* II, 18, 2).

**II, 16, 7   *Irascetur enim, sed non < concitabitur > , exacerba-
bitur, sed non periclitabitur, mouebitur, sed non euertetur.***
(l. 56-58)

Le texte des mss ne porte pas *concitabitur*, et il pourrait paraître
acceptable avec la ponctuation des éditions anciennes : *irascetur
enim, sed non exacerbabitur, sed non periclitabitur ; mouebitur, sed non
euertetur*. Tel est le texte conservé par Moreschini. Cependant, ce
qui a éveillé la suspicion des critiques, c'est que le verbe
exacerbare, qui ici entrerait en opposition avec *irasci*, est employé
plus haut comme un synonyme de ce verbe dans la définition
prêtée aux hérétiques (16, 3, l. 20-22 : «Si Dieu se met en colère,
est hostile, s'emporte, s'exaspère [*exacerbatur*], c'est donc qu'il
subira aussi une corruption, c'est donc aussi qu'il mourra»); ce
même verbe *exacerbare* est également proche de *exasperatio* qui
double *ira* dans la phrase précédente. Pour la logique du
raisonnement, dans ce passage où Tert. énonce la nécessité pour
Dieu de se mettre en colère, mais sans porter atteinte à sa
perfection, il paraît donc probable qu'un verbe, exprimant la
notion d'ébranlement frénétique, a disparu de la tradition après
le premier *non*, la phrase prenant la forme habituelle du *trikôlon*.
Kroymann indique la lacune sans introduire une restitution dans
le texte; il propose dans l'apparat *conturbabitur* ou *exturbabitur*
(conjecture d'Engelbrecht). Evans restitue *quatietur*. Mais ce
verbe ne se rencontre chez notre auteur que deux fois, avec un
sens matériel qui ne le met pas en rapport avec les effets de la
passion (*Carn.* 24, 3 et *Marc.* III, 17, 4). Nous avons porté notre
choix sur *concitare* dont Tert. présente 4 occurrences, toujours au
passif et chaque fois en rapport avec le trouble des passions (*Pat.*
7, 2 et 7, 7; *Spec.* 16, 1; *Cult.* 1, 9, 1). De plus la proximité
graphique de *c* et *e* pourra rendre compte de l'haplographie qui a
été à l'origine de la faute.

II, 16, 7   *patientiam propter non respicientes* (l. 62)

Tel est le texte de la tradition. J. de Pamèle a proposé de corriger *respicientes* en *resipiscentes* : Evans accueille cette correction. Mais elle ne présente aucun caractère nécessaire. Le verbe *respicere* possède bien chez notre auteur le sens et la construction que suppose le contexte : «Ceux qui ne tournent pas leurs regards vers lui» (c'est-à-dire n'ont pas de considération, de respect pour lui); un exemple de *respicere* transitif (= «respecter») se lit en *Paen.* 10, 3. Tout aussi inutile serait la correction indiquée dans son apparat par Kroymann : supprimer *non* et interpréter *respicientes* au sens de «ceux qui regardent en arrière» (en référence à *Lc* 9, 62); car dans toutes ces citations de – ou allusions à – ce verset, Tert. n'use pas du seul verbe *respicere* : on trouve *retro respectare* (*Marc.* IV, 23, 11), *retro spectare* (*Id.* 2, 2), *in terga respicere* (*Pud.* 6, 1).

II, 17, 1   *Haec itaque dispecta* (l. 1)

Nous suivons le texte de *M*, également gardé par *Pam.*, contre celui du second rameau de la tradition, qu'adoptent Kroymann et Moreschini : *Haec ita dispecta*. Le lien consécutif marqué par *itaque* est parfaitement justifié après les considérations du ch. 16 sur la véritable nature de la colère divine. En seconde position, cette conjonction n'est pas rare chez notre auteur : l'*Apologeticum* en a cinq exemples (1, 4; 10, 7; 19, 2; 30, 7; 50, 4); et cet usage, étranger à Cicéron, est largement attesté en latin : cf. *TLL* VII, 2, c. 528, l. 61 - 529, l. 6 (où sont cités plusieurs exemples de Tert.).

II, 17, 4   *egenis cedendo locum, <cum> boui etiam* (l. 37-38)

Nous avons admis ici, à la différence de Moreschini et d'Evans, la conjecture de Kroymann qui consiste en l'addition de *cum*. La structure de cette phrase finale du développement nous paraît recommander la correction proposée : les trois exemples choisis pour illustrer les *praescripta humanitatis* de la Loi se développent en trois propositions parallèles (*cum ... soluuntur, cum ... parcitur, cum ... remittuntur*). La disparition du troisième *cum* est aisément explicable, par haplographie, après *locum*.

II, 18, 1 *Sed quae potius legis bona defendam quam quae haeresis concu< tere concu > piit?* (l. 1-2)

Le texte transmis porte *quae haeresis concupiit*. Moreschini s'y tient; mais sa traduction («quelli che l'eresia *ha preso di mira*») fait apparaître qu'on ne peut trouver de sens acceptable qu'en donnant à *concupiscere* (= *cupere*) une acception qui n'est pas vraiment la sienne. Si l'on admet que *concupiit* est construit ici avec un verbe sous-entendu à tirer de la principale (*defendi*) le sens n'est guère plus satisfaisant : l'hérésie a-t-elle désiré que des points de la loi fussent défendus? Il nous a donc paru indispensable d'admettre ici, comme le fait aussi Evans, la conjecture bien inspirée et peu coûteuse (une haplographie aisément explicable) de Kroymann qui restitue *concutere* devant *concupiit*. Ce verbe *concutere* (attesté une trentaine de fois chez notre auteur) a déjà été utilisé en *Marc.* I, 7, 1 dans un contexte voisin : il donne ici tout son sens à *defendam*.

II, 18, 1 *ut sic improbitas astuta cessaret* (l. 11-12)

Avec Moreschini, nous gardons ici la leçon de *M* et *G* (passée dans *R₃*) *astuta* qui convient parfaitement au contexte comme justifiant l'entrée en repos (*cessaret*) de la méchanceté. Si le vocable *astutus* ne se rencontre pas ailleurs chez notre écrivain, en revanche il emploie le substantif *astutia* (5 occurrences) et l'adverbe *astute* (*Val.* 3, 5). La leçon *aestuata*, qui s'appuie sur le témoignage du second rameau de la tradition, est adoptée par Evans («unrestrained insolence»). Mais les 8 occurrences qu'on rencontre chez Tert. du verbe *aestuo* se réfèrent toutes à la valeur intransitive, qui est normale pour ce verbe (cf. *TLL* I, c. 1112, l. 21 s.). Quant à la correction proposée par Kroymann (*a se tuta*), elle ne s'impose pas en face de la leçon des meilleurs manuscrits.

II, 18, 3   *ut ab ea auocaret illos, sibi iubens fieri, quasi desideranti, ne simulacris faciendo delinqueret.* (l. 38-40)

Le texte transmis porte *simulacris faciendis*. Evans le conserve et traduit : «... and so keep that people from the sin of making images.» Il revient pourtant à Kroymann d'avoir bien compris ce passage où le gérondif de *facere* répond au *fieri* précédent. Or ce que le Créateur ordonne de «faire pour lui», ce sont les *eiusmodi officia* du début de la phrase, c'est-à-dire les sacrifices rituels. Kroymann nous paraît donc avoir été bien inspiré en corrigeant *faciendis* en *faciendo* («pour que le peuple ne péchât pas en faisant ces sacrifices en l'honneur des idoles»). Il ne semble pas possible que Tert. ait écrit *simulacris faciendis* en sous-entendant un ablatif *eis* (= *officiis*) et en faisant de *simulacris* un datif. C'est ce que suppose apparemment Moreschini qui garde le texte transmis et traduit : «perché non peccassero eseguendo quegli obblighi in onore degli idoli». Il est bien plus naturel de penser que le *faciendo* originel s'est corrompu en *faciendis* sous l'influence de *simulacris* auquel un copiste l'a accordé.

II, 19, 1   *ut istis legalibus disciplinis occurrentibus ubique ne ulli momento uacarent a Dei respectu.* (l. 3-4)

Tel est le texte des mss, sauf que le second rameau présente une leçon fautive *momenta* (à moins de corriger *ulli* en *ulla*?) qui disparaît dans R₃. Avec Moreschini, nous n'avons pas accueilli la correction *nec*, de Kroymann, qui est adoptée également par Evans. Le syntagme *ut ... ne* (en proposition finale) est largement attesté en latin : cf. *LHS* § 348 III, p. 643 ; Tert. en a au moins un exemple en *An.* 44, 2, selon *B* (cf. HOPPE, *Beiträge*, p. 132). Le tour choisi répond ici à un besoin d'expressivité et de clarté puisque la finale, introduite par *ut*, fait place aussitôt à un ablatif absolu. D'autre part nous avons cru pouvoir maintenir aussi *ulli*

que Latinius a corrigé en *ullo* (adopté par les trois derniers
éditeurs) : *ulli momento* peut aisément s'expliquer comme un datif
de but («pour aucun moment»).

II, 19, 2   *dimittere conflictam integram* (l. 19)

Pour cette citation d'*Is.* 58, 6 (ἀπόστελλε τεθραυσμένους ἐν
ἀφέσει), P. Petitmengin («Recherches sur les citations d'Isaie
chez Tertullien», *Recherches sur l'histoire de la Bible latine, Cahiers de
la Revue théologique de Louvain* 19, Louvain-la-Neuve 1987, p. 35),
s'inspirant d'une indication de Ciacconius, propose de lire :
dimittere conflictatum in requiem, d'après *Marc.* IV, 37, 1 (*dimittens
conflictatos in laxamentum*); cf. CYPRIEN, *Test.* 3, 1 : *dimitte quas-
satos in requiem.* Certes deux considérations peuvent militer en
faveur de cette conjecture : le caractère surprenant du féminin
singulier *conflictam* en face du masculin pluriel de l'original grec,
et d'autre part le fait qu'aucune occurrence de *confligo, conflictus* ne
se rencontre chez Tert. Toutefois nous préférons conserver le
texte transmis pour les raisons que voici : 1) Dans ce centon
isaïen où l'auteur adapte le texte grec (infinitifs), il paraît bien
citer de mémoire et sans se piquer d'une fidélité littérale (voir
p. 120, n. 2). 2) Le passage du masculin pluriel au féminin
singulier s'explique fort bien par l'influence de *Is.* 1, 17 cité un
peu avant (*iustificare uiduam*), et cette substitution, si elle se fait au
détriment de l'exactitude, contribue à augmenter le pathétique.
3) L'isosyllabisme rimé des deux membres (*dimittere conflictam
integram, dissipare scripturam iniustam*) et l'emploi de l'adjectif
attribut *integram* (plus littéraire que *in requiem*) constituent des
raisons stylistiques décisives pour le maintien de la leçon des mss
dans ce développement «récrit» à partir d'*Isaïe*.

**II, 19, 2   *infringere panem esurienti, ut tectum non habentem
inducere in domum tuam*** (l. 20-21)

On adopte généralement la conjecture *et* (de R_2, passée dans
R_3) au lieu de *ut* que donnent toute la tradition manuscrite et R_1.

Il nous semble que *ut* (= *sicut*) répond à un désir de *uariatio* et marque bien la similitude entre le geste de nourrir l'affamé et celui d'accueillir chez soi le sans abri. Sans doute la LXX se sert de χαὶ en *Is.* 58, 7 que Tert. suit ici. Mais sa fidélité n'est pas littérale et la longue énumération qu'il fait des enseignements charitables de l'A. T., où se trouve précisément cette phrase, est littérairement composée.

II, 19, 4 *Dominus custodibit omnia ossa eorum et non comminuetur.* (l. 43-44)

Nous adoptons, pour le premier membre de phrase, la conjecture d'Engelbrecht (accueillie aussi par Kroymann et Moreschini) pour *custodiuit* de *M, X* et *R₁*; la leçon de *F* est *custodit*, que l'on trouve aussi dans les deux autres éditions de Rhenanus et qu'Evans a adopté. Mais sa similitude avec la Vulgate, dans cette citation de *Ps.* 33, 21, est de nature à la rendre suspecte. Étant donné la confusion courante dans nos mss entre le *u* et le *b*, il est hautement vraisemblable qu'il faut restituer ici *custodibit*, forme attestée en latin archaïque et dans les Vieilles Latines au lieu du classique *custodiet* (cf. *TLL* IV, c. 1561, l. 20). Quoique la LXX porte ici φυλάσσει, le futur est garanti par la cohérence du développement, Tert. dressant depuis le § 3b une liste des *promissa* du Créateur sur la *merces* de l'homme (tous les verbes sont au futur). C'est pour la même raison que, dans la phrase suivante, on lira *redimet* au lieu de *redimit* de la tradition manuscrite» : cette correction, de J. de Pamèle, adoptée par les trois derniers éditeurs, se justifie aussi par le texte biblique de *Ps.* 33, 23 : λυτρώσεται. En ce qui concerne le deuxième membre de phrase, nous conservons sans changement le texte des mss *M* et *F* (*et non comminuetur*), contre la variante *et non comminuentur* de *X* (et de deux mss tardifs *V* et *L*) qu'adoptent Kroymann et Moreschini. Le texte de *X* paraît bien être une correction grammaticale visant à normaliser la leçon primitive *comminuetur*, traduction littérale du grec συντριβήσεται. Ce singulier est à comprendre comme un hellénisme, le sujet sous-entendu étant le pluriel neutre τὰ ὀστᾶ. Cet hellénisme n'est pas surprenant dans le latin de traduction des *Veteres Latinae*. D'autre part, si l'on compare au texte grec (ἐν ἐξ αὐτῶν οὐ συντριβήσεται), on s'aperçoit que le verset a été un peu déformé, soit par Tert., soit par sa source (une traduction des *Psaumes*? ou, plus vraisemblablement, un recueil de *testimonia* vétérotestamentaires?). La correction donnée par R_2 et R_3, *unum ex ipsis*, vise à normaliser l'énoncé de Tert. avec celui de la Bible. Evans l'adopte, mais à tort selon nous.

II, 20, 1 *fraudem illam et rapinam auri et argenti, mandata ab illo Hebraeis in Aegyptios.* (l. 8-10)

Nous conservons ici le texte de la tradition manuscrite *mandata*, qu'on trouve également dans R, contre la correction *mandatas* conjecturée par R_2, et contre la correction *mandatam*, de Rigault, adoptée par les trois derniers éditeurs : normalisations grammaticales qui ne s'imposent pas. En effet, le pluriel neutre *mandata* peut très bien s'expliquer comme apposition aux deux féminins *fraudem* et *rapinam* («choses qu'il a ordonnées ...»); il a même l'avantage de conférer plus de relief au participe qui reviendra plus bas (§ 4, l. 37) sous la forme substantivée (*mandatum Creatoris*).

II, 20, 2 *pro lateris deductis* (l. 16-17)

Nous admettons ici, avec Kroymann, la leçon *lateris* qui est celle de *M*. La forme classique est *later, -ris* (masc.) et c'est celle que nous rencontrons en *Res.* 35, 4, mais dans un passage indépendant de toute référence à la Bible. Ici, Tert. fait allusion à *Ex.* 1, 14 (et *Ex.* 5, 7). Or le latin des *Veteres Latinae* a connu une forme féminine *latera, -ae* (cf. *TLL* VII, 2, c. 999, l. 39-41, citant Itala, *Gen.* 11, 3 : *et facta est eis* ipsa latera *quasi lapis*), forme faite sur le modèle de ἡ πλίνθος. Il n'y a par conséquent aucune raison de corriger ici *lateris* en *lateribus* comme le propose le *TLL, ibid.* l. 42. Les éditeurs (Moreschini, Evans) accueillent la leçon de *X* et de *R* qui est *laterinis* (*F* a *laternis*). Mais il n'y a pas

d'autre exemple de ce vocable dans tous les textes latins et le
TLL VII, 2, c. 1002, l. 80, n'en admet pas l'existence. Le *laterinis*
de *X* et de *R* est probablement issu d'une correction de la leçon
fautive de *F, laternis*. Pour *deducere* (= *deducendo facere*), cf. *TLL*
V, 1, c. 279, l. 49.

II, 20, 3   *Et tunc uasa ista renuntiauerunt sibi Aegyptii; hodie aduersus Marcionitas amplius adlegant Hebraei* (l. 22-23)

La tradition manuscrite donne ici un texte *Et tamen has iustitia
renuntiauerunt* qui est incompréhensible et a été diversement
corrigé sans que s'impose aucune solution. Nous proposons
pour notre part de corriger *tamen* en *tunc* et *has iustitia* en *uasa ista*,
cette dernière correction s'inspirant de celle de Latinius (*uasis
istis*). Au prix de cette émendation, paléographiquement peu
coûteuse (ces deux corruptions peuvent s'expliquer sans difficulté vu la proximité graphique), on obtient un sens satisfaisant.
Tert., ici, institue une comparaison entre le procès que les
marcionites font aux Hébreux à propos du vol de la vaisselle
égyptienne et celui qui eut lieu jadis (*aiunt ita actum*) devant
Alexandre le Grand, où les Égyptiens renoncèrent à cette
vaisselle qu'ils réclamaient. Telle que nous la comprenons, la
phrase litigieuse nous paraît souligner le contraste entre Égyptiens et Hébreux d'une part, entre le procès de jadis et celui
d'aujourd'hui (intenté par les marcionites) d'autre part : «Et
alors les Égyptiens renoncèrent à leurs droits sur cette vaisselle;
et aujourd'hui les Hébreux, eux (sous-entendre : qui jadis n'ont
pas renoncé à leurs revendications), contre les marcionites,
prétendent à davantage.» L'expression *renuntiauerunt sibi* est
originale et piquante : faite sur le modèle de *renuntiare aliquid
alicui* («annoncer à quelqu'un qu'on renonce à quelque chose le
concernant», cf. TITE-LIVE 36, 3 ; TACITE, *Ann.* 2, 70, 2 ; SUÉ-
TONE, *Cal.* 3, 7; autres exemples dans FORCELLINI, *s.u.*), expression de la langue juridique (PAUL, *Dig.* 17, 2, 65), elle marque ici
la solennité de la renonciation égyptienne. MORESCHINI («Prolegomena», 1970, p. 11) a défendu l'émendation suivante, prove-

nant pour une part d'une correction de Kroymann : *Et tamen has iniustitia renuntiauerunt sibi Aegyptii* («E tuttavia, avevano torto gli Egiziani a richiedere per sé queste opere»). Mais le sens de *renuntiare sibi* qu'il suppose ici («attribuire a sé», «esigere per sé») nous semble forcé.

II, 20, 4   *paucis lancibus et scyphis pauciorum utique diuitum [ubique], ... pronuntiasset.* (l. 33-36)

Il nous paraît nécessaire de retrancher *ubique*, comme l'a bien vu MORESCHINI («Prolegomena», 1970, p. 11-12). Evans, qui le maintient, traduit : «a few dishes and flagons – for in any case the rich are always the fewer in number–». Mais il est clair que *pauciorum* renchérit sur *paucis*. Dans son effort pour minimiser le vol des Hébreux, Tert. indique qu'il s'agissait en fait d'un petit nombre de plats, dont les propriétaires, les riches (d'Égypte), étaient encore moins nombreux (que ces plats) : les victimes ont été une poignée d'hommes ! Rien, dans la phrase, n'autorise l'interprétation généralisante d'Evans qui admet une comparaison implicite entre les riches et les pauvres *partout*. Peu satisfaisant aussi est le déplacement conjecturé par Kroymann qui fait passer *ubique* dans le membre suivant, après *totis*. Il est beaucoup plus naturel d'admettre, avec Moreschini, que nous avons affaire à une dittographie de *utique* qui s'est ensuite fixée dans le texte après avoir été corrigée en *ubique* par quelque copiste. Quant au dernier mot de cette phrase, *pronuntiasset*, nous le maintenons sous la forme où le présente la tradition manuscrite. Dans cette page de coloration judiciaire, il est aisé de sous-entendre *iudex*. Les conjectures *pronuntiasses* (deuxième personne de la généralité?), de R_2, qu'admet Moreschini, et *pronuntiassent* (troisième personne du pluriel, correspondant à «on», comme dans *dicunt*?), de Kroymann, nous paraissent superflues. Evans aussi garde *pronuntiasset*.

II, 21, 2   *qui sabbatis lignatum egerat* (l. 19)

Tel est le texte de *M* et de *X*; *F* porte *lignatum igerat* qui explique peut-être la leçon de *R* : *lignatum ierat*. Ce texte a été celui de toutes les éditions et *lignatum* y a été compris comme le supin du verbe *lignare* («ramasser du bois») : cf. HOPPE, *Beiträge*, p. 42. Kroymann, qui paraît avoir reconnu l'intérêt de la leçon transmise par *M*, l'a cependant altérée par une correction *ligna tum legerat* plus spécieuse que justifiée (*tum* n'a guère de sens). Moreschini conserve le texte des deux principaux mss, mais sans s'en expliquer. Ce texte suppose une forme de substantif *lignatus*, *-us*, objet de *egerat* : ce vocable n'est pas attesté par ailleurs, mais *lignatio* (= *actio lignandi*) est un terme technique attesté depuis César (cf. *TLL* VII, 2, c. 1383, l. 18 s.). Que Tert. ait risqué un doublet en *-tus*, de caractère archaïque, n'a rien qui doive surprendre. Le cas est le même que pour *deceptus* à côté de *deceptio* (cf. *TLL* V, 1, c. 137, l. 53 s. et c. 139, l. 23 s. Voir aussi HOPPE, *Beiträge*, p. 134). La locution ainsi constituée (*lignatum agere*) a l'avantage d'être plus expressive que le simple *lignare* et de mettre en relief la notion de travail réalisé (cf. *opus fecerat* dans la phrase suivante).

II, 22, 3   *uerbecinorum* (l. 21)

Les mss ont *berbicinorum*, que garde Kroymann. Rhenanus a, semble-t-il, corrigé en la forme la plus classique *ueruecinorum*, qu'adoptent aussi Moreschini et Evans. Nous avons cru bon de corriger en *uerbecinorum* à cause de *Marc*. IV, 40, 1 où *M* porte *uerbecina* (*ueruhecina F*, *uerubecina X*, *ueruecina R*) et de *An.* 50, 4 où *uerbecem* est garanti par l'accord de *A* et de *B* (Waszink corrige en *ueruecem*, arbitrairement). La forme *uerbex* est attestée dans PLAUTE, *Merc*. 567.

II, 22, 4   *At si cliens ei munera ultro uel etiam dicto ordine suo offerat* (l. 29-30)

La leçon de β (contre celle de *M*, *dicta*, qui n'offre pas de sens) nous paraît satisfaisante, *dictum* ayant le sens de *iussum, praeceptum, monitum* (cf. *TLL* V, 1, c. 992 l. 4 et c. 995, l. 73); l'ablatif seul («sur ordre») est tout à fait compréhensible : cf. *Pat*. 3, 7 (*uno dicto*); on rapprochera aussi de l'expression bien connue *dicto oboedire* (*TLL* V, 1, c. 993, l. 40 et 68 s.). Les diverses corrections proposées *edicta* (Rigault), *indicta* (Kroymann), *indicto* (R_2), *ex edicto* (Latinius) paraissent superflues. Dans sa brièveté, le groupe assonancé *ultro uel etiam dicto* est parfaitement clair.

II, 22, 4 Et «sollemnitates et ...» ... praescripserat. (l. 34-39)

Sur la ponctuation qu'il faut apporter à cette phrase pour la rendre pleinement intelligible, nous renvoyons à notre étude «De quelques corrections», p. 52. Cette ponctuation est confirmée par *Marc.* IV, 12, 13 («*uestra sabbata*» *dicendo, hominum ea deputans, non sua, quae sine Dei timore celebrat populus ... suis sabbatis ... fecit*).

II, 24, 3 Si enim optimus qui talis, de isto prius cessisse debebis, non competere in talem, id est in optimum, etiam malitiae concursum; et quia et Marcion defendit arborem bonam malos quoque fructus non licere producere. Sed malitiam tamen nominauit, quod optimus non capit. Numquid aliqua interpretatio subest earum malitiarum intellegendarum, quae possint et in optimum decucurrisse? (l. 29-36)

Nous avons ponctué autrement qu'on ne l'a fait jusqu'ici ce passage où Tert. discute l'objection marcionite tirée de *Jonas* 4, 2 (où Dieu est dit «se repentant des maux»). Traditionnellement, on met un point après *concursum* et l'on fait une seule phrase de *Et quia* jusqu'à *decucurrisse*. Moreschini, dans sa traduction, fait de *Marcion* le sujet de *nominauit* («ma ha parlato, tuttavia, di malvagità»), ce qui n'est pas très clair : où Marcion a-t-il parlé de méchanceté? Evans, qui conserve la même ponctuation, s'est avisé que le sujet de *nominauit* ne pouvait pas être Marcion : il supplée «the scripture». Mais la suite des idées n'est pas claire, car on ne voit pas le rapport entre les deux propositions causales articulées par *sed*. Nous avons donc rattaché à la phrase précédente la proposition qui commence à *et quia et* et s'achève à *producere*. Elle apporte en effet un argument supplémentaire à la considération développée à partir de *Si enim optimus* (un dieu, que Jonas, dans ce passage même, appelle miséricordieux et compatissant, donc très bon, n'est pas capable de mal) : notre polémiste a beau jeu de souligner ici que Marcion même défend l'idée qu'un bon arbre ne peut produire de mauvais fruits (selon son interprétation de *Lc* 6, 43). Cette référence à Marcion clôt la première réponse que Tert. fait à l'objection, réponse tirée de la présence de l'expression «miséricordieux et compatissant» dans le texte de Jonas (cf. *Bene igitur, quod* praemisit *optimi dei titulum*, au début du paragraphe). *Sed malitiam tamen nominauit* fait progresser la discussion en entrant dans le vif du sujet, la mention d'un repentir portant sur des *malitiae* et éprouvé par Dieu. Le sujet de *nominauit* est le même que celui de *praemisit*, soit *scriptura Ionae*, soit même plutôt *Ionas*, puisque le passage en question est introduit par *ipse Ionas ad Deum* (§ 2, l. 22-23). Une fois posé le problème (*malitiae* divines désignées dans le texte et impossibilité pour un dieu très bon de faire le mal), *numquid* va introduire, sous la forme interrogative, l'amorce de la solution (il faut interpréter ces *malitiae* dans un sens conciliable avec la bonté du Créateur). Du point de vue de la langue, l'expression *et quia*, qui articule l'argument supplémentaire sur ce qui précède, n'a rien de surprenant : *et* renforce et souligne («et cela parce que ...»). On pourrait, à la rigueur, corriger *et* en *uel* («quand ce ne serait que parce que») : cf. ci-dessus, note critique sur II, 1, 2 (p. 179).

II, 24, 5   *Atque adeo si eius malitiae paenituit Creatorem quasi creaturae reprobandae scilicet et delicto iudicandae* (l. 48-50)

Les mss donnent ici *delictum* et *uindicandae*, offrant ainsi un texte inintelligible et qui a été diversement corrigé. Kroymann corrige *creaturae* en *creaturam* et *uindicandae* en *iudicandae*; Moreschini le suit et rapporte également les deux adjectifs verbaux à *malitiae* («malvagità, si capisce, da biasimare e da considerare dilittuosa»). Mais nous ne voyons pas comment l'accusatif *delictum* peut être compris comme attribut dans le tour *malitiae iudicandae*.

Evans, qui revient au texte transmis (avec *creaturae* et *uindicandae*), admet la correction de R_2 et R_3 *deletui* (forme qui, au demeurant, est sans autre exemple chez Tert. comme ailleurs cf. *TLL* V, 1, c. 437, l. 33); il interprète *creaturae* comme un nominatif pluriel («I mean, that his creatures were to be put to reproof and condemned to destruction»); mais cet emploi au pluriel n'est pas attesté avec certitude chez notre auteur (cf. notre *Deus Christ.*, p. 371 s.). Le texte transmis nous paraît recevoir un sens satisfaisant avec deux corrections minimes, celle de Kroymann (*iudicandae* au lieu de *uindicandae*), et *delicto* au lieu de *delictum*, que nous proposons. Nous avions précédemment (*Deus Christ.*, p. 372, n. 1) proposé de lire *de delicto iudicandae* (en nous inspirant d'une conjecture d'Oehler); mais nous pensons que *delicto* seul, compris comme ablatif de cause, suffit à côté de *iudicandae*. La phrase précédente vient d'indiquer un sens de *malitia* qui est celui de «châtiment», «dommage infligé» (*uexatio, laesura*). L'auteur poursuit en disant : «Et précisément, si le Créateur s'est repenti de cette sorte de mal, comme d'avoir eu évidemment à réprouver et condamner pour son péché sa créature, on ne lui imputera pourtant, ici non plus, aucune conduite coupable : sa décision de faire disparaître la cité la plus impie était digne et méritée.» *Quasi* a la valeur explicative de ὡς, ce qui est courant dans la latinité impériale. Notre interprétation, fondée sur le texte des mss, épargne à Tert. cette comparaison du Créateur avec sa créature que Kroymann introduit malencontreusement par sa correction *quasi creaturam*. Elle souligne aussi que le Créateur avait bien le droit de punir une cité appartenant à un monde qu'il avait produit et dont il était le *dominus* (à la différence du dieu de Marcion).

II, 25, 5   *restitutioni candidatos* (l. 41)

Nous conservons le texte de toute la tradition manuscrite, ainsi que de R_1 et R_2, contre la correction *restitutionis* qui apparaît avec R_3 et que les trois derniers éditeurs adoptent à sa suite. Bien que Tert. emploie habituellement le génitif avec *candidatus* (cf. *TLL* III, c. 238, l. 53 s.), on peut cependant s'autoriser d'APULÉE, *Mét.* I, 14, 2 (*destinatae iam cruci candidatus*) pour admettre que la construction avec le datif était également possible : elle a pu être jugée ici plus expressive que le tour ordinaire dans le parallèlisme avec *confessione releuatos*.

II, 26, 1   Immo, inquis, multo uanius, quod per semetipsum. — Quid uelles faceret, si ... Igitur peierantem deprehendis an uane deierantem? (l. 2-6)

Les mss ont ici *inquit* (au lieu de *inquis*), *uellet* (au lieu de *uelles*) et *ad* (au lieu de *an*). Cette dernière leçon, manifestement fautive, a été corrigée dans la troisième édition de Rhenanus et définitivement écartée par les éditeurs. La leçon *uellet faceret* est corrigée à partir de R_2 en *uellet facere*, c'est ce texte qu'adopte Evans, en faisant de *deus* (*Creator*) le sujet de ce *uellet*. Mais le sens n'est guère satisfaisant («What *else* could he have thought of doing»). D'ailleurs le même éditeur indique dans son apparat, avec la mention *forsan recte,* la correction d'Ursinus, *uelles*, qui a été admise aussi par Kroymann et Moreschini; le sujet de *uelles* devient alors cette deuxième personne représentant l'adversaire marcionite («Qu'aurais-tu voulu que le Créateur fît?»). La phrase suivante, avec *deprehendis*, apporte un argument de poids à cette interprétation. C'est cette correction que nous acceptons à notre tour; mais il nous semble nécessaire de corriger aussi le *inquit* en *inquis*. Il convient de reconnaître que ce début du ch. 26 est fait d'un dialogue avec l'adversaire qui introduit son objection (*Sed et iurat deus*). Tert. fait une première réponse sous la forme d'une interrogation ironique (*Numquid forte per deum Marcionis?*). L'accusation de *uanitas* dans ses serments est articulée alors contre le Créateur par le même adversaire marcionite (*Immo, inquis, multo uanius, ...*). Une nouvelle question ironique sera la réponse de Tert. (*Quid uelles faceret, ...*). Moreschini, qui conserve *inquit*, traduit par «tu dici»; Evans, avec le même texte, rend par «*your* answer is». Nous avons préféré corriger en une deuxième personne : plusieurs fois déjà notre auteur s'est servi de *inquis* pour introduire l'objection adverse (cf. *Marc.* I, 27, 5; II, 9, 1 et 7; 16, 5; 24, 2). C'est sans doute la même méprise sur la forme dialoguée du passage qui a entraîné l'altération en *inquit* et *uellet*.

II, 27, 3　　*quem ... filium fecit ut exinde ... praefecit* (l. 26-27)

Avec Moreschini, nous suivons la tradition manuscrite et les éditions de Rhenanus qui donnent ici *ut*, que Latinius a corrigé en *et* (admis par Kroymann et Evans). Mais comme plus haut en 19, 2 (voir Notes critiques, p. 198), c'est pour des raisons stylistiques que l'auteur a pu préférer *ut* (= *sicut*) à *et* : cette conjonction soude mieux l'une à l'autre la prolation du Verbe-Fils et la disposition qui en fait le préfet de la volonté paternelle ; elle souligne le jeu sur *fecit/praefecit*.

II, 27, 4　　*ediscens iam inde a primordio, iam ante hominem quod erat futurus in fine.* (l. 30-32)

La tradition manuscrite porte *iam inde hominem* qui est difficilement intelligible. Avec Engelbrecht, Kroymann retranche ces trois mots où il voit un vestige d'une double recension. Bill propose une interversion (*iam inde hominem, iam inde a primordio*), mais le sens de *inde hominem* reste obscur. Evans restitue, sans beaucoup de conviction : *ediscens iam inde a primordio, iam inde hominem <indutus, id esse> quod erat futurus in fine* («he was learning even from the beginning, *by so early assuming manhood*, to be that which he was going to be at the end.»). Mais cette restitution, d'ailleurs coûteuse, présente l'inconvénient de référer l'expression *indutus hominem*, que notre auteur réserve strictement à l'incarnation historique du Fils, à l'état d'apprentissage (*ediscens*) de cette incarnation. La correction la plus simple et la plus satisfaisante est celle qu'a proposée Reitzenstein et que Moreschini adopte aussi ; elle consiste à lire *ante hominem* au lieu de *inde hominem*, c'est-à-dire «avant l'Incarnation» selon un tour abrégé dont Tert. a de nombreux exemples. La corruption de *ante* en *inde* est aisément explicable, sous l'influence du premier *inde* et de l'anaphore de *iam*.

II, 27, 4   *Ceterum quia Patrem nemini uisum etiam commune testabitur euangelium* (l. 33-34)

La tradition manuscrite et R garantissent ici l'emploi de *quia* suivi d'une proposition infinitive (*patrem nemini uisum*). Ce type de construction, dont il n'y a pas d'autre exemple chez notre auteur, est cependant bien connu en latin tardif, dès ULPIEN (*Dig.* 45, 1, 30) : cf. *LHS* § 312 γ, p. 578. Il n'y a donc pas lieu de se prononcer pour le retranchement de *quia* comme a fait J. de Pamèle, que suivent Moreschini et Evans.

II, 27, 5   *Sed et penes nos Christus in persona Christi accipitur, quia et hoc modo noster est.* (l. 38-40)

Cette phrase, transmise sans variante par l'unanimité des manuscrits et des éditions anciennes, n'est pas de compréhension aisée. Quispel a proposé de lire *dei* au lieu de *Christi*; mais nous avons montré (*Deus Christ.*, p. 210, n. 4) que, tel qu'il est transmis, le passage s'éclaire par la comparaison avec *Marc.* III, 15, 6 où Tert. dénie aux marcionites le droit d'appeler Christ (c'est-à-dire l'Oint) un être fantomatique n'ayant pas de corps pour subir l'onction. Nous maintenons aujourd'hui cette interprétation qui nous paraît confirmée par *Marc.* IV, 31, 5 (*ita et hoc meus est*); mais nous reconnaissons qu'à cette place, cette remarque interrompt la suite de idées (comme l'avait fait observer MOINGT, *TTT* 2, p. 588). C'est pourquoi nous proposons de transporter cette phrase après ce qu'on lit au début du § 7 : *Totum denique dei mei penes uos dedecus sacramentum est humanae salutis.* Tert. indique ici, très précisément, que pour les marcionites (*penes uos*) la honte et le scandale est que le Christ ait pris une chair humaine avec ses faiblesses et ses indignités. Avant de se lancer dans les antithèses sur *deus* et *homo* justificatives de l'Incarnation comme «mystère sacré du salut de l'homme», notre polémiste tire parti de l'argument sémantique qu'il précisera au livre III, pour ajouter que le Christ (= l'Oint) a, pour les chrétiens (de la grande Église), bien réellement assumé la chair humaine. L'antithèse *penes uos/penes nos*, dans ce développement très oratoire, nous paraît de nature à confirmer la nécessité du déplacement que nous proposons. Sur les déplacements fautifs de l'archétype, voir notre étude «De quelques corrections», p. 50-51; un peu plus bas, à la fin du ch. 28, il y a une autre transposition qui paraît bien s'imposer. Peut-être faut-il voir, dans ces incertitudes, des vestiges du travail d'addition opéré par l'auteur en vue de l'édition définitive : notre archétype pourrait se rattacher à un exemplaire où des éléments ajoutés n'avaient pas été mis à la place voulue par l'écrivain lui-même.

II, 28, 2   *Ergo nec uester. Iudam traditorem adlegisset, si praescisset?* (l. 24-25)

Le second rameau de la tradition porte ici *non adlegisset*, et c'est lui que suivent les trois derniers éditeurs. Nous avons préféré garder le texte de *M*, comme fait Rigault; mais, à la différence de celui-ci, nous mettons un point d'interrogation («Aurait-il fait choix de Judas le traître si ...?») et nous rejoignons le sens donné par l'autre rameau; le tour interrogatif a le mérite d'être plus expressif.

II, 29, 1   — *sed expedita uirtus ueritatis paucis amat, multa mendacio erunt necessaria* — (l. 3-4)

Cette phrase, que toute la tradition manuscrite, suivie par tous les éditeurs, place à la fin du chapitre précédent (après *in Christum*), nous semble devoir être rétablie dans le § 1 du ch. 29 et considérée comme une parenthèse explicative prenant place après *defensio Creatoris*; voir notre étude «De quelques corrections», p. 50-51.

II, 29, 3   *Adeo enim ipsa et una erat substantia diuinitatis, bona et seuera, in eisdem exemplis et in similibus argumentis ut bonitatem suam uoluerit ostendere, in quibus praemiserat seueritatem* (l. 19-22)

La tradition manuscrite donne *et eisdem*. Kroymann a corrigé en *ut eisdem* et, conséquemment, il lit *et bonitatem* au lieu de *ut bonitatem* de la tradition. Moreschini et Evans reviennent au texte transmis et comprennent en rattachant *et eisdem exemplis et in similibus argumentis* à la proposition principale; mais le rapport avec la relative *in quibus praemiserat seueritatem* s'obscurcit. Il suffit, pensons-nous, d'une légère correction, celle de *et* en *in* devant *eisdem* pour rendre clair le mouvement de la phrase tel que l'avait bien perçu Kroymann : détaché par une hyperbate, le complément *in eisdem exemplis et in similibus argumentis* dépend alors de la subordonnée consécutive, annoncée dès le début par *adeo* et introduite par un *ut* anormalement placé; la relative *in quibus* est elle-même la suite nécessaire du complément circonstanciel où les mots *eisdem* et (par souci de *uariatio*) *similibus* appellent sa venue.

II, 29, 4 *deum meum zeloten, qui res suas arbustiores in primordiis bona, ut rationali, aemulatione maturitatis praecurauerit suo iure* (l. 30-33)

La leçon de tous les mss et des éditions anciennes, *maturitatis*, a été corrigée en *maturitati* par Kroymann, que suit Moreschini. Nous revenons au texte transmis et faisons de *maturitatis* le complément de *aemulatione* (au génitif objectif : «le désir jaloux de leur maturation»; sur ce sens de *aemulatio* chez les auteurs chrétiens, cf. *TLL* I, c. 972, l. 61 s.). Evans, tout en conservant *maturitatis*, traduit comme s'il lisait *maturitati*, et donne à *aemulatio* le sens d'hostilité (qui n'est pas cohérent avec le titre de «Dieu jaloux» sur lequel s'appuie l'argumentation) : «He did in the begining by his own right, *by a hostility* which was rational and therefore good, provide beforehand for the maturity ...» Mais le verbe *praecurare*, verbe très rare, ne signifie pas «préparer d'avance», mais «soigner d'avance» : il n'appelle nullement de façon obligatoire un datif. Quant à l'adjectif *arbustus*, très rare lui aussi (cf. *TLL* II, c. 430, l. 70 s. qui ne connaît, en dehors de ce passage, qu'un très petit nombre d'occurrences au sens de *arboribus consitus* ou de *arboris similis*), il doit être compris métaphoriquement au sens de *ferociores*, par comparaison avec la

luxuriance des jeunes plants, ainsi que l'a reconnu Rhenanus. Il
entre ici dans une antithèse avec *maturitatis* et a valeur d'épithète
de *res suas*; il ne saurait être en fonction attributive comme paraît
l'entendre Evans («for the maturity and fuller ripeness»).

NOTES COMPLÉMENTAIRES

22. La bonté avant la Création (II, 3, 3)

Ayant marqué, au paragraphe précédent, que la bonté divine se manifeste d'abord par l'existence d'une créature pour connaître Dieu, Tert. paraît soucieux maintenant de se garantir contre une objection, de type épicurien (cf. CICÉRON, *Nat. deor.* I, 9, 21 : «*cur mundi aedificatores* repente *exstiterint, innumerabilia saecula* dormierint ...») sur l'inactivité de la Providence ou Bonté avant la création du monde. Même problème chez ORIGÈNE (*Princ.* 1, 2, 10 et surtout 1, 4, 3-5) : sa solution est que, dans la Sagesse (= le Verbe), la création était toujours présente en tant que décrite et formée et qu'il n'y a jamais eu de moment où la préfiguration de ce qui allait être ne se trouvait pas dans la Sagesse (cf. *SC* 252, p. 171). De façon analogue, quoique moins claire, Tert. trouve réponse à l'objection dans le fait que la prescience divine connaissait ce «bien destiné à apparaître» et que la réalisation (ou l'aménagement) en a été confiée à la bonté : le terme *negotiatrix* (mot du vocabulaire courant, attesté par des juristes, au sens de «marchande», mais qui subit ici un renouvellement du fait du contexte), à la fois par son radical et par son suffixe, souligne la notion d'*activité* et s'oppose à l'idée d'un dieu *otiosus*. Tout naturellement est repris ici, dans un sens positif, l'argument de I, 22, 3 qui a servi à disqualifier la prétendue bonté du dieu «inactif» de Marcion, comme le marque la reprise de *obuenticius*; le mot *prouocaticius*, qui le double ici et au § 5, est sans doute un néologisme de l'auteur, non attesté ailleurs (cf. HOPPE, *Beiträge,* p. 144).

23. Monde et paradis créés pour l'homme (II, 4, 1)

Avant de déterminer combien de réalités – et quelles réalités – l'auteur a en vue dans cette phrase, il convient de parler d'un problème textuel que Kroymann a été, semble-t-il, le premier à poser par le retranchement de *postmodum* (après *aliquam*) dans le texte reçu jusqu'à lui : *prius domicilium homini commentata est, aliquam postmodum molem maximam, postmodum et maiorem* ... Tandis que Moreschini a suivi Kroymann, Evans a conservé le texte transmis ; et sa traduction («that it *first* contrived for the man a dwelling place, *from the first* a very great structure, and *afterwards* even a greater ...») fait bien voir qu'il distingue trois termes successifs. Le renvoi fait en note à THÉOPHILE, *Autol.* 2, 24 (voir ci-dessous), permet de penser que ces trois termes sont la terre, le paradis et le ciel. Mais contre ce texte, on peut s'étonner de trouver, dans la seconde partie de la phrase (*ut — promoueretur*), où sont énoncées les intentions divines, une distinction portant sur seulement deux termes : un *habitaculum minus*, qualifié de *bonum dei*, et un *habitaculum maius*, qualifié de *optimum dei*. Tert. aurait-il pris le risque de rejeter le premier terme (*domicilium* = la terre) du *bonum* comme de l'*optimum* de Dieu? Ce serait d'une singulière maladresse dans sa démonstration. Kroymann a donc eu raison, croyons-nous, de retrancher le premier *postmodum* comme insertion dittographique qui s'est glissée dans le texte : il n'y a d'ailleurs aucun autre exemple chez notre auteur d'une pareille répétition de ce lourd adverbe. Il faut donc faire de *aliquam molem maximam* le complément d'objet de *commentata est*, *domicilium* ayant valeur attributive et *prius* étant à prendre comme adjectif (marquant, comme c'est normal, la priorité entre deux termes). Si nous sommes donc amenés à voir distinguées dans ce passage deux réalités seulement, demandons-nous maintenant à quoi Tertullien fait allusion. QUISPEL (*Bronnen*, p. 39) en a rapproché le passage suivant de THÉOPHILE D'ANTIOCHE (*Autol.* 2, 24) : «Dieu le (= l'homme) transporta de la terre, dont il était fait, dans le paradis, et il lui donna un principe de progrès (ἀφορμὴν προκοπῆς) suivant lequel il pût se développer et arriver à la perfection, voire même être

proclamé dieu et ainsi monter au ciel (en effet l'homme fut établi
dans une situation intermédiaire, ni complètement mortel, ni
absolument immortel, mais capable des deux; de même cette
région du paradis, par sa beauté, était intermédiaire entre le
monde et le ciel), monter au ciel, dis-je, en possession de
l'immortalité» (Trad. Sender, *SC* 20, p. 159). Ce texte de
Théophile, qui, s'appuyant sur *Gen.* 2, 8, marque un chemine-
ment en trois étapes (terre/paradis/ciel), est-il la source directe du
nôtre qui distingue seulement, comme nous l'avons vu, un
habitaculum minus et un *habitaculum maius* ? Les commentateurs qui
renvoient à Quispel, ne s'accordent pas sur l'interprétation des
détails : ainsi MORESCHINI (*Trad.*, p. 356, n. 2) comprend «la
masse la plus grande» comme étant l'univers, «l'habitation plus
petite» comme étant le paradis, ce qui ne concorde pas avec le
passage de Théophile pour qui le progrès de l'homme s'accomplit du paradis vers le ciel. MEIJERING (p. 97) entend le «grand
domicile» du paradis, il n'explicite pas ce qu'est pour lui «le
domicile encore plus grand» («noch grösseren Wohnort»). A
notre avis, tout ce que Tert. a retenu de ce texte de Théophile, si
véritablement il s'est souvenu de lui, c'est l'idée d'une progression, voulue par Dieu pour l'homme, d'un séjour vers l'autre;
mais cette idée a été aussi fréquemment exprimée par IRÉNÉE :
ainsi *Haer.* 4, 38, 3 (*homine paulatim proficiente et peruentente ad
perfectum*) et 4, 9, 3 (*non pauci gradus qui adducunt hominem ad deum*).
En tout cas, dans le présent passage, il nous paraît clair que Tert.
entend par «premier domicile» le monde visible et plus spécialement la terre (*molem maximam* convient très bien pour le *kosmos*),
et par «plus grand habitacle» le paradis. En effet, à la différence
de Théophile qui paraît assez incertain sur la localisation du
paradis (le même passage, *Autol.* 2, 24, le présente successivement comme «terre et planté sur la terre» et comme «intermédiaire entre le monde et le ciel»), notre auteur conçoit le
paradis comme supra-terrestre : cf. *Ap.* 47, 13 («*locum diuinae
amoenitatis ... a notitia orbis communis segregatum*»); *Marc.*
II, 12, 2 (opposition *orbis*/*paradisus*); V, 12, 8 (*paradisus* distingué
de *mundus*). Il est fidèle ainsi à l'enseignement d'IRÉNÉE :
cf. *Démonst.* 11-12 = *SC* 62, p. 50-51 («Et ce grand univers créé
qui avait été préparé par Dieu avant le façonnage de l'homme fut

donné comme emplacement à l'homme ... Et afin qu'il se nourrît
et se développât dans la volupté, un emplacement lui fut préparé,
meilleur que ce monde-ci, l'emportant par l'air, la beauté, la lumière,
la nourriture, les plantes, les fruits, les eaux et toutes autres
choses nécessaires à la vie, et il a nom Jardin»);*Haer.* 5, 36, 1-2;
voir surtout A. ORBE, *Antropología de San Ireneo*, Madrid 1969,
p. 195-201. On observera d'autre part que Tert., ici, ne se
prononce pas sur l'ordre dans lequel ont été créés monde
terrestre et paradis : ce dernier passait pour antérieur dans la
tradition hébraïque (cf. JÉROME, *Hebr. Quaest. in Gen.* 2, 8 =
CCL 72, p. 4). Il entend seulement souligner, comme fait
d'ailleurs IRÉNÉE (*Démonst.* 11-12, cité *supra*), la bonté de Dieu
qui a imaginé, conçu (*commentata est*) pour l'homme, en plus du
domicilium du monde, un habitat encore plus grand : c'est ce qu'il
avait appelé plus haut (II, 2, 6) la *paradisi gratia*, et ce qu'il
précisera plus bas (§ 4) : «c'est la bonté qui fit plus, en ajoutant
pour l'homme un séjour de délices : bien que possédant toute la
terre, il séjournerait dans des lieux plus suaves, par son transfert
au paradis». Ainsi *postmodum* se réfère donc à l'expérience
d'Adam, non à un ordre chronologique de création. Cette
question était-elle abordée dans son *De paradiso* perdu? Nous ne
le savons pas.

24. *libripens emancipati a Deo boni* (II, 6, 5)

   Le terme *libripens* désigne celui qui, avant l'introduction de
l'argent monnayé, pesait (*pendere*) dans une balance (*libra*) la
somme convenue pour l'achat. Ce «peseur» a continué de jouer
un rôle dans les ventes fictives, comme le mariage par *coemptio* ou
les testaments *per aes et libram* (A. BOUCHÉ-LECLERCQ, *Manuel des
institutions romaines*, Paris 1886, p. 380 et 402) où il était comme le
garant de la validité de la transaction. Ce mot peut désigner aussi
le «trésorier-payeur» (des troupes) : cf. PLINE, *H. N.* 33, 43. Ici
il entre dans un emploi imagé que MEIJERING (p. 104-105)
rapproche de divers textes attestant une comparaison du libre
arbitre avec la balance : ALBINOS, *Epit.* 26, 3; THÉOPHILE,

Autol. 2, 27 ; IRÉNÉE *Haer.* 5, 12, 2 = *SC* 153, p. 149, l. 42 (en
fait, pour les deux derniers, il s'agit simplement d'emplois du
verbe ῥέπειν, «pencher», ayant l'homme pour sujet). Mais il est
clair que l'image, ici, est profondément renouvelée et même
modifiée : Tert. assimile le libre arbitre, non à une balance
pouvant pencher d'un côté ou de l'autre, mais au peseur qui
garantit la transaction par laquelle Dieu remet, par lui, l'entière
propriété d'un bien à l'homme (*emancipati a deo boni*). PLINE
(*ibid.*) rappelle que «en vertu de cet usage (de la pesée), on fait
encore maintenant intervenir une balance dans les achats qui
relèvent du droit de propriété» (*in iis emptionibus quae mancipi
sunt*). Bien plus que l'image du libre arbitre balancé, c'est
l'association du *mancipium* et de la *libra* dans les transactions
romaines qui a suscité ici l'emploi métaphorique, d'ailleurs
exceptionnel (cf. *TLL* VI, 2, c. 1349, l. 51), de *libripens*.

25. L'âme comme «souffle» de Dieu (II, 9, 1-2)

Dans cette importante discussion d'une objection marcionite
contre le Créateur («sa substance, l'Esprit, serait donc suscep-
tible de pécher puisque l'homme, son souffle, a péché»!), Tert.
est amené à exposer ses vues sur la nature (*qualitas*) de l'âme
humaine. Il le fait en se référant à une discussion précédente
(*usurpata iam quaestio*) qui avait été développée dans son *De censu
animae aduersus Hermogenem,* aujourd'hui disparu : cf. *An.* 3, 4 et
11, 2 (voir TERTULLIAN, *Über die Seele*, Trad. J.H. Waszink,
Zürich-Munich 1980, p. 213 s.) : cet hérétique prétendait que
l'âme humaine provenait de la matière, sans quoi ce serait
l'Esprit de Dieu qui aurait péché dans la chute. A Marcion notre
polémiste oppose le même argument scripturaire qu'il avait
utilisé contre Hermogène : *Gen.* 2, 7 ne se sert pas du mot
«esprit», mais du mot «souffle» pour la création de l'homme
comme «âme vivante». Le texte de la LXX est en effet καὶ
ἐνεφύσησεν εἰς τὸ πρόσωπον αὐτοῦ πνοὴν ζωῆς (Vulg. : *et inspirauit
in faciem eius spiraculum uitae*).

Cette distinction entre πνεῦμα (*spiritus*) et πνοή (*flatus, adflatus*),

capitale pour l'anthropologie patristique, remonte à Philon, *Leg.*
I, 42 (éd. Mondésert, p. 61) et se retrouve chez IRÉNÉE, *Haer.*
5, 12, 2 (*SC* 153, p. 143-151) qui oppose le «souffle de vie» pour
l'homme psychique et l'«Esprit vivifiant» pour l'homme spirituel. Comme l'indique justement WASZINK (*Comm. An.*, p. 194-
195), la dépendance de *An.* 11, 2 par rapport à Irénée est prouvée
par la présence dans la suite (*An.* 11, 3) des mêmes citations de *Is.*
42, 5 et 57, 16. Mais Tert. a-t-il connu aussi le passage de Philon?
QUISPEL (*Bronnen*, p. 139, n. 3) signale le rapprochement sans se
prononcer. WASZINK (*Comm. An.*, p. 14 *) ne pense pas que
notre auteur a lu directement Philon : c'est par des intermédiaires
grecs, exégètes des Écritures, qu'il aurait connu sa théorie.
Cependant il faut remarquer que le présent passage de Tert. est
plus proche de Philon que d'Irénée. Ce dernier met l'accent sur le
caractère temporaire du souffle, opposé à l'éternité de l'Esprit;
tandis que Philon établit une opposition en termes de grandeur
(«le *pneuma* contient les notions de force, de tension, de puissance
et la *pnoé* est une sorte de brise [αὔρα τίς ἐστι] et une exhalaison
paisible et douce»); ce qui est aussi le cas de notre texte :
minorem, aurula, aura, rarior (ce dernier terme ne comportant
pas une connotation temporelle, mais la connotation physique
par laquelle il s'oppose habituellement à *densus, solidus*).

Avant de s'expliquer sur la propriété des deux termes que les
hérétiques confondent incorrectement, Tert. rappelle d'abord le
grand principe de son exégèse : le recours à la Bible grecque
comme autorité (cf. D'ALÈS, *Théologie de Tertullien*, p. 231-232).
Ensuite, il met en cause des traductions latines fautives, qui ont
favorisé les interprétations et thèses hérétiques. Sur ces premières versions faites au hasard et dans le désordre, dont
il a plusieurs fois regretté les imperfections, (cf. *Prax.* 5, 3;
Mon. 11, 11), voir D'ALÈS, *o.c.*, p. 233 s et, pour ce passage,
O'MALLEY, *Tertullian and the Bible*, p. 11-13. Si, comme nous le
pensons, notre écrivain paraît bien encore ici viser Hermogène,
qui aurait suivi une version *latine* où πνοή était rendu par *spiritus*,
et aurait fondé là-dessus son argumentation en faveur d'une âme
«matérielle», nous avons là un nouvel indice pour confirmer
l'opinion de P. Monceaux sur l'emploi du latin par l'hérétique :
cf. *Deus Christ.*, p. 22 et n. 4.

Pour traduire πνοή, on remarquera que Tert. ici préfère *adflatus*. Le simple *flatus* (qui n'est employé que deux fois dans notre chapitre) sera, en revanche, préféré dans le *De anima* comme il l'était dans l'*Aduersus Hermogenem*. Absent du dossier de la *Vetus Latina* pour *Gen.* 2, 7, *adflatus* paraît bien être une traduction personnelle de notre écrivain.

26. Création des anges (II, 10, 3)

Selon EVANS (p. 117, n. 1), cette «seconde création» correspondrait à *Gen.* 2, 4-25, celle de l'homme actuel dans le monde actuel; elle ferait suite à la première création, celle du monde idéal (*Gen.* 1, 1—2, 3). Les anges correspondraient aux animaux de *Gen.* 2, 18-20, selon une fantaisie propre à Tert. Mais DANIÉLOU (*Origines du christianisme latin*, p. 114, n. 28) la rapproche de VICTORIN DE PETTAU (*De fabrica mundi* 4) pour qui, au sixième jour, la création des anges a précédé celle de l'homme; il y voit une tradition juive visant à éviter que les anges puissent être considérés comme des aides de Dieu à la création du monde. Le même auteur (*ibid.*, p. 147-148) explique notre présent texte par une influence du *Livre d'Adam* où les anges tenaient un grand rôle : la «seconde formation» fait, selon lui, allusion à *Gen.* 2, 19 (où on lit ἔπλασεν ὁ θεὸς ἔτι, sans correspondant dans la Vulgate), la «première formation» étant celle de *Gen* 1, 24. Pour Tert. cette «seconde formation» serait celle des anges et c'est pourquoi il comprend que le serpent est nommé ensuite comme «le plus sage» des animaux de cette formation (*Gen.* 3, 1). Peut-être la traduction de θηρία par *animalia* («animaux», mais aussi «êtres vivants») pouvait-elle entretenir une certaine équivoque. Quant à l'idée que les anges ont été créés raisonnables et libres comme les hommes, elle est exprimée plusieurs fois par IRÉNÉE, *Haer.* 4, 37, 1; 37, 6; 41, 1; on la rencontre fréquemment dans l'ancienne littérature chrétienne : cf. art. «Geister», *RAC* 9, 1976, c. 721 (P.G. van der Nat).

27. La justification du talion (II, 18, 1)

La loi du «talion» (*talio* est un terme juridique latin sans correspondant dans la Bible), telle qu'elle est formulée par le «Code de l'alliance» (*Ex.* 21, 24-25), est un principe juridique qui vise à proportionner la peine à l'offense et marque un progrès par rapport à la loi du plus fort exprimée en *Gen.* 4, 23 : ainsi l'entendent les interprètes modernes (cf. *TOB,* p. 169, n. *o*) et ainsi l'entendait déjà Philon dans l'éloge qu'il en faisait (*Spec.* 3, 181-182). Mais les hérétiques antinomistes y ont trouvé une occasion d'attaquer le dieu de la Loi. Ainsi Marcion opposait à la patience enseignée par le Christ (*Lc* 6, 29) l'appel à des représailles violentes qu'il voyait énoncé dans cette prescription mosaïque : il en avait fait sans doute l'objet d'une de ses «antithèses», comme il ressort de *Marc.* IV, 16, 2 (où il est peut-être cité) et de *Marc.* II, 28, 2 (où Tert. oppose plaisamment sa propre «antithèse» à celle de l'hérésiarque); voir aussi ORIGÈNE, *C. Cels.* 7, 25. Le valentinien PTOLÉMÉE, dans sa *Lettre à Flora* 5, 4-5 (*SC* 24, p. 58), critique aussi le talion, tout en reconnaissant qu'il avait été prescrit «à cause de la faiblesse de ceux à qui la Loi était destinée et pour éviter la transgression de la loi pure», mais plus loin (6, 2) il le condamne absolument, comme générateur d'iniquité et opposé au commandement du Sauveur. L'Église ancienne, de son côté, semble avoir surtout considéré le talion comme relevant des prescriptions de la loi juive que le christianisme était venu abolir : ainsi IRÉNÉE, *Demonst.* 96 (*SC* 62, p. 164), l'évoque au titre des enseignements «pédagogiques» de la Loi, rendus inutiles par l'Évangile (cf. *Haer.* 4, 14, 3—15, 2, où toutefois le talion n'est pas mentionné).

C'est dans le même esprit que Tert. en parle en *Iud.* 3, 10; *Pat.* 6, 4 et *Exh.* 6, 3, le considérant comme un précepte de l'ancienne loi que la loi nouvelle, fondée sur la patience, devait rendre caduc. Mais ici, pour répondre à Marcion, il fournit une justification précise du commandement de Yahvé. A quelque temps de là, dans son examen de l'évangile marcionite, il explicitera et développera sa justification, à propos de *Lc* 6, 29,

en ayant surtout pour objet de prouver l'identité entre le dieu de
Jésus-Christ et celui de la Loi (*Marc.* IV, 16, 2-7). Enfin il y
reviendra encore brièvement dans son cinquième livre contre le
même hérétique ; il résumera alors son opinion avec beaucoup de
clarté : « Le talion ne permettait pas de rendre l'offense, il
supprimait l'initiative de l'offense par la peur que celle-ci ne fût
rendue » (*Marc.* V, 14, 13). Comme l'a bien vu J.C. FREDOUILLE
(Éd. *Pat.* = *SC* 310, p. 172-173), il n'y a pas, entre ces deux
séries de textes, contradiction, mais complémentarité par passage
à un point de vue différent. Voir aussi RAMBAUX, *Tertullien face
aux morales,* p. 341-342.

Contre Marcion, Tert. s'est attaché à *défendre* le talion en
justifiant historiquement cette prescription mosaïque : il le fait en
s'inspirant d'idées exprimées avant lui (Ptolémée, Irénée), mais
de façon originale. Sa solution consiste à l'expliquer à la lumière
de l'interdiction, faite à l'homme par le Dieu de l'A. T., de se
venger lui-même. Interdiction que notre docteur voit formulée
dans *Deut.* 32, 35 où, s'exprimant par son *prophète* Moïse, Yahvé
revendique expressément pour lui et lui seul le droit de punir. Ce
texte est cité d'ailleurs sous la forme où Paul l'avait présenté, en
en explicitant la pensée : « Ne vous vengez pas vous-mêmes, mais
laissez agir la colère (de Dieu) ; car il est écrit : A moi la
vengeance, c'est moi qui rétribuerai » (*Rom.* 12, 19 ; cf. *Hébr.*
10, 30 ; pour la traduction latine, voir ci-après). Ce texte important, qui attestait à ses yeux l'accord fondamental de l'A. T. et du
N. T., il l'avait déjà allégué dans son *De patientia* pour prouver
que Dieu se présente à l'homme comme son unique vengeur et
lui prescrit par là de ne pas se faire justice, ce en quoi consiste la
patience (*Pat.* 10, 6). Il devait le reprendre en *Marc.* IV, 16, 3
avec ce commentaire : « Il enseigne la patience, qui attend d'être
vengée (par Dieu). » Mais il fera plus : il l'associera à deux autres
textes de l'A. T. (*Zach.* 7, 10 et 8, 17) par lesquels Yahvé prescrit
l'oubli des offenses (*Marc.* IV, 16, 2). Étant donné cette interdiction faite à l'homme de se venger par ses propres moyens, ainsi
que ce commandement d'oublier les offenses, il était clair, pour
notre auteur, que le dieu de l'A. T. ne pouvait avoir autorisé à
rendre offense pour offense (cf. IV, 16, 4) et que sa volonté,
clairement signifiée, faisait apparaître comme totalement inaccep-

table l'interprétation maligne du talion par les antinomistes.

Mais alors, comment faudra-t-il comprendre *Ex.* 21, 24-25 ? Il ne faut y voir rien d'autre qu'une «arme de dissuasion» contre la violence injuste, un moyen ou une sorte de subterfuge imaginé par Dieu pour empêcher l'homme, par la peur de représailles identiques, de porter un coup *le premier* : cf. *Marc.* IV, 16, 4. D'autre part, si Dieu a mis en place un tel moyen dissuasif, c'est à titre provisoire (*interim*) et parce que, dans sa providence (*prospicit*), il savait que son peuple «dur et sans foi en lui», serait incapable de s'en remettre à lui seul du soin de le venger, qu'un tel report lui paraîtrait «long et même incroyable». Comme on voit, Tert. tient compte ici de la postériorité du Cantique de Moïse (où est formulée l'interdiction de se venger, en *Deut.* 32, 35) par rapport à l'*Exode*. L'explication donnée au livre IV supprimera la référence précise à l'histoire d'Israël et se fera plus générale : «Le Créateur savait que la violence serait plus facilement retenue par la présence du talion que par la promesse de sa vengeance. Il lui fallut donc établir l'un et l'autre pour tenir compte de la nature et de la foi des hommes (*pro natura et fide hominum*); ainsi qui croirait en Dieu attendrait vengeance de Dieu, qui aurait moins de confiance en lui, redouterait les lois du talion» (*Marc.* IV, 16, 5). Mais, en dehors de ce point, les deux interprétations restent identiques. Tout se passe donc comme si, du livre II au livre IV, Tert. avait voulu se dégager de l'influence d'Irénée auquel il devait principalement son interprétation de la loi juive comme institution pédagogique.

Dans notre présent passage, l'explication du talion est l'objet d'une seule longue phrase «à tiroirs», qu'on peut décomposer ainsi : a) l'interprétation maligne des marcionites, qui est d'emblée rejetée (*Non — sapit*); b) l'interprétation soutenue par l'auteur (*sed — prospicit*); c) la cause : l'insoumission du peuple juif à l'égard de la volonté du Créateur de se réserver le punition de toute offense (*quia — dominus*); d) l'objet véritable du talion : empêcher de commettre une offense le premier, par peur d'une riposte immédiate (*ut ... interim — prouocationis*); e) la description des effets dissuasifs d'une réciprocité licite (*ut — committitur*) et d'une violence identique (*qua — passionis*). On remarquera que le point e) est plus particulièrement développé (plus du tiers de la

phrase), avec une certaine complaisance à souligner l'idée. On ne
le retrouvera pas dans la justification du livre IV.

L'interprétation de Tert., qu'on pourra trouver subtile, reste
marquée d'un caractère historique et psychologique. Comme
telle, elle est entièrement différente de l'exégèse «spirituelle»
d'un ORIGÉNE : dans *Hom. Ex.* 10, 2-4, celui-ci s'appuie sur la
critique d'une interprétation littérale du passage d'*Ex.* 21, 24
pour proposer d'entendre «œil» et «dent» au sens figuré, comme
symboles d'organes de l'âme. On notera aussi que Tert., en *Marc.*
II, 28, 2, utilise à propos du talion un argument fondé sur une
vérité d'expérience, et dont il ne fait état ni en II, 18, 1 ni en
IV, 16, 2-4 : le talion aurait pour avantage d'empêcher le don-
neur de coups de *récidiver*, étant donné qu'on frappe à nouveau
quand on n'est pas frappé en retour. Comme on voit, une telle
justification n'est pas en accord avec celle que notre polémiste a
défendue par ailleurs et qui présente cette prescription comme un
moyen d'empêcher l'offenseur, non pas de recommencer, mais
même de commencer.

Concernant la citation que notre passage fait de *Deut.* 32, 35
(LXX : ἐν ἡμέρᾳ ἐκδικήσεως ἀνταποδώσω; Vulg. : *Mea est ultio et
ego retribuam*), nous avons indiqué déjà plus haut qu'elle est
présentée sous la forme que lui avait donnée *Rom.* 12, 19 (=
Hébr. 10, 30) : ἐμοὶ ἐκδίκησις, ἐγὼ ἀνταποδώσω, λέγει κύριος. Il
convient de souligner maintenant le caractère insolite de la
traduction : *Mihi defensam, et ego defendam, dicit dominus* : cette
traduction est en effet isolée, non seulement dans la *VL*, mais
encore chez notre écrivain lui-même (cf. RÖNSCH, *N. T.
Tertullians*, p. 346-347) : partout ailleurs, il écrit : *Mihi uindictam*
(ou *Vindictam mihi*) *et ego uindicabo* (*dicit dominus*). Aucun autre
exemple du susbstantif *defensa* ne figure au *TLL* V, 1, c. 305,
l. 23. Provient-il d'une traduction africaine que Tert. avait sous
les yeux (ou en tête)? A-t-il été forgé par lui pour rendre le grec
ἐκδίκησις? Lui a-t-il été suggéré par la traduction *defendam* de
ἀνταποδώσω (sur ce sens de *defendere* = *punire, ulcisci*, cf. *TLL*
V, 1, c. 304, l. 72 s; voir aussi I, 26, 2)? Il est impossible de
répondre. Quoi qu'il en soit, notre auteur reviendra à sa
traduction habituelle (avec *uindictam* et *uindicabo*) aux livres IV
et V de son *Contre Marcion*; cette traduction était sans doute aussi

celle de l'hérétique : cf. *Marc.* V, 14, 12 et HARNACK, *Marcion*, p. 109*. Quant au choix de l'accusatif (*defensam* ou *uindictam*) au lieu du nominatif porté par le grec, il n'est pas dû à une singularité de Tert., comme il appert de CYPRIEN, *Test.* 3, 16 et *Demet.* 17. Cet accusatif nous paraît s'expliquer, dans un tel passage où Dieu revendique pour lui le droit de venger, moins comme un accusatif exclamatif (FREDOUILLE, *Éd. Pat.* = *SC* 310, p. 206) que comme un accusatif d'objet complétant un verbe ellipsé (*uolo* par exemple), substitué pour l'expressivité à ἔστι ellipsé du grec (cf. Vulg. en *Deut.* 32, 35 : *Mea est ultio*).

28. La «spoliation» des Égyptiens (II, 20)

L'épisode d'*Ex.* 12, 35-36 (cf. *Ex.* 3, 21-22 ; 11, 2), racontant le vol d'objets d'or et d'argent (vaisselle ou ustensiles) aux Égyptiens lors de la sortie d'Égypte, est une des pièces essentielles du dossier que les antinomistes utilisaient contre le dieu de l'A. T. Les marcionites, notamment, voyaient là une contradiction avec l'enseignement évangélique : le Christ envoyant ses disciples aux nations sans chaussures ni besace ni argent dans leur ceinture (cf. *Lc* 9, 3 ; *Matth.* 10, 9) ; il paraît assuré que Marcion en avait fait l'objet d'une de ses «antithèses» : cf. *Marc.* IV, 24, 1 («Le Créateur fit sortir d'Égypte les fils d'Israël tout chargés de dépouilles, vaisselles d'or et d'argent et vêtements ... Le Christ, au contraire, défend à ses disciples de prendre même un bâton pour la route», que confirment ADAMANTIUS, *Dial.* 1, 10 et TERT., *Marc.* II, 28, 2 (cf. HARNACK, *Marcion*, p. 89). Le même épisode permettait au même hérétique le grief d'incohérence, le Créateur interdisant le vol dans son Décalogue et l'ordonnant à son peuple en Égypte : cf. *Marc.* V, 13, 6 (*furari uetans fraudem mandauerit in Aegyptios auri et argenti*).

La justification que notre auteur donne de cet ordre (*mandatum*) du Créateur se veut de caractère historique et même de forme juridique. Elle s'attache à montrer l'excellence de la cause des Hébreux en cette affaire et, partant, le bien-fondé de l'ordre donné (cf. § 4). Deux traditions, semble-t-il, ont été utilisées dans l'argumentation.

1) La tradition philonienne. Dans sa *Vita Mosis* 1, 141-142 (que CLÉMENT D'ALEXANDRIE devait reproduire presque mot pour mot en *Strom.* 1, 157), PHILON expliquait ainsi cette prétendue spoliation : les Hébreux n'avaient agi ni par cupidité ni par convoitise du bien d'autrui, mais «*d'abord*, de tous les travaux qu'ils avaient exécutés pendant tout ce temps, ils emportaient l'indispensable salaire (ἀναγκαῖον μισθὸν κομιζόμενοι); *ensuite*, tout ce qu'ils avaient souffert dans la servitude, ils le rendirent en vexations plus petites et nullement équivalentes (ἐν ἐλάττοσι καὶ οὐχὶ τοῖς ἴσοις ἀντιλυποῦντες)». Les deux explications apportées par Philon (juste rémunération des travaux exécutés sans salaire et réparation bien insuffisante des injustes vexations de la servitude) seront retenues par Tert. qui ménagera, comme nous verrons, une habile gradation de la première à la seconde. On notera aussi que notre auteur laisse de côté les considérations sur l'état de paix et l'état de guerre entre Hébreux et Égyptiens que Philon développe au § 142 (suivi par Clément).

2) Une tradition rabbinique, attestée par le traité *Meguillat Taanit* et reprise dans *T. B. Sanhedrin* 91 a, fait état d'un procès que les Égyptiens auraient intenté aux Israélites devant le tribunal d'Alexandrie : s'appuyant sur le Pentateuque (cf. *Ex.* 3, 21-22), ils leur réclamaient la restitution des objets d'or et d'argent que leurs ancêtres, au nombre de 600 000, avaient «empruntés» à leurs voisins et emportés en s'en allant. Le défenseur des Israélites, Gebiha ben Pessissa, fit valoir, en s'appuyant aussi sur l'*Exode*, que ces 600 000 Hébreux, pendant 430 ans de servitude, avaient été assujettis à la fabrication de briques et à toutes sortes de travaux sans recevoir de salaire, que par conséquent il fallait faire le compte de la dette égyptienne en estimant ce salaire à *un sicle par homme et par jour*. Mais avant même que le compte fût achevé, les Égyptiens préférèrent s'enfuir, car l'Égypte entière aurait dû revenir aux Hébreux (cf. C. AZIZA, *Tertullien et le judaïsme*, Paris 1977, p. 169 s., et «L'utilisation polémique du récit de l'Exode chez les écrivains alexandrins», dans *ANRW* II, 20, 1, Berlin-New York 1987, p. 43. Voir aussi I. LEVI, «La

dispute des Égyptiens et des Juifs devant Alexandre», *REJ* 63,
1912, p. 212 s.).

De quelque façon que Tert. ait recueilli cette anecdote
légendaire (lecture de textes rabbiniques? contacts avec le milieu
juif de Carthage?), il est indéniable qu'il en est ici tributaire; il lui
doit, outre l'idée d'un procès ayant eu lieu jadis par ambassa-
deurs interposés, plusieurs détails particuliers : salaire d'une
pièce d'argent par jour pour chacun des 600 000 Hébreux
(cf. AZIZA, *o.c.*, p. 171-172); référence des deux parties au même
scripturae instrumentum (le livre de l'*Exode*).

Notre auteur a marqué son originalité, non seulement en
combinant ces deux traditions, mais en faisant aussi une large
place à la rhétorique, ce qui le conduit à imaginer d'abord, à
l'exemple du procès passé, un procès actuel, celui que les
marcionites font aux Hébreux sur cette affaire. C'est ce
qu'évoque la première phrase (*Age — iudicabis*) qui, par défi,
attribue le rôle de juge (*arbitrum*) à Marcion lui-même. La phrase
suivante rappelle les positions de deux parties (Égyptiens et
Hébreux) dans ce procès censé se dérouler devant Marcion
(*Reposcunt — aedificatis*). Avec un nouvel appel à Marcion, le
fond du débat est résumé : vol des Hébreux ou légitime
compensation due par les Égyptiens? (*Quid iudicabis — compensationem*). C'est alors seulement que Tert. se réfère au procès
d'autrefois, qui justifie sa présente mise en scène (*Nam et —
operas suas*). La phrase suivante (*Et tunc — aestimentur*; pour le
problème textuel, voir Notes critiques, p. 201), en une forte
antithèse, rappelle la conclusion du procès ancien, où les
Égyptiens abandonnèrent leur plainte, et souligne les exigences
des Hébreux dans le procès actuel, celui que leur font les
marcionites; et c'est ici qu'est utilisé l'argument de la tradition
rabbinique (insuffisance d'une compensation sur la base d'un
sesterce par jour «pendant tant d'années»). Deux interrogations
rhétoriques (*Quae autem — Hebraeorum*) présentent ensuite un
argument numérique, qui reviendra par la suite (*paucis ...
pauciorum*) : les Égyptiens bénéficiaires de ces travaux forcés ont
été bien plus nombreux que les Égyptiens spoliés. Jusqu'ici,
notre auteur s'en est tenu à l'explication que Philon avait donnée
en premier lieu, la seule aussi dont faisait état la défense de

Gebiha ben Pessissa dans le texte rabbinique : juste rémunération
de travaux exécutés sans salaire. Il va maintenant, dans la longue
phrase *Vt solo — pronuntiasset*, mettre en œuvre la seconde
justification philonienne (réparation bien insuffisante des injustes
vexations de la servitude) : il le fait en revenant au cadre d'un
procès et en supposant une action que les Hébreux auraient à leur
tour intentée aux Égyptiens pour outrages et mauvais trai-
tements (*solo iniuriarum iudicio*), où ces *iniuriae* auraient pu
être prouvées par les marques mêmes des sévices sur les
personnes qui les avaient subis, et où la sentence aurait dû
fixer une réparation (*satisfactio*) équivalant à toutes les richesses
de l'Égypte. Une courte conclusion (*Igitur — debuerant*) disculpe
le Créateur en ajoutant trois arguments supplémentaires : a) il a
contraint les Égyptiens, à leur insu, à remplir un devoir de
reconnaissance ; b) il a dédommagé son peuple de ses longues
misères en Égypte ; c) la dette égyptienne resta bien supérieure,
puisque les fils des Hébreux tués sur l'ordre de Pharaon ne
pouvaient leur être rendus.

Ainsi, d'un bout à l'autre, Tert. s'est limité à une justification
historique et à une lecture «simple» du texte scripturaire. A
aucun moment, il n'a mentionné ni la destination de toutes ces
«richesses d'Égypte», qui devaient servir à l'édification du
tabernacle dans le désert, ni la signification symbolique de la
sortie de ce pays. Or c'est en tenant compte de ces deux données
qu'IRÉNÉE, *Haer.* 4, 30, 1-4 (selon l'enseignement du Presbytre),
et ORIGÈNE, *Lettre à Grégoire* 1-2, devaient élaborer une interprétation «spirituelle» de l'épisode : pour le premier, les Hébreux
spoliant les Égyptiens sont la préfiguration des chrétiens sortis
des nations et destinés à «servir Dieu au moyen de biens
étrangers» ; pour le second, ces «dépouilles d'Égypte» préfigu-
rent tout ce qui, dans la culture grecque, peut servir au
christianisme et à l'interprétation de l'Écriture sainte. On sait
que cette explication était appelée à connaître une grande fortune
chez les Pères. Tert., lui, l'ignore, ou du moins n'en dit mot.

29. Le «repentir» du Créateur (II, 24)

Dans leur mise en question des «repentirs» du Créateur, les
marcionites s'appuyaient sur une définition (l. 3 : *ex* delicti
recordatione; l. 5-6 : *confessionem ... mali operis alicuius uel* erroris)
qui paraît bien d'origine stoïcienne, comme l'a vu POLHENZ,
Vom Zorne Gottes, p. 21. Aussi sévères à l'égard du repentir qu'à
l'égard de la pitié, les stoïciens voyaient en effet en celui-ci «un
chagrin provoqué par une erreur commise» (ἡμαρτημένοις), une
passion (πάθος) néfaste et séditieuse de l'âme (cf. STOBÉE,
Ecl. 2, 102, 25 W [*SVF* 3, 563]). Tert. avait utilisé une définition voisine dans un ouvrage antérieur : «Tout repentir est
l'aveu d'un péché (*confessio delicti*) et n'a pas d'autre raison d'être
que le péché» (*Carn.* 8, 3). Dans son traité sur la pénitence,
également antérieur au *Contre Marcion*, il avait cependant commencé par une définition «profane» qui était la suivante :
«*passionem animi quandam ... quae obueniat de offensa* sententiae
prioris», «une passion de l'âme qui provient du désagrément
causé par une décision antérieure» (*Paen.* 1, 1). Si cette définition
conservait quelque vestige du stoïcisme (*passionem*), elle gagnait
néanmoins en généralité et objectivité; elle se rapprochait
effectivement des formules (*simplex conuersio sententiae prioris, ex
animi demutatione*) que la discussion du présent chapitre (au § 8)
va faire prévaloir. Voir S.W.J. TEEUWEN, «De uoce "paenitentia" apud Tertullianum», *Mnemosyne* N.S. 55, 1927, p. 410 s.

Cette discussion se fait en trois temps :

1) Réfutation de la première objection (§ 1-2 c→*criminosam*),
tirée de *I Sam.* 15, 11 où le Créateur dit se repentir d'avoir fait roi
Saül (cf. *I Sam.* 15, 35). La dialectique de Tert. consiste ici à
récuser comme trop rigide la définition utilisée par l'adversaire
(repentir causé par la conscience d'une *faute*). De fait *paenitentia*,
comme *paenitet*, s'emploie aussi dans un sens large où il marque
plus le «regret» que le «repentir» proprement dit (cf. *TLL* X, 1,
c. 52, l. 10, avec exemples de Sénèque, Quinte-Curce, Pline).
Ainsi notre auteur peut valablement faire état de la *paenitentia*
d'un bienfaiteur dont la bonne action n'a rencontré qu'ingratitude chez le bénéficiaire, ce qui est le cas pour Yahvé avec Saül,

comme le contexte scripturaire le prouve abondamment. L'aveu
(*confessio*, *professio*) de ce repentir-regret vise à rendre odieux, à
blâmer l'ingrat (*ad inuidiam et exprobrationem*) ; il peut être qualifié
d'*inuidiosus* (sur ce sens de *indignationem mouens*, cf.*TLL* VII, 2,
c. 208, l. 11 s.).

2) Réfutation de la seconde objection (§ 2 d-6 a→*passionis ipsius*),
tirée de *Jonas* 3, 10 où le Créateur est dit se repentir du mal qu'il
avait pensé faire aux Ninivites, et confirmée par *Jonas* 4, 2 où le
prophète présente Dieu comme «se repentant des maux». Cette
fois, étant donné la mention du *mal* qui provoque le repentir,
l'explication précédente ne vaut plus et l'on est ramené à
la définition générale (*ex delicti recordatione*) ; l'interlocuteur
marcionite qualifie même, non sans emphase, cette *paenitentia*
de *criminosa* (= *crimini obnoxia*, *scelesta*, *flagitiosa* : cf. *TLL* IV,
c. 1199, l. 73). Après divers arguments tirés du contexte, l'habile
dialecticien sort de difficulté en contestant que les maux ici
nommés puissent justifier l'interprétation péjorative de «repentir
d'une faute» ; il le fait notamment en reprenant la distinction
établie plus haut (II, 14, 2-3) entre le mal du péché et le mal de la
punition qui est un bien au service de la justice.

3) Solution du problème par une nouvelle définition (§ 6 b-8).
Une objection marcionite provoquée par l'argumentation précédente conduit Tert. à renvoyer dos à dos les définitions utilisées
jusque-là et à demander à l'Écriture une définition adéquate du
repentir de Dieu ; c'est celle que lui fournit *I Sam.* 15, 29,
définition négative qui marque simplement l'absence de toute
commune mesure entre la *paenitentia* de Dieu et celle de l'homme.
Le constat de cette différence absolue (comme celle qui a été vue
au ch. 16 à propos des sentiments) aboutit à une définition, qui
s'appuie sur le sens étymologique du terme grec μετάνοια : le
«repentir divin» est simple changement d'opinion, échappant à
toute répréhension de par la nature de l'Être en qui il se produit.
Car si un changement d'opinion se produit en Dieu, ce n'est
qu'une réponse aux variations des hommes ; et ainsi est rejointe
l'argumentation du ch. 23.

On peut se demander maintenant si les deux objections
scripturaires auxquelles Tert. répond ici proviennent bien, sous
leur forme précise, de la polémique marcionite. On sait que

l'A. T. comporte plusieurs allusions à un repentir de Dieu. Le plus célèbre est celui dont parle *Gen.* 6, 6-7 (devant la malice des hommes et avant le Déluge); et l'on pourrait s'étonner que les marcionites n'en aient pas fait état. Mais déjà, à l'intérieur du judaïsme, PHILON s'était attaché à écarter de l'interprétation de ce texte toute idée de repentir; il jugeait même que «il n'y a pas de plus grande impiété que de supposer que l'Immuable change», et opposait à la versatilité humaine la constance divine (*Deus* 20-32). Ce même passage avait été cité par Celse comme attestant un repentir de Dieu et ORIGÈNE devra aussi le défendre en qualifiant cette interprétation de «falsification calomnieuse du texte de la *Genèse*» (*C. Cels.* 6, 58). De fait, la LXX avait évité ici un verbe portant clairement l'idée de repentir, comme μεταμέλεσθαι ou μετανοεῖν ou (exceptionnellement) παρακαλεῖσθαι; et c'est peut-être la raison pour laquelle, au IIᵉ siècle, les marcionites n'avaient pas recouru à ce texte. Il reste que les verbes exprimant le repentir se rencontrent, à propos de Dieu, dans plusieurs passages des livres historiques et prophétiques de l'A. T. En plus des textes relevés dans notre chapitre, on peut citer *II Sam.* 24, 16, *I Chr.* 21, 5; *Ps.* 105, 45; 109, 4; *Jér.* 4, 28; 18, 8 et 10; 20, 16; 26, 3; 26, 13; 26, 19. Cette relative fréquence nous inclinerait donc à penser que Marcion s'était contenté d'incriminer, sans référence précise au texte biblique, les «repentirs» du Dieu des juifs; il l'avait fait sans doute dans ses *Antithèses* puisque le grief de *paenitentia* est retourné contre le dieu de Marcion dans les «Antithèses» rivales de notre auteur (cf. *infra* II, 28, 2). Mais le choix des deux exemples scripturaires nous paraît être l'œuvre de Tert. qui a voulu construire sur eux sa démonstration.

30. Dieu questionne Adam en *Gen.* 3, 9 (II, 25, 1-6)

A l'interprétation marcionite d'une ignorance du Créateur que cette question attesterait, Tert. oppose un long développement dont on a étudié les sources. QUISPEL (*Bronnen*, p. 41-42) l'avait le

premier rapproché de THÉOPHILE D'ANTIOCHE (*Autol.* 2, 26) et
de PHILON (*Leg.* 3, 51). C. MORESCHINI («Temi e motivi»,
p. 185-p. 186) a signalé l'importance d'un passage de JUSTIN :
Dial. 99, 3, que notre auteur a combiné aux précédents. A ces
textes, il convient d'en ajouter d'autres, comme nous verrons en
revenant sur le problème de la dette et de l'originalité de Tert.
ici.

PHILON avait proposé quatre interprétations de la question
«Adam où es-tu?». La première (*Leg.* 3, 51) comporte un sens
non pas interrogatif, mais déclaratif (τὸ ἀποφαντικόν) qui équivaut à : «Tu es dans un lieu» (l'interrogatif ποῦ étant lu, avec
accent grave, ποὺ = «quelque part»), et la suite explique qu'en
opposition à Dieu seul Être non contenu, mais contenant
(l'univers), les êtres qui naissent sont toujours dans un lieu. La
seconde (*ibid.* 52), nous dit-il sans autre explication, équivaut à
ceci : «Où en es-tu venue, ô âme? A quels biens as-tu préféré de
tels maux! Alors que Dieu t'a appelée à participer à la vertu, tu es
partie à la recherche du vice! Quand il t'a offert pour en jouir
l'arbre de la vie, c'est-à-dire de la sagesse qui aurait pu te faire
vivre, tu t'es gorgée d'ignorance et de corruption, ayant préféré
le malheur de la mort de l'âme au bonheur de la vie véritable!»
(trad. C. Mondésert). La troisième et la quatrième interprétations
supposent le sens interrogatif, mais avec une réponse différente :
a) la réponse «nulle part» : l'âme du méchant n'occupant pas de
lieu où elle puisse s'établir (*ibid.* 53); b) la réponse d'Adam,
c'est-à-dire : «Je suis où se trouvent ceux qui sont incapables de
voir Dieu» (*ibid.* 54). Mais un autre texte de PHILON mérite
d'être versé au dossier, celui des *Quaest. Gen.* 1, 45 : «Pourquoi
celui qui sait tout demande-t-il à Adam 'Où es-tu?' (...) Il ne
semble pas que ces paroles soient une interrogation, mais une
espèce de menace et de réprimande : 'Où es-tu maintenant? De
quels biens, homme, es-tu déchu? Abandonnant l'immortalité et
la vie bienheureuse, ô homme, tu t'es tourné vers la mort et le
malheur dans lesquels tu as été enseveli'». (version arménienne,
trad. C. Mercier [*Les œuvres de Philon d'Alexandrie* 34 A], Paris
1979, p. 111).

Il est clair que l'interprétation de ce dernier texte rejoint la
seconde du passage des *Legum Allegoriae*. C'est d'ailleurs la seule

que le christianisme ancien ait retenue. Nous la retrouvons dans le bref passage de Justin (*Dial.* 99, 3) qui dit : «Ce ne fut pas ignorance de la part de Dieu que de demander à Adam où il était et à Caïn où était Abel, mais pour faire honte (ἐλέγξαι) à chacun de ce qu'il était et afin que nous parvienne par écrit la connaissance de tout». C. Moreschini, qui a attiré le premier l'attention sur ce texte, ne paraît pas avoir vu la portée de la dernière proposition, qu'il ne cite pas; et il n'explique pas convenablement non plus l'interprétation de Justin (ἐλέγξαι) qu'il fait dériver du τὸ ἀποφαντικόν de Philon, avec l'ajout d'une signification morale. En fait, le passage des *Quaestiones in Genesim*, que nous avons reproduit plus haut, fait apparaître à l'évidence que l'explication de Justin en dépend.

Tert. en hérite à son tour par ce passage de Justin, comme aussi sans doute par une tradition ecclésiastique qui l'avait recueillie. En tout cas, toutes les expressions dont il se sert (l. 9-14 : *cum... admissi suggillatione ... nec interrogatorio sono ... sed impresso et incusso et imputatiuo ... increpandi et dolendi*) développent le ἐλέγξαι de Justin comme elles répondent aux formules philoniennes («pas ... une interrogation, mais ... menace et ... réprimande»). De même son explicitation du sens (*in perditione es*) résume en trois mots le délayage bavard de l'auteur grec.

Mais la dette de Tertullien à l'égard de ce passage du *Dialogue* ne se limite pas là. Il lui doit en effet deux autres éléments de son argumentation : 1) l'association d'Adam à Caïn, qui lui aussi avait été l'objet, de la part de Dieu, d'une «fausse» question; 2) l'idée que Dieu préparait notre instruction par la relation de tous ces événements (comme l'exprime, avec brièveté, la dernière proposition du texte de Justin).

Pour construire son développement, il a tiré parti aussi d'un passage de Théophile, reconnu depuis longtemps comme une de ses sources. Celui-ci (*Autol.* 2, 26), corrigeant peut-être le ἐλέγξαι de Justin, précisait que Dieu avait agi par générosité (μακρόθυμος) en posant cette question, car il donnait à l'homme occasion de repentir et d'aveu (ἀφορμὴν ἐδίδου αὐτῷ μετανοίας καὶ ἐξομολογήσεως); et, un peu plus loin (2, 29), il devait répéter, presque mot pour mot, cette explication à propos de Caïn précisément et de la question de *Gen.* 4, 8. Il n'est pas douteux que l'expression *daret ei locum sponte confitendi delictum* (l. 25) soit inspirée directement par le texte de Théophile. Peut-être aussi, quand il écrit dans la même phrase : *hic liberi arbitrii* probans *hominem* (l. 24), se souvient-il de ce que THÉOPHILE, un peu plus haut (*Autol.* 2, 25), disait à propos de l'interdiction de toucher au fruit : «Dieu voulait l'éprouver (δοκιμάσαι), pour voir s'il était obéissant à sa prescription.»

Ainsi, faisant son profit d'indications de Justin et de Théophile, notre écrivain a su présenter une explication théologique (l. 22 : *argumentum diuinae maiestatis et humanae instructionis*) dont l'originalité consiste à exploiter le contraste entre le cas d'Adam (qui avoue) et celui de Caïn (qui nie) : les «questions» de Dieu simulent l'incertitude, l'ignorance (l. 23 : *quasi incertus*; l. 45 : *ignorantia dei nostri quae ideo simulabitur*), d'abord pour éprouver le libre arbitre de l'un et de l'autre en leur permettant d'avouer ou de nier, ensuite pour établir, à l'usage des hommes pécheurs, et dans la perspective de la responsabilité personnelle que devait proclamer l'Évangile, un exemple avec Adam, que son aveu a sauvé, et un contre-exemple avec Caïn, que son démenti a perdu (l. 30-31 : *nobis conderentur exempla confitendorum potius delictorum quam negandorum*; l. 45-46 : *ne delinquens homo quid sibi agendum sit ignoret*). Mais cette antithèse même, entre Adam sauvé et Caïn maudit, il est juste de reconnaître qu'elle lui a été suggérée par le développement qu'IRÉNÉE avait consacré au même thème (*Haer.* 3, 23, 4-6), même si aucune correspondance verbale précise ne vient faire la preuve d'une dépendance.

Sur *Gen.* 3, 9, Tert. reviendra ailleurs occasionnellement, en restant toujours fidèle à l'interprétation ici exposée. Un peu plus bas (*Marc.* II, 27, 4) cette interrogation, avec son semblant d'ignorance, sera rapportée, avec d'autres *pusillitates*, au Fils-Verbe faisant son apprentissage de l'Incarnation, et le même argument sera repris en *Prax.* 16, 4. En *Marc.* IV, 20, 8, ce texte de la *Genèse* sera rappelé à propos d'une autre interrogation, celle du Christ dans l'épisode de l'hémoroïsse : «Qui m'a touché?» (*Lc* 8, 43), parole prononcée par le Christ *quasi ignorans*, mais pour provoquer l'aveu de cette femme, pour mettre sa crainte à l'épreuve («*ut* confessionem *certe prouocaret, ut timorem* probaret») : on remarquera la proximité avec les expressions de

Marc. II, 24, 3 et la confirmation du sens que nous donnons à *probans* dans notre passage. Enfin, en *Iei.* 6, 7, en relation avec la thèse défendue dans ce traité, la menace (*minabatur*) que traduit la question à Adam «repu», sera opposée au caractère amical et caressant (*amicior, blandiebatur*) de la question que Dieu pose à Élie jeûnant sur l'Horeb : *Quid tu, Helia, hic?* (cf. *I Rois* 19, 9).

TABLE DES MATIÈRES

SOURCES CHRÉTIENNES

Fondateurs : H. de Lubac, s.j.
† J. Daniélou, s.j.
† C. Mondésert, s.j.
Directeur : D. Bertrand, s.j.
Directeur-adjoint : J.N. Guinot

Dans la liste qui suit, dite «liste alphabétique», tous les ouvrages sont rangés par nom d'auteur ancien, les numéros précisant pour chacun l'ordre de parution depuis le début de la collection. Pour une information plus complète, on peut se procurer deux autres listes au secrétariat de «Sources Chrétiennes»
29, rue du Plat, 69002 Lyon (France) – Tél. : 78.37.27.08 :

1. la «liste numérique», qui présente les volumes et leurs auteurs actuels d'après les dates de publication; elle indique les réimpressions et les ouvrages momentanément épuisés ou dont la réédition est préparée.
2. la «liste thématique», qui présente les volumes d'après les centres d'intérêt et les genres littéraires : exégèse, dogme, histoire, correspondance, apologétique, etc.

LISTE ALPHABÉTIQUE (1-368)

SOUS PRESSE

CÉSAIRE D'ARLES : **Œuvres monastiques.** Tome II : **Œuvres pour les moines.**
A. de Vogüé, J. Courreau.

EUSÈBE DE CÉSARÉE : **Préparation évangélique,** livres VIII-X. É des Places.

PROCHAINES PUBLICATIONS

Actes de la Conférence de Carthage, tome IV. S. Lancel.

Les Apophtegmes des Pères. Tome I. J.-C. Guy.

ATHÉNAGORE : **Supplique au sujet des chrétiens** et **Traité de la Résurrection.**
B. Pouderon.

BASILE DE CÉSARÉE : **Homélies morales.** Tome I. E. Rouillard, M.-L. Guil-
laumin.

BERNARD DE CLAIRVAUX : **Livre du libre arbitre.** F. Callerot. **Traité du précepte
et de la dispense.** A. Lemaire et M. Standaert.

EUGIPPE, **Vie de saint Séverin.** P. Regerat.

GRÉGOIRE DE NAZIANZE : **Discours** 42-43. J. Bernardi.

GRÉGOIRE LE GRAND : **Lettres.** Tome I. P. Minard (†).

HERMIAS : **Moquerie des philosophes païens.** R.P. C. Hanson. (†).

JEAN DAMASCÈNE : **Écrits sur l'Islam.** R. Le Coz.

LACTANCE : **Institutions divines.** Tome IV. P. Monat.

ORIGÈNE, **Commentaire sur le Cantique.** Tome I. L. Brésard.

Également aux Éditions du Cerf :

LES ŒUVRES DE PHILON D'ALEXANDRIE

publiées sous la direction de

R. ARNALDEZ, C. MONDÉSERT, J. POUILLOUX.

Texte original et traduction française.

Photocomposition laser Abbaye de Melleray, C.C.S.O.M., 44520 Moisdon-la-Rivière

Achevé d'imprimer par Corlet, Imprimeur, S.A. 14110 Condé-sur-Noireau (France)

N° d'Éditeur : 9185 - N° d'Imprimeur : 713 - Dépôt légal : mars 1991

Imprimé en C.E.E.